CB036386

NOVA EDIÇÃO
COM 24 HISTÓRIAS COMPLETAS
Os melhores
CONTOS DE FADAS
CeltaS
Tradicionais e Autorais

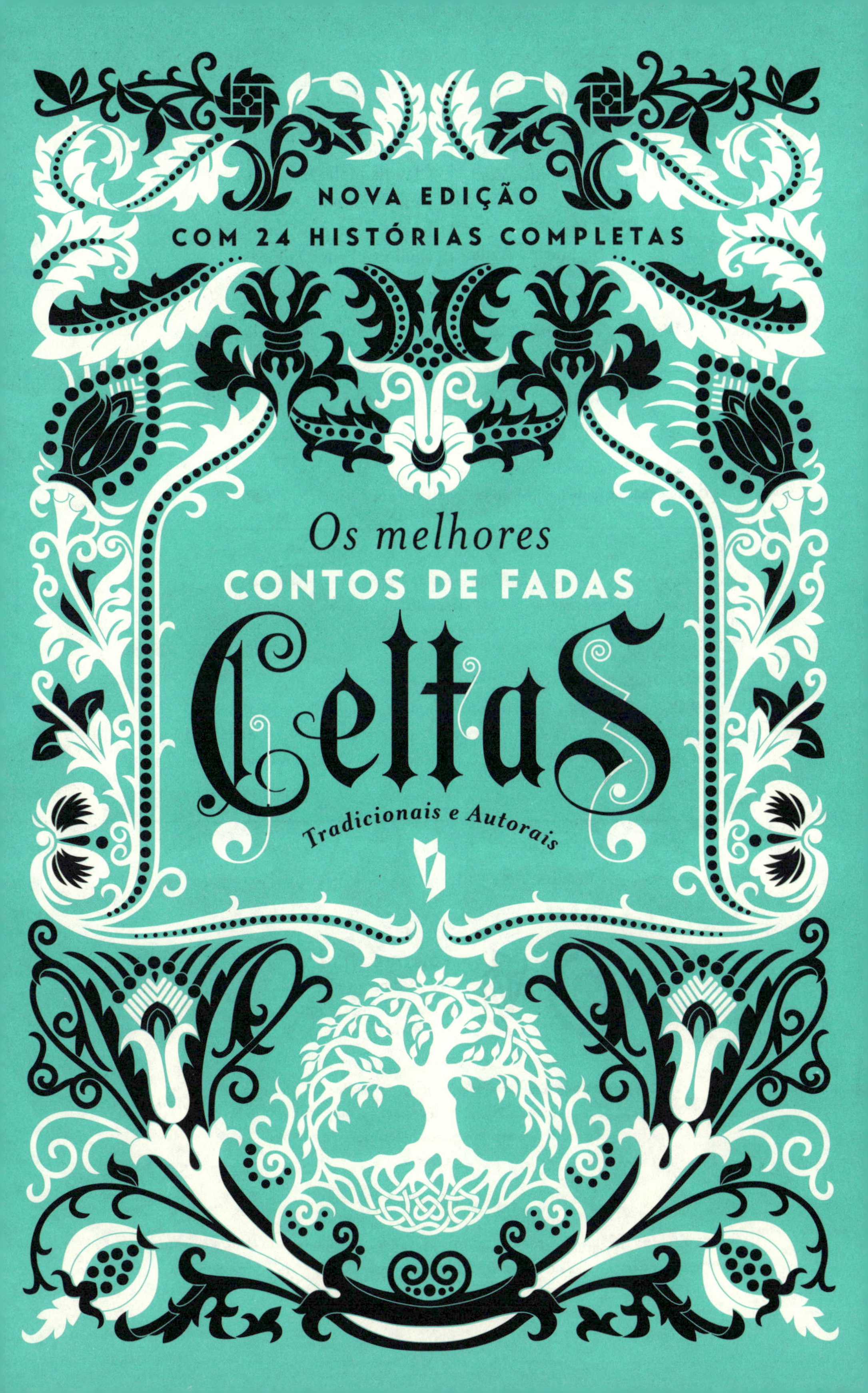
NOVA EDIÇÃO
COM 24 HISTÓRIAS COMPLETAS
Os melhores
CONTOS DE FADAS
Celtas
Tradicionais e Autorais

Organização
Marina Avila e Valquíria Vlad

Capa e Projeto Gráfico
Marina Avila

Preparação
Regiane Winarski e Milena Vargas

Tradução
Cláudia Mello Belhassof,
Camila Fernandes,
Rachel Agavino, Carolina Caires
Coelho e Felipe Lemos

Revisão
Karine Ribeiro e Úrsula Antunes

2ª edição | 6ª reimpressão | 2024 | Ipsis

Dados Internacionais de Catalogação na Publicação (CIP)

Catalogação na fonte Bibliotecária responsável: Ana Lúcia Merege - CRB-7 4667

M 521

Os melhores contos de fadas celtas / curadoria de Marina Avila; prefácio de
Alexander Meireles da Silva. – São Caetano do Sul, SP: Wish, 2021.
336 p. : il.
Vários autores.
Vários tradutores.
ISBN 978-65-88218-30-3 (Capa dura; edição de luxo)
1. Contos de fadas 2. Literatura celta 3. Literatura inglesa 4. Antologia
(Contos de fadas) I. Avila, Marina II. Silva, Alexander Meireles da

CDD 398.2

Índice para catálogo sistemático:

1. Contos de fadas 398.2 2. Literatura celta 891

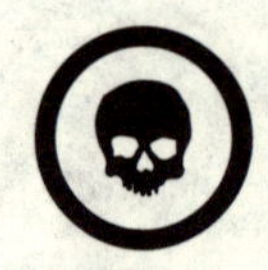

EDITORA WISH
www.editorawish.com.br
Redes Sociais: @editorawish
São Caetano do Sul - SP - Brasil

© **Copyright 2023.** Este livro possui direitos de tradução e projeto gráfico
e não pode ser distribuído, de forma comercial ou gratuita, ao todo
ou parcialmente, sem a prévia autorização da editora.

DA MESMA COLEÇÃO:

Contos de Fadas em suas Versões Originais | *Os Melhores Contos de Fadas Nórdicos*
Os Melhores Contos de Fadas Asiáticos | *Os Melhores Contos de Fadas Sombrios*

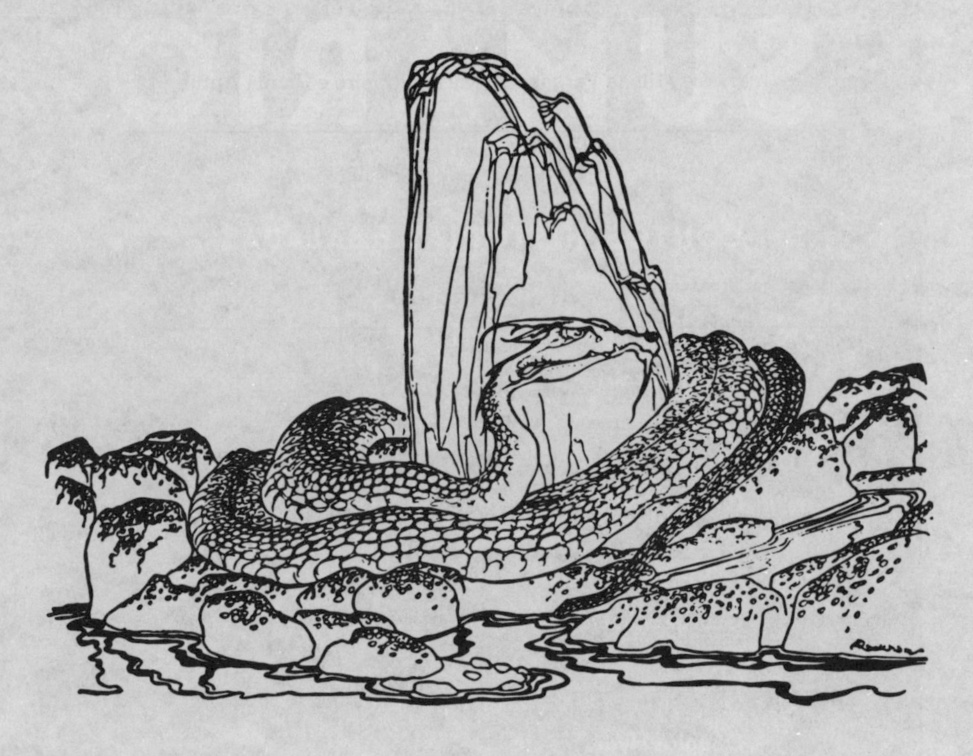

"Se você quiser que seus filhos sejam
inteligentes, leia contos de fadas a eles.
Se quiser que sejam *mais* inteligentes,
leia *mais* contos de fadas."

ALBERT EINSTEIN

SUMÁRIO

CONTOS, HISTÓRIAS E BALADAS

TEXTOS DE APOIO E EXTRAS

CONHEÇA OS AUTORES

Vidas e obras de mentes criativas

JOSEPH JACOBS
(1854–1916)

istoriador e folclorista australiano, Joseph Jacobs viveu na Inglaterra durante sua vida adulta. Ficou mundialmente conhecido por uma série de artigos sobre a perseguição aos judeus na Rússia e publicou muitos volumes no campo da história judaica.

Jacobs editou o jornal *Folklore* de 1899 a 1900. De 1890 a 1916, editou e publicou diversas coleções de contos de fadas que foram impressas com ilustrações de John Dickson Batten: *English Fairy Tales, Celtic Fairy Tales, Indian Fairy Tales, More English Fairy Tales, More Celtic Fairy Tales* e *Europa's Fairy Book*. Ele acreditava que as crianças inglesas deveriam ter acesso aos contos ingleses, enquanto, majoritariamente, os contos de Grimm e Perrault eram publicados – sendo histórias alemãs e francesas. Jacobs, porém, foi inspirado por estes autores, e escreveu: "O que Perrault havia iniciado, os Grimm completaram".

ANDREW LANG
(1844–1912)

ndrew Lang foi um escritor escocês. Dono de vasta erudição, tornou-se uma autoridade em literatura grega, francesa e inglesa, folclore, antropologia, história escocesa, telepatia e em outros campos. Realizou inúmeras pesquisas e publicou também alguns livros de poesia. Foi autor e editor de uma das maiores coleções de contos de fadas e histórias do mundo – junto com sua esposa, Leonora Blanche Alleyne –, com 25 publicações entre 1889 e 1913, incluindo *The Lilac Fairy Book* (1910) compreendendo contos irlandeses, escoceses e de outros países. No total, a coleção contempla 798 contos e 153 poemas. É um dos maiores compiladores de contos de fadas, disponibilizando o acesso traduzido a histórias raras e selecionadas.

DOUGLAS HYDE
(1860–1949)

ouglas Hyde, pseudônimo de An Craoibhín Aoibhinn, foi um escritor, linguista e político irlandês, presidente da República da Irlanda entre 1938 e 1945.

KENNETH GRAHAME

(1859–1932)

Kenneth Grahame foi um escritor escocês de ficção e fantasia escritos para crianças. Seu principal trabalho é *O Vento nos Salgueiros* (1908), um dos maiores clássicos da literatura infantil, influenciando muitos outros autores. Morou a maior parte de sua vida na Inglaterra.

OSCAR WILDE

(1854–1900)

Oscar Fingal O'Flahertie Wills Wilde, ou simplesmente Oscar Wilde, foi um influente escritor, poeta e dramaturgo irlandês. Depois de escrever de diferentes formas ao longo da década de 1880, tornou-se um dos dramaturgos mais populares de Londres, em 1890. Hoje ele é lembrado por seus epigramas, peças e livros, como *O Retrato de Dorian Gray* (1890) e *O Fantasma de Canterville* (1887).

LADY WILDE
(1821–1896)

ãe de Oscar Wilde, nascida Jane Francesca Agnes, Lady Wilde foi uma poetisa irlandesa e apoiadora do movimento nacionalista. Ajudou a compilar os contos populares irlandeses, que eram de seu particular interesse.

GEORGE MACDONALD
(1824–1905)

eorge MacDonald foi um escritor, poeta e ministro cristão escocês. Suas obras foram uma inspiração para muitos autores notáveis, como Lewis Carroll, C. S. Lewis, W. H. Auden, J. R. R. Tolkien, Madeleine L'Engle, G. K. Chesterton e Mark Twain. Sua obra mais conhecida é *The Princess and the Goblin* (A Princesa e o Duende) de 1872, na qual a animação de 1994 foi baseada.

SEOSAMH MAC CATHMHAOIL
(1879–1944)

rlandês nascido em Belfast, Seosamh Mac Cathmhaoil foi poeta e letrista, que também escreveu sob seu nome anglicizado, Joseph Campbell. Foi fundador do Ulster Literary Theatre, para o qual escreveu algumas peças. É autor de muitas coleções de poesia, incluindo *Songs of Uladh* (1904), *The Garden of Bees* (1905), *The Mountainy Singer* (1909), *Earth of Cualann* (1917), e da obra póstuma *Collected Poems of Joseph Campbell* (1963). Suas peças incluem *The Little Cowherd of Slainge* (1904) e *Judgment* (1912).

EDMUND LEAMY
(1848–1904)

ascido em Munster, na Irlanda, Edmund Leamy foi jornalista, advogado, político e autor de contos de fadas. Seus contos foram reimpressos diversas vezes nos Estados Unidos e Irlanda.

BRIAN O'LOONEY
(1828–1901)

ascido em Ennistymon, perto da costa oeste da Irlanda, Brian O'Looney foi um proeminente poeta, editor e tradutor. Compilou diversas coleções de poemas e contos de fadas.

LAURE CLAIRE FOUCHER

aure Claire Foucher foi uma autora que reuniu contos de fadas e folclóricos em diversas coletâneas.

ANNA MACMANUS

(1864–1902)

nna foi uma jornalista, escritora e poeta irlandesa. Foi casada com o folclorista Seumas MacManus, mas faleceu apenas um ano após seu casamento. Suas obras incluem, entre outras, *The Four Winds of Eirinn* (1902), *The Passionate Hearts* (1903) e *In the Celtic Past* (1904). Utilizava o pseudônimo Ethna Carbery para seus livros. Suas poesias foram publicadas pelo marido após a morte de Anna, e se tornaram um grande sucesso durante os anos seguintes. Ele também escreveu memórias dedicadas a ela.

PATRICK KENNEDY

(1801–1873)

oi um importante folclorista e educador que virou vendedor de livros, além de contribuir com vários artigos e resenhas como escritor. Acabou se tornando mais conhecido como colecionador de folclore e editor de contos irlandeses, principalmente de sua cidade natal, County Wexford. *Legendary Fictions of the Irish Celts* (1867) foi a obra mais importante de Kennedy, junto com *Fireside Stories of Ireland* (1870), e *Bardic Stories of Ireland* (1871). Foi um dos pioneiros a publicar materiais folclóricos da Irlanda.

ELIZABETH W. GRIERSON

(1869–1943)

Nascida perto da fronteira escocesa, Elizabeth W. Grierson publicou mais de 30 livros, incluindo diversas coletâneas de contos de fadas escoceses, folclore, baladas e guias turísticos sobre Edimburgo e Florença. Alguns de seus livros são *The Scottish Fairy Book* (1910), *Tales From Scottish Ballads, Tales of English Minsters* e *Vivian's Lesson.*

FRANCIS JAMES CHILD

(1825–1896)

Francis James Child foi um estudioso, educador e folclorista americano, hoje mais conhecido por sua coleção de baladas infantis inglesas e escocesas. Child foi professor de retórica e oratória de Boylston na Universidade de Harvard, onde produziu edições influentes da poesia inglesa.

PREFÁCIO

As origens celtas e seus personagens literários

PROFESSOR ALEXANDER MEIRELES

Boas-vindas, viajante, ao mundo celta

LENDAS ARTHURIANAS E HALLOWEEN

ssas são as primeiras, ou talvez as únicas, lembranças que grande parte das pessoas têm em mente quando pensam no legado cultural dos celtas para o ocidente.

No primeiro caso, estamos falando de um *corpus* de narrativas de autorias conhecidas ou anônimas circulantes desde o século 6 d.C. e que incorporaram e mesclaram diversos relatos históricos, literários e religiosos.[1] Nessas obras, entramos em contato com as aventuras do Rei Arthur, governante da Bretanha e portador da poderosa espada Excalibur. Ao lado de sua esposa, a Rainha Guinevere, dos cavaleiros da Távola Redonda como, dentre outros, Lancelot, Gawain, Kay, Perceval, Galahad, e auxiliado pelo seu mentor, o mago Merlin, Arthur luta contra inimigos diversos do castelo de Camelot, entre eles, a sua meia-irmã, a bruxa Morgana e seu filho, Mordred. Essa é a versão da história, impregnada da ideologia cristã em relação às mulheres e às crenças não-cristãs, que chegou a nós em fins do século XV no romance *Le Morte D'Arthur* (1485), de sir Thomas Malory, obra que congrega e unifica as diferentes versões dos textos medievais.[2]

No segundo caso, falamos de uma celebração amplamente difundida hoje na América e na Europa, popularmente conhecida também como "O Dia das Bruxas", e que possui raízes no grande festival de Samhain, início do calendário celta, no dia 1º de novembro. Tratava-se de uma celebração pastoral, marcando o começo do período de dias mais curtos e noites mais longas no Hemisfério Norte, que se realizava depois das colheitas e de feitas as oferendas aos antepassados para compartilhar a boa sorte. Como destaca John Sharkey (1994), até o

1 (JENKINS, 1994)

2 (SILVA, 2005, p. 92)

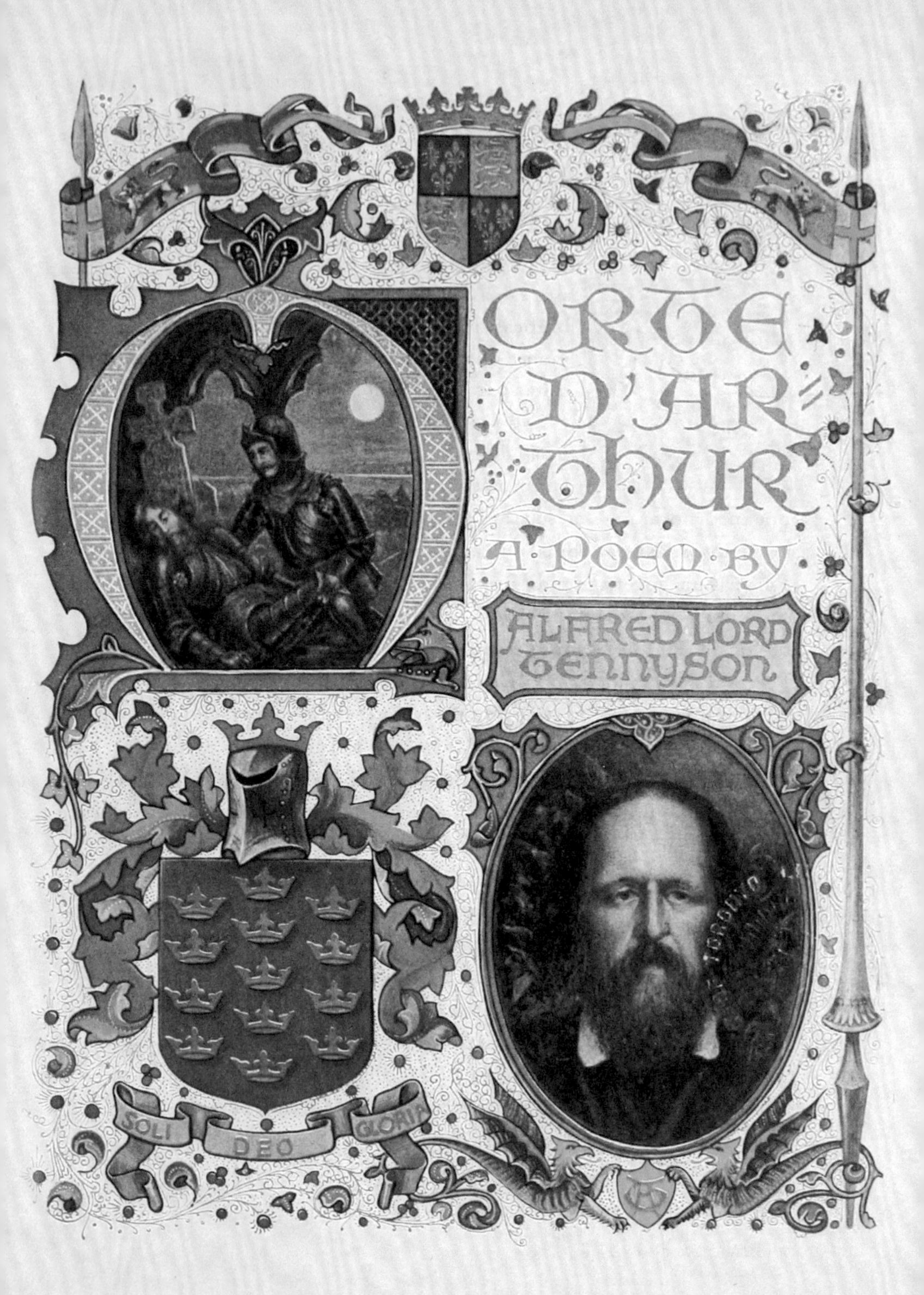
MORTE
D'AR=
THUR
A POEM BY
ALFRED LORD
TENNYSON
SOLI DEO GLORIA

fim do século XX, na Irlanda, ainda se faziam as limpezas das casas e alimentos eram deixados nas mesas ou nas entradas das moradas para os antepassados na véspera do dia de Todos os Santos. Especula-se que essa seja uma das origens do costume das crianças norte-americanas de se fantasiar e passar nas residências das pessoas em busca de doces e outros aperitivos.

Mas, quando detemos o nosso olhar nestas duas expressões culturais, encontramos, sob a superfície dos romances medievais de cavaleiros com armaduras brilhantes e das abóboras iluminadas em meio a vestimentas infantis de bruxas, a presença de um repertório ancestral de narrativas, ainda envoltas em mistérios, que a Editora Wish traz a você por meio do livro que está agora em suas mãos.

Se no século XXI você precisa viajar até as baías e penhascos do extremo oeste da costa marítima da França, Inglaterra, Irlanda ou ilhas da Escócia para estar mais próximo da cultura celta, no passado essa tarefa seria mais fácil. De fato, os celtas já dominaram grande parte da Europa desde o Mar Negro até o oceano Atlântico.

Neste ponto, é importante destacar que não existe um único povo celta, mas sim uma civilização composta de diferentes tribos que compartilhavam a mesma língua, crenças religiosas, estilos artísticos e tradições. Tendo as suas origens nas regiões da Europa Central, foi a partir do ano 1200 a.C. que essa cultura começou a se formar de forma mais coesa, a partir dos registros da existência de uma língua céltica em meio a tribos guerreiras.[3]

As primeiras referências históricas a respeito dos celtas ocorrem no Império Romano entre os séculos VIII a.C. e VII a.C., quando os romanos passaram a usar o termo *"Galli"* ("Bárbaros") para nomear os gauleses, celtas da antiga região francesa da Gália imortalizados hoje nas histórias em quadrinhos de Asterix e Obelix, criações de Albert Uderzo e René Goscinny. Já o primeiro registro escrito sobre as tribos celtas pode ser encontrado em fins do século VI a.C. nos trabalhos do geógrafo grego Hecateu de Mileto, que descreveu a região de Narbonne, na atual França, como uma cidade de celtas. No século seguinte,

Ao lado Edição de 1912 de *Le Morte D'Arthur*, iluminado por Alberto Sangorski University of Toronto - Robarts Library

3 (O'NEILL, 2006, p. 42)

o historiador grego Heródoto descreveu os *Keltoi* ("bárbaros") como o povo que habitava tanto as regiões mais extremas ao oeste do continente europeu quanto os territórios do rio Danúbio.[4] Encontra-se aqui em Heródoto com a palavra "*keltoi*", a origem do nome "celta".

Diga-se de passagem, neste ponto, que há poucos indícios de que esses povos chamassem a si mesmos de "celta". Estamos falando aqui de tribos que se identificavam como Icenos, Trinovantes, dentre outras denominações. Todavia, por conta de suas proximidades culturais e das trocas comerciais entre as aldeias realizadas pelos rios europeus, é correto considerá-los como uma civilização relativamente coesa e distinta da romana e da grega.[5] Seriam também os romanos que, a partir do século II a.C., começaram a pressionar esses povos, empurrando-os para as extremidades ocidentais do continente europeu e para as ilhas britânicas.

Em termos de organização social, a figura mais lembrada dos celtas até hoje, tendo atravessado os séculos e se tornado parte da cultura de entretenimento, é o druida. Em *Os melhores contos de fadas celtas*, esse personagem fascinante aparece em contos como "A história de Deirdre" (1892), de Joseph Jacobs e "A tosa da lã encantada" (1904), de Anna MacManus.

Os druidas desempenhavam papel chave na sociedade celta, controlando o seu poder político e religioso. Tão forte era a influência dos druidas sobre seu povo que eles eram vistos como uma ameaça pelo próprio Império Romano. Entre os anos de 58 a.C. e 57 a.C., Júlio César mandou esmagar primeiramente esses sacerdotes e seus bosques sagrados antes de prosseguir seus ataques à Gália. A mesma tática foi seguida na Bretanha romana no ano 61 d.C., quando o governador Suetônio Paulino acabou com os druidas na região de Anglesey, no País de Gales, oficializando o domínio romano sobre a Bretanha.[6]

A partir desse ponto, é incerto afirmar como o druidismo sobreviveu na Irlanda e nas terras baixas da Escócia, visto que registros históricos começaram nestas áreas apenas

4 (MONAGHAN, 2004, p. V)

5 (O'NEILL, 2006, p. 42)

6 (SILVA, 2005, p. 20)

Ao lado Imagem de 1781 de um druida presente em *A tour in Wales* de Thomas Pennant, National Library of Wales

após a conversão da população local ao Cristianismo a partir do século V.[7] Por esta razão, ao longo da Idade Média a figura do druida passou gradativamente da esfera da História para a dos textos religiosos e da Literatura. O que sabemos hoje sobre os druidas durante o período medieval vem única e exclusivamente através dos registros de monges católicos, que obviamente tinham interesse especial em descrevê-los da perspectiva de um povo derrotado e pertencente ao passado.

A imagem recorrente dos druidas no imaginário popular os situa em meio aos bosques e florestas. Essa relação entre os druidas e as árvores advinha da crença de que os seus deuses e deusas não habitavam o céu ou o topo de uma montanha, mas as árvores, rios, córregos e colinas. Esta forma de visão religiosa, conhecida como Panteísmo, contempla a existência do divino dentro do mundo físico e é distinta de outras religiões que o consideram como uma forma separada ou transcendente sobre a natureza.

Ao contrário do que comumente se imagina, os druidas não se constituíam como um grupo único. Eles se organizavam em três classes com funções que por vezes se sobrepunham: primeiro, havia os "druidas" que eram os legisladores, os responsáveis pelos ensinamentos de astronomia, astrologia, magia, medicina e pelo aconselhamento dos governantes. Em segundo lugar, os "vates" ou "ovates", encarregados das profecias e dos ofícios sacerdotais. Por fim, a terceira classe dos "bardos", guardiões da história e da sabedoria celta por meio da poesia e da narração de histórias. Com a queda dos druidas, conforme acredita Leslie Ellen Jones (2002) a partir de pesquisas etnográficas, os bardos podem ter assumido, ao longo da Idade Média, o papel de poetas e contadores de histórias, incorporando também a função dos vates, ao passo que o lugar dos druidas como conselheiros de reis foi ocupado por membros da Igreja Católica medieval. Essa passagem do mundo dos druidas e seus deuses para o mundo do Deus único do Cristianismo é um elemento recorrente das lendas arthurianas e suas adaptações para a Literatura, o Cinema e a TV, como visto na quadrilogia iniciada

7 (JONES,, 2002, p. 110)

por *As brumas de Avalon* (1979), de Marion Zimmer Bradley, no filme *Excalibur* (1981) e na série *Cursed*: a lenda do lago (2020).

Falando em religião, duas das maiores diferenciações interrelacionadas dos celtas em relação aos gregos e romanos eram a constituição e organização de suas divindades e o lugar reservado ao feminino nesta sociedade.

Quando pensamos em deusas e deuses no ocidente, logo lembramos da mitologia greco-romana e nórdica e, principalmente, dos seus respectivos mitos de criação e de fim, assim como da organização de seus panteões. Sabemos como o universo se iniciou, quem são os governantes supremos, suas relações de parentesco, atribuições, poderes de cada divindade e como essas entidades encontrarão o seu fim.

MAS E QUANTO AOS CELTAS?

Este foi um dos pontos presentes na coletânea *Os melhores contos de fadas celtas* e que intrigou historiadores clássicos.

Como aponta Patricia Monaghan em *The Encyclopedia of Celtic Mythology and Folklore* (2004), a falta de um mito celta sobre o início do universo tem levado alguns estudiosos a acreditar que essas tribos compartilhavam a visão de que o seu mundo estava em contínua criação ou de que ele sempre existiu. Isso também se aplicava na descrição da esfera sobrenatural.

O outro mundo celta possuía similaridades com o Tempo do Sonho dos aborígines australianos, no sentido de proximidade e interseção com a nossa realidade. Assim, como o leitor e a leitora poderão constatar nos contos "A tosa da lã encantada", de Anna MacManus, e "Princesa Finola e o anão" (1890), de Edmund Leamy, as divindades e lugares encantados podiam afetar diretamente o nosso mundo. Todavia, estes seres não podiam entrar ou sair quando e onde quisessem, mas somente em pontos específicos no tempo e no espaço onde o acesso fosse possível.

Os celtas também acreditavam que as pessoas podiam adentrar territórios sobrenaturais. Alguns o faziam por acidente, confundindo o lugar sobrenatural com a nossa realidade, enquanto outros eram sequestrados, por exemplo, por uma bela dama encantada que desejava uma companhia humana, ou ainda por outra criatura sobrenatural à procura de um músico para uma celebração no além ou para a solução de algum problema. Esses são os casos, respectivamente, dos contos "Tam Lin" (1860), de Francis James Child e "O caçador de focas e o sereiano" (1910), de Elizabeth W. Grierson.

O outro mundo tinha a mesma aparência do nosso, mas era perceptivelmente mais belo e imutável quanto à passagem do tempo. As árvores floresciam e frutificavam ao mesmo tempo e ninguém nunca envelhecia; a morte não tinha domínio naqueles territórios do sobrenatural. Esse fato evidencia a visão celta da contínua mudança, expressada em festivais como o de Samhain, em que os antepassados mortos eram celebrados de forma a garantir a prosperidade da comunidade dos vivos, como um fluxo contínuo de existência. Entende-se aí o porquê de os celtas tomarem o pôr do sol como o início de um novo dia. Nesta leitura, o sol morria no Oeste, onde ficavam localizadas as ilhas mágicas e o outro mundo, descia até a terra subterrânea dos mortos durante a noite e renascia forte e vigoroso no Leste, mantendo assim o ciclo perpétuo da natureza.[8]

No outro mundo viviam os grandes deuses e deusas celtas, mas não havia uma organização específica como conhecemos na mitologia clássica e nórdica. Ao invés disso, haviam várias divindades, muitas das quais eram específicas a uma região ou comunidade e com atributos diferentes. Os celtas eram tão politeístas que o juramento usual praticado entre eles era "Eu juro pelos deuses que meu povo jura".[9]

8 (Ó HÓGÁIN, 2002, p. 66)

9 (MONAGHAN, 2004, p. V)

Mas, ainda que o panteão celta fosse descentralizado, alguns deuses e deusas apareciam recorrentemente em muitos lugares, geralmente sob nomes diferentes. Este era o caso da Deusa Tripla, do deus chifrudo e das divindades dos rios e outros locais da natureza. Cabe ressaltar que os celtas não representavam suas divindades na forma humana porque todas elas tinham o poder de mudar de forma e assumir a aparência de outras pessoas e animais. Por esta razão, não havia uma tradição nativa de esculpi-los ou pintá-los em sua forma física. Foi apenas após a conquista romana que começou a surgir, na área do Mediterrâneo, esculturas e pinturas de deuses e deusas celtas nas formas de homens e mulheres romanas. A maior parte dos contos desta coletânea traz este elemento da mudança de forma corporal, seja como proveniente dos poderes sobrenaturais de seres específicos, caso de "O lobo-cinzento" (1871), de George MacDonald e "O rei do Deserto Negro" (1904), de Douglas Hyde ou como resultado de maldições ou castigos, conforme visto em "Filhos de Lir" (1894), de Joseph Jacobs.

Apesar dos deuses e deusas celtas não estarem organizados de forma hierárquica, é possível observar a existência de uma estrutura familiar entre essas divindades, algo observado com a Deusa Mãe dos Tuatha Dé Danann, na mitologia irlandesa. No geral, todos os celtas acreditavam nessa deusa cuja generosidade e fecundidade faziam com que a vida fosse possível.

Segundo as narrativas, geralmente a deusa mãe era a ancestral de todos os povos celtas, enquanto, em outras versões, ela aparece como a ancestral dos próprios deuses. Conhecida pelos nomes de Dana, Danu, Dôn ou Anu, essa deusa tem sido conectada com outra divindade feminina aquática indo-europeia identificada por "Danu", cujo nome sobrevive em rios como o rio Danúbio, que atravessa a Europa do oeste ao leste, e o rio Don, na Rússia.[10] Ainda que, nesta interpretação, Dana fosse originalmente uma deusa dos rios, ela também passou a ser identificada com a terra pelo fato de que são as suas águas que banham e nutrem o solo, garantido a colheita e o cultivo de animais. Estão presentes nesse processo as três faces femininas: a

10 (Ó HÓGÁIN, 2002, p. 63)

virgem, que dá início ao ciclo da vida; a mulher grávida, representando a fertilidade, a capacidade do feminino em gerar filhos; e a anciã, completando o ciclo natural e imbuída da sabedoria advinda das experiências da vida. Dentro deste contexto da Deusa Mãe, é importante salientar o lugar de destaque que os povos celtas atribuíam à mulher dentro da sua sociedade.

Diferente de outras culturas, principalmente a cristã no período medieval, a mulher celta usufruía de liberdade e direitos. Entre estes direitos estavam a participação nas batalhas e a solicitação do divórcio. Essa igualdade também se manifestava na posição de liderança ativa que algumas mulheres tinham em suas tribos, como a da célebre rainha Boadiceia, que no ano de 61 d.C. ameaçou a soberania de Roma na Bretanha.[11]

Mas, certamente, serão nas narrativas orais que deram forma aos contos que a Editora Wish traz até você que será possível compreender o misto de fascínio e temor que as mulheres causavam entre os celtas.

Salta aos olhos a presença de mulheres sobrenaturais na maioria das histórias de *Os melhores contos de fadas celtas*. Ao longo das páginas, somos apresentados a damas amaldiçoadas desde os seus nascimentos, transmorfas capazes de assumir a forma de vários animais, jovens transformadas em outros seres ou em demônios do ar, soberanas de terras encantadas e entidades femininas que surgem das águas e interagem com os humanos, nem sempre com resultado positivo para estes últimos. Em todos os casos, o que fica evidente é a exposição da face arcana do feminino e sua conexão com a natureza.

Desde as brumas do tempo, o ser humano aprendeu a depositar sua confiança na inexorabilidade da natureza, que ganha expressão no ciclo das estações do ano e na alternância do dia e da noite. A partir dessa confiança, ele conseguiu organizar colheitas e a criação de animais.

Todavia, se a natureza possui um lado bucólico, também tem um lado perigoso. A brisa que nos acolhe hoje pode se tornar a tempestade de amanhã. Desde a aurora da civilização humana essa dualidade da natureza encontrou a sua personificação no corpo da mulher: afinal de contas, como compreender uma criatura que, aos olhos do patriarcado,

11 (SILVA, 2005, pp. 19-20)

é capaz de gerar a vida, mas também se liga à morte pela eliminação regular do sangue, um fluído desde sempre ligado ao viver? [12]

Foi esse pensamento que fomentou o surgimento de criaturas sobrenaturais femininas, intimamente ligadas aos celtas, responsáveis tanto pelo nascer das plantas e do fluxo dos rios quanto pelo acometimento de enfermidades e outros problemas que deixavam as comunidades do passado intrigadas pelo mistério e imprevisibilidade de sua ocorrência. A mesma criatura que empresta o seu nome às histórias que você lerá a seguir: a fada.

Como aponta Nelly Novaes Coelho em *O conto de fadas* (1998), há pouca dúvida entre pesquisadores e pesquisadoras de que as fadas surgiram em meio à cultura celta para expressar a natureza sobrenatural da mulher. A primeira menção a estas criaturas foi feita na obra *De situ orbis* (43 d.C.), do geógrafo romano do século I d.C. Pomponius Mela para designar seres femininos dotados do poder da profecia. Conforme o próprio Mela registra, em citação feita por Fryda Schultz de Mantovani na obra *Sobre las hadas* (1943), elas habitavam,

> ... na ilha do Sena, nove virgens dotadas de poder sobrenatural, meio ondinas (gênios da água) e meio profetisas, que, com suas imprecações e seus cantos, imperavam sobre o vento e sobre o Atlântico, assumiam diversas encarnações, curavam enfermos e protegiam navegantes.[13]

O rio Sena banhava a Gália, região em que, conforme vimos, os celtas se concentraram por séculos até a expulsão romana. Estabelece-se assim, na menção aos poderes proféticos dessas damas mágicas, a vinculação entre os celtas e a hipótese mais aceita quanto à origem da palavra "Fada".

"Faée", *"Fée"* (francês), *"Fada"* (provençal), *"Hada"* (espanhol), *"Fata"* (italiano), *"Fada"* (português). A conexão de todas essas palavras com *"Fatum"* (destino, fatalidade, oráculo), conexão esta apontada

12 (SILVA, 2010, p. 19)

13 (Apud MANTOVANI, 1974, p. 10)

inicialmente por Pomponius Mela, começa a ganhar forma no século IV d.C., quando adquire a forma plural e passa a ser considerada uma palavra feminina, sendo usada como equivalente às Parcas romanas. No reverso da medalha dourada usada pelo Imperador Diocleciano (284 d.C. a 305 d.C.), por exemplo, havia três figuras femininas com a inscrição *Fatis victricibus*. A partir daí, intensificou-se o processo de ligação das fadas com a magia.[14]

Na Idade Média, *"Fatum"* deu origem ao verbo *"Fatare"* (encantar). Este verbo foi adotado pela língua italiana, provençal e espanhola. Na França, ela se tornou *"Faer"* / *"Féer"* de onde derivou o substantivo *"Faerie"*, *"Féerie"* (ilusão, encantamento) e foi nessa forma que a palavra penetrou a língua inglesa, vindo a se anglicizar no século XIII e se tornar *"Fairy"*. Por conta dessa diferença em relação ao italiano, ao provençal e ao espanhol, John Clute e John Grant defendem em *The Encyclopedia of Fantasy* (1999) que *"Faerie"* é uma derivação do anglo-saxônico *"elf"* cuja raiz está na palavra nórdica *"Alfar"* (Anão).

A ancestralidade e universalidade dessas criaturas nos ajuda a entender a dificuldade de se rastrear a origem de seu nome. Em *The World Guide to Gnomes, Fairies, Elves and Other Little People* (1978), Thomas Keightley mostra como os estudiosos apontam diferentes fontes da origem da palavra "Fada". Desde a possível raiz no anglo-saxão que se transformou nos verbos *"to fare"* (passar), até a localização na cultura celta na palavra bretã *"mat"*, de onde surgiu a palavra *"maid"* (donzela).

Independente da origem, porém, gradativamente a literatura medieval criou três sentidos para *"Faerie"*:

1° Ilusão ou Encantamento;
2° Terra da ilusão;
3° Terra das Fadas.

Por fim, *"Faerie"* passou a designar os habitantes da Terra das Fadas, ou seja, os seres sobrenaturais habitantes das florestas e bosques, e também as donzelas dos romances medievais. Como o leitor e a leitora poderão conferir, estes habitantes de territórios encantados

14 (SILVA, 2019)

aparecem aqui na forma de leprechauns, duendes, dragões, gigantes e nuckelavees.

A Terra das Fadas possuía regentes e a tradição mostra que a governança desses reinos era feita por personagens como Herodias, Herodiana, Pertha, Holda, nomes que sugerem uma continuidade com a herança de deusas clássicas e nórdicas. Já no seu relacionamento com os humanos, elas eram conhecidas por eufemismos como "Gentis", "As justas", "As bondosas", "As Mães".

O reino das fadas é costumeiramente marcado por distorções temporais. Uma hora com as fadas é um século em nossa realidade. Essa é uma temática recorrente em muitos romances medievais que narram as aventuras de mortais nesse reino encantado. Um dos exemplos mais conhecidos é a popular lenda irlandesa do herói Oisín na "lenda de Tír na nÓg". Nela, Oisín tem um romance com uma dama das fadas e ao retornar ao mundo mortal devido à saudade da terra natal, descobre que muito tempo já havia se passado a ponto de ele ter se tornado uma lenda. Tem-se aí a gênese da convenção adotada por muitos romances de Fantasia, como *As Crônicas de Nárnia* (1950-1956), de C. S. Lewis. Neste caso, o tempo em Nárnia passa de forma mais lenta que em nossa realidade.

Ainda que comumente imaginadas como entidades puramente gentis e pacíficas, a tradição mostra que as fadas têm personalidade traiçoeira e podem trazer problemas com sua magia para algum humano que as tenham desagradado. Neste sentido, um dos principais temores do povo do campo era ter os bebês substituídos no berço por uma criança-fada de igual aparência à criança humana, ao passo que a verdadeira seria levada para o reino das fadas para sempre. Essa dualidade se evidencia na subdivisão da sociedade das fadas de acordo com sua personalidade e que pode ser encontrada principalmente no folclore escocês e irlandês: A Corte *Seelie* e a Corte *Unseelie*.[15]

No primeiro caso, temos fadas que vivem em suas próprias sociedades e mantêm uma relação relativamente pacífica dentro da sociedade humana, desfrutando da comida e da dança do meio rural oferecido pelos humanos. No segundo caso, temos as fadas engajadas

15 (ROSE, 1996, p. 108)

em prejudicar seriamente a raça humana. Elas têm aparência horrenda e habitam regiões de violência e selvageria. Esse é o caso da Banshee ou Ban Shee, que é mencionada aqui no conto "A tosa da lã encantada". Apresentada como um espírito celta irlandês cujo nome significa "Mulher da Colina" (*"Bean"* + *"Sídhe"*), a Banshee é uma fada negra, apresentada como uma mulher velha com olhos vermelhos, cabelos brancos e um capuz cinza sobre um vestido verde.

Dada essa conexão com o feminino e sua capacidade de causar tanto o bem quanto o mal, na Idade Média as fadas eram o complemento secular aos anjos e demônios na esfera religiosa. Da mesma forma, elas podem ser entendidas como complementos sobrenaturais às bruxas na esfera mundana. Essa ligação da bruxaria com o mundo das fadas ocorria pela acusação mútua de que fadas e bruxas podiam causar doenças em humanos e animais, afetar a fertilidade das mulheres, estragar as colheitas e provocar acontecimentos inexplicáveis.

Cabe salientar que, apesar das fadas marcarem presença em registros de crônicas dos séculos XII e XIII de Walter Map, Giraldus Cambrensis e Gervase de Tilbury, e nos romances de cavalaria do mesmo período, mais especificamente no ciclo Arthuriano de romances bretões criados por Chrétien de Troyes e compilados por Thomas Malory, foi na Inglaterra elizabetana da década de 1590 que as fadas se tornaram protagonistas pela primeira vez, no poema épico *The Faerie Queene*, do inglês Edmund Spencer.[16]

Projetado como doze livros, cada um deles dedicado a uma virtude, *The Faerie Queene* (*A Rainha das Fadas*) é um poema épico alegórico que descreve a luta entre católicos e protestantes. Na obra, a Terra das Fadas é a Inglaterra, ao passo que a Rainha da Fadas é representada pela Rainha Elizabeth I. Ainda que apenas seis livros tenham sido publicados (Spencer morreu em 1599), *The Faerie Queene* popularizou a imagem das fadas como os seres diminutos que conhecemos hoje.[17]

Neste processo, a peça *A Midsummer Night's Dream* (*Sonhos de uma noite de verão*), de William Shakespeare, provavelmente composta entre 1594 e 1596, também

Ao lado Edição de 1596 de *The faerie queene : disposed into twelue bookes, fashioning XII morall vertues*, Boston Public Library

16 (ROSE, 1996, p. 108)

17 (SILVA, 2019)

The firſt Booke of the Faerie Queene.

Contayning

The Legend of the Knight *of the Red Croſſe,* O R *Of Holineſſe.*

LO I the man, whoſe Muſe whylome did maske,
As time her taught, in lowly Shephards weeds,
Am now enforſt a farre vnfitter taske,
For trumpets ſterne to chaunge mine Oaten reeds:
And ſing of Knights and Ladies gentle deeds,
Whoſe praiſes hauing ſlept in ſilence long,
Me, all too meane, the ſacred Muſe areeds
To blazon broade emongſt her learned throng:
Fierce warres and faithfull loues ſhall moralize my ſong.

Helpe then, O holy virgin chiefe of nyne,
Thy weaker Nouice to performe thy will,
Lay forth out of thine euerlaſting ſcryne
The antique rolles, which there lye hidden ſtill,

foi decisiva para a disseminação da figura da fada moderna. Nela, Oberon, o Rei das Fadas, trama uma artimanha com Puck envolvendo uma flor mágica, humanos que adentram a sua floresta e Titânia, Rainha das Fadas.

Finalmente, em 1697, dentro do mesmo contexto cultural que levou Charles Perrault a publicar no mesmo ano seu *Histoires ou contes du temps passé, avec des moralités* ou *Contes de ma mère l'Oye*, a Baronesa d'Aulnoy – Marie-Catherine Le Jumel de Barneville – cunhou o termo "Contos de Fadas" em sua obra *Les Contes de Fées*.[18]

E o resto é história.

O momento chegou. Agora é a hora de você embarcar rumo a essa magia. Boa viagem ao mundo celta e boa leitura com *Os melhores contos de fadas celtas*.

ALEXANDER MEIRELES DA SILVA é Professor Associado da Universidade Federal de Goiás, onde leciona e orienta pesquisas sobre Literatura Fantástica na Graduação do curso de Letras e na Pós-Graduação em Estudos da Linguagem. É Doutor em Literatura Comparada pela UFRJ e Mestre em Literaturas de Língua Inglesa pela UERJ. É autor do livro *Literatura Inglesa para Brasileiros*: literatura e cultura inglesa para estudantes brasileiros (2005). Desde 2016 é produtor de conteúdo do canal do Youtube *Fantasticursos* (youtube.com/fantasticursos), no qual ajuda as pessoas a conhecerem e usarem a fantasia, o gótico e a ficção científica em suas atividades de criação, pesquisa e sala de aula.

18 (ZIPES, 2012, p. 23)

FONTES USADAS

CLUTE, John, GRANT, John. (Eds.) *The Encyclopedia of Fantasy*. New York: St. Martin's Griff, 1999.

COELHO, Nelly Novaes. *O conto de fadas*. 3ed. São Paulo: Editora Ática, 1998. (Série Princípios; 103).

JENKINS, Elizabeth. *Os mistérios do rei Artur*: o herói e o mito reavaliados através da história, da arqueologia, da arte e da literatura. Trad. Luiz Carlos Rodrigues de Lima. São Paulo: Companhia Melhoramentos, 1994.

JONES, Leslie Ellen. "Druids". In: LINDAHL, Carl, MCNAMARA John, LINDOW John (Eds.). *Medieval Folkore*: A guide to myths, legends, tales, beliefs, and customs. New York: Oxford University Press, 2002, pp. 110-111.

JONES, Leslie Ellen. "Fairies". In: LINDAHL, Carl, MCNAMARA John, LINDOW John (Eds.). *Medieval Folkore*: A guide to myths, legends, tales, beliefs, and customs. New York:Oxford University Press, 2002, pp. 128-130.

KEIGHTLEY, Thomas. *The World Guide to Gnomes, Fairies, Elves and Other Little People*. New York: Gramercy Books, 1978.

MANTOVANI, Fryda Schultz de. *Sobre las hadas*. Buenos Aires: Nova, 1974.

MONAGHAN, Patricia. *The Encyclopedia of Celtic Mythology and Folklore*. New York: Facts on File, Inc., 2004.

Ó HÓGÁIN, Dáithí. "Celtic Mythology." In: LINDAHL, Carl, MCNAMARA John, LINDOW John (Eds.). *Medieval Folkore*: A guide to myths, legends, tales, beliefs, and customs. New York: Oxford University Press, 2002, pp. 63-66.

O'NEILL, Tom. "O fogo celta.". In: *National Geographic Brasil*, São Paulo, ano 6, n.72, pp. 36-57, março 2006.

ROSE, Carol. "Fairy." In: *Spirits, Fairies, Leprechauns, and Goblins*: An Encyclopedia. New York: W. W. Norton Company, 1996, pp. 107-112.

SHARKEY, John. *Mistérios celtas*. Trad. Cari Baena. Rio de Janeiro: Edições Del Prado, 1997.

SILVA, Alexander Meireles da. "Introdução". In: LE FANU, Sheridan. *Carmilla*: a vampira de Karnstein. Trad. José Roberto O'Shea. São Paulo: Hedra, 2010, p. 9-37.

SILVA, Alexander Meireles da. "Prefácio". In: DOSSENA, Ale, ROCHA, Graci, EVANS, Lu. *Feéricas*. São Paulo: Nebula, 2019. *E-book*.

SILVA, Alexander Meireles da Silva. *Literatura Inglesa para Brasileiros*: Curso completo de literatura e cultura inglesa para estudantes brasileiros. Rio de Janeiro: Editora Ciência Moderna, 2005.

ZIPES, Jack. *The Irresistible Fairy-Tale*: The Cultural and Social History of a Genre. Princeton: Princeton University Press, 2012.

FONTES EXTRAS RECOMENDADAS PARA PESQUISA

CHEVALIER, Jean, GHEERBRANT, Alain. "Fada". In: CHEVALIER, Jean, GHEERBRANT, Alain. (Eds.). *Dicionário de símbolos*. Trad: Vera da Costa e Silva, *et all*. 11ed. Rio de Janeiro: José Olympio, 1997, pp. 415-416.

MACK, Carol K., MACK, Dinah. *A Field Guide to Demons, Fairies, Fallen Angels and Other Subversive Spirits*. New York: An Owl Book, 1999.

MEREGE, Ana Lúcia. *Os contos de fadas*: Origens, história e permanência no mundo moderno. São Paulo: Claridade, 2010.

ROSE, Carol. *Giants, Monsters & Dragons*: An Encyclopedia of Folklore. Legend and Myth. New York: W. W. Norton Company, 2001.

SIMPSON, Jacqueline, ROUD, Steve. *A Dictionary of English Folklore*. Oxford: Oxford University Press, 2000.

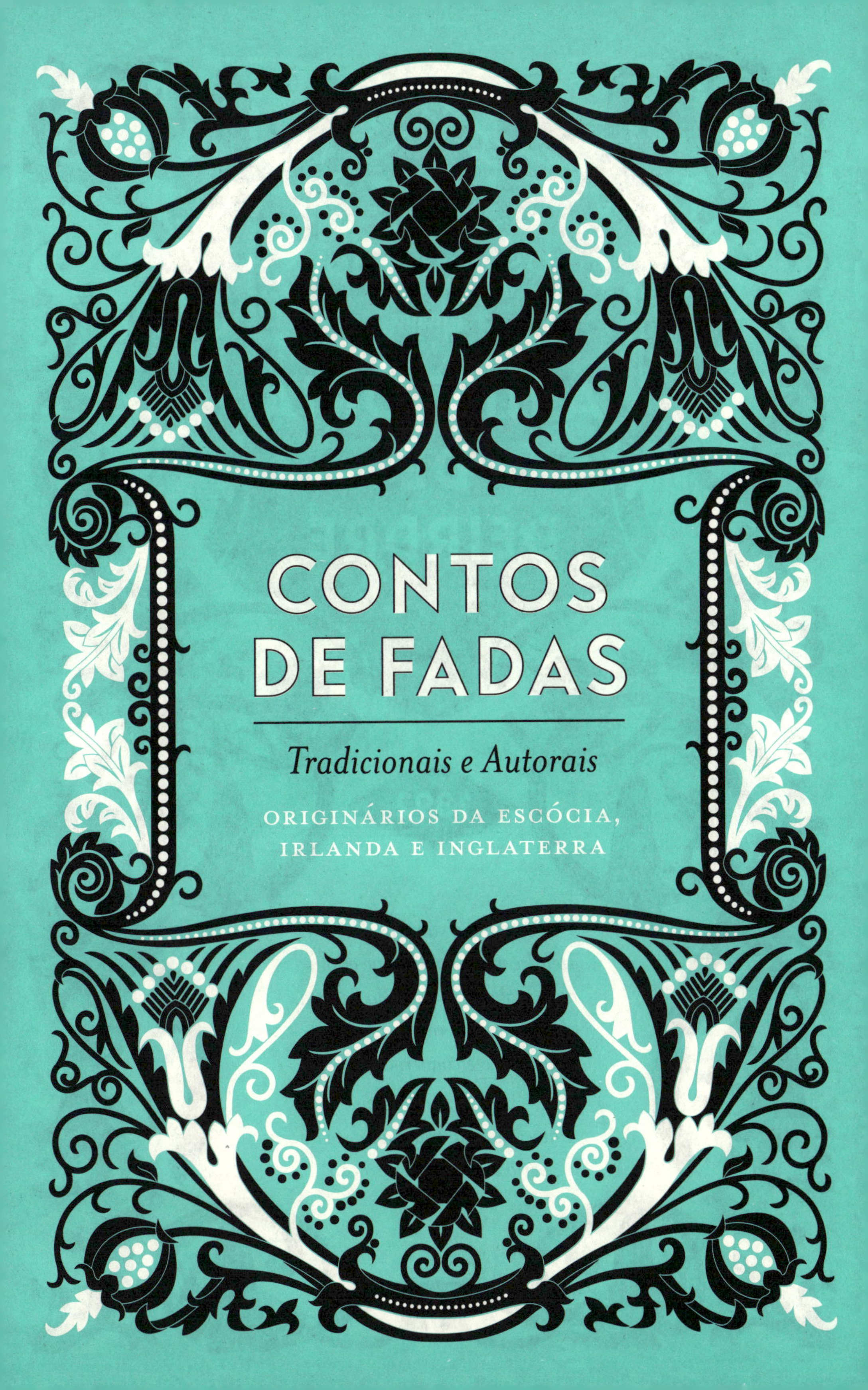
CONTOS
DE FADAS
Tradicionais e Autorais
ORIGINÁRIOS DA ESCÓCIA,
IRLANDA E INGLATERRA

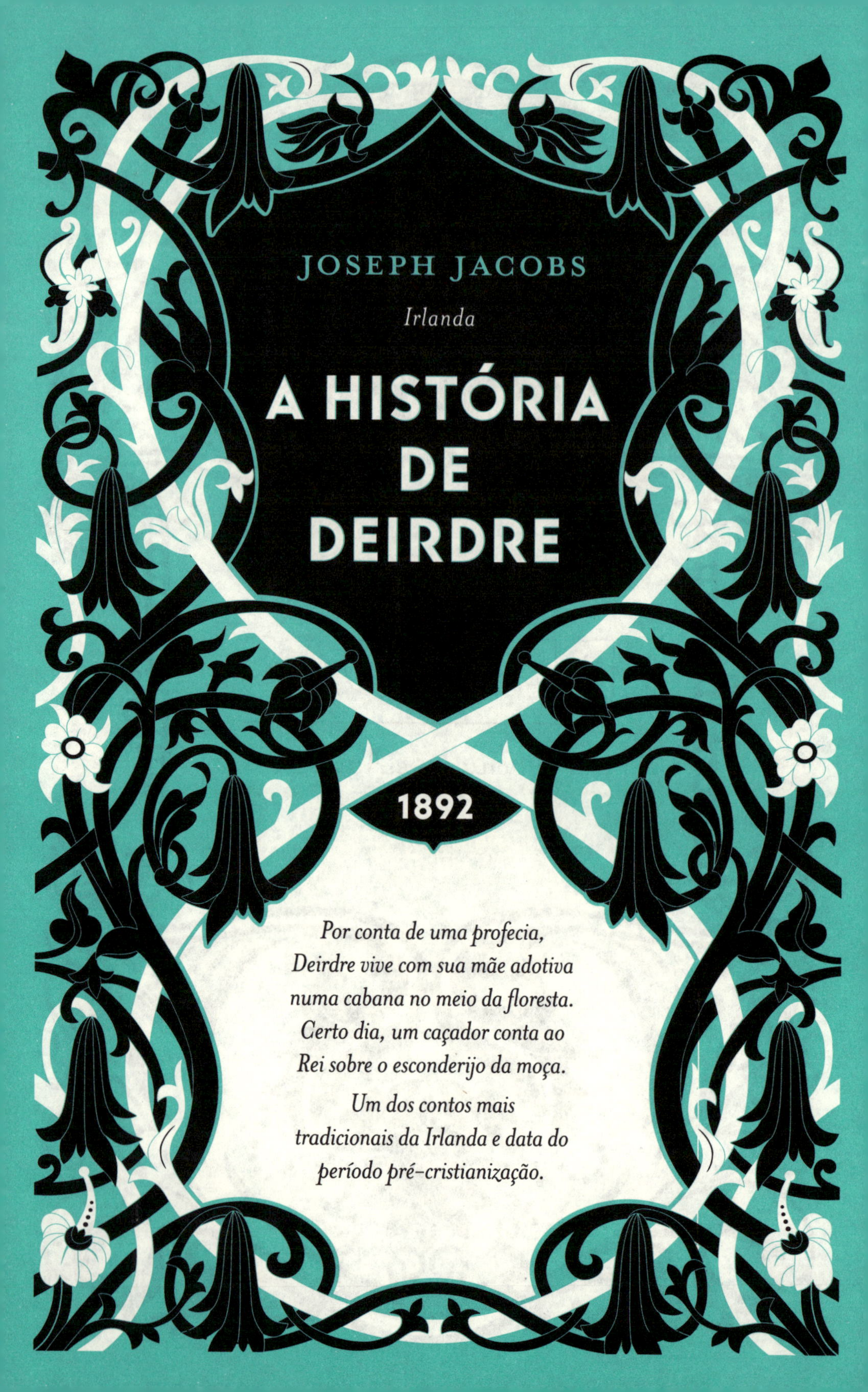
JOSEPH JACOBS
Irlanda
A HISTÓRIA DE DEIRDRE
1892
Por conta de uma profecia, Deirdre vive com sua mãe adotiva numa cabana no meio da floresta. Certo dia, um caçador conta ao Rei sobre o esconderijo da moça. Um dos contos mais tradicionais da Irlanda e data do período pré-cristianização.

avia um homem na Irlanda chamado Malcolm Harper. Era um homem bom e tinha uma boa cota de bens materiais. Tinha uma esposa, mas não uma família. Um dia, ouviu falar que um profeta havia chegado por aquelas paragens e, como se tratava de um senhor decente, Malcolm desejou que o profeta se aproximasse dele e de sua esposa. Tendo sido convidado ou por vontade própria, o profeta foi à casa de Malcolm.

— O senhor está fazendo previsões? — pergunta Malcolm.

— Sim, algumas. Você precisa de uma previsão?

— Bom, eu não me importaria de ouvir uma previsão sua, se o senhor tivesse uma para mim e quisesse me contar.

— Pois farei uma para você. Que tipo de previsão quer?

— O que eu queria era que o senhor visse a minha sorte ou o que vai acontecer comigo, se puder me informar sobre isso.

— Eu vou lá fora e, quando voltar, lhe direi.

Então o profeta saiu da casa. Não havia passado muito tempo quando ele voltou.

— Muito bem — disse o profeta —, minha clarividência diz que, por causa de uma filha sua, será derramada a maior quantidade de sangue em Erin[1] desde o início dos tempos. E os três heróis mais célebres que já existiram perderão a cabeça por causa dela.

Um tempo depois, Malcolm teve uma filha. Ele não permitiu que ninguém fosse à sua casa, apenas ele e a parteira. Então pediu à mulher:

— Você pode criar essa menina e mantê-la escondida longe daqui, onde nenhum olho possa vê-la e nenhum ouvido ouça uma palavra sobre ela?

A mulher concordou, então Malcolm escolheu três homens e os mandou embora para uma grande cadeia de montanhas, distante e fora de alcance, sem que ninguém soubesse ou os visse. Ele ordenou que buscassem um outeiro, redondo e verde, no meio das

1 Do original irlandês *Éirinn* – uma espécie de nome afetuoso para a Irlanda. [N.E.]

montanhas, e que então o local fosse cuidadosamente encoberto, de forma que um pequeno grupo pudesse viver ali. Isso foi feito.

Deirdre e sua mãe adotiva moraram numa cabana no meio das montanhas, sem que ninguém soubesse ou suspeitasse da existência delas, até que a menina completou dezesseis anos. Deirdre cresceu alta e esguia como em uma fenda no musgo. Era a criatura de forma mais bela, de aspecto mais adorável e de natureza mais gentil que existia entre a Terra e o céu em toda a Irlanda — qualquer que fosse a tonalidade de sua pele antes, não havia ninguém que olhasse em seu rosto sem fazê-la corar violentamente.

A mulher responsável por cuidar de Deirdre transmitiu a ela todo o conhecimento e todas as habilidades que tinha. Não havia uma folha de grama brotando, nem um pássaro cantando na floresta, nem uma estrela brilhando no firmamento cujo nome Deirdre não soubesse. Mas havia um porém: a mulher não queria que a jovem se envolvesse — para o bem ou para o mal — com qualquer homem vivo em todo o mundo. Mas, numa noite sombria de inverno, com nuvens negras e carrancudas, um caçador percorria as colinas, cansado, e aconteceu de ele perder o rastro da caça, seu rumo e seus companheiros. Uma sonolência tomou o homem enquanto vagava pelas montanhas, então ele se deitou ao lado da bela colina verde onde Deirdre morava e dormiu. O homem estava fraco, por causa da fome e da caminhada, e entorpecido pelo frio, e um sono profundo caiu sobre ele. Quando se deitou ao lado da colina verde onde Deirdre vivia, teve um sonho conturbado, e pensou que desfrutava do calor de uma torre encantada, as fadas lá dentro tocando música. Em seu sonho, o caçador gritou perguntando se havia alguém na torre e pedindo que o deixassem entrar pelo bem do Sagrado. Deirdre ouviu a voz e disse à mãe adotiva:

— Ah, mãe adotiva, que grito é esse?

— Não é nada, Deirdre. Apenas os pássaros desgarrados procurando uns aos outros. Mas deixe que passem para a clareira. Não há abrigo ou casa para eles aqui.

— Ah, mãe adotiva, o pássaro pediu para entrar pelo amor do Deus dos Elementos, e você mesma me diz que devemos fazer

tudo o que for pedido em Seu nome. Se não permitir a entrada do pássaro que está sendo açoitado pelo frio e morrendo de fome, não terei em alta conta sua palavra ou sua fé. Mas, como acredito na sua palavra e na sua fé, as quais você me ensinou, eu mesma deixarei entrar o pássaro.

Então Deirdre levantou-se e puxou o ferrolho da porta, deixando entrar o caçador. Ela pôs à mesa um lugar para se sentar o homem que entrou na casa e serviu-lhe comida e bebida.

— Ah, por sua vida e suas vestimentas, senhor que entrou, modere a língua! — disse a velha. — Não é pedir demais que mantenha a boca fechada e a língua quieta quando recebe abrigo e o fogo de uma lareira em uma noite sombria de inverno.

— Bem — disse o caçador —, posso fazer isso. Manterei minha boca fechada e minha língua quieta, já que entrei na casa e fui recebido com hospitalidade; mas, pela vida do seu pai e do seu avô, e pela sua própria, se alguns outros homens do mundo vissem essa bela criatura escondida aqui, não a deixariam com você, eu garanto.

— Que homens são esses a quem o senhor se refere? — perguntou Deirdre.

— Bom, eu vou lhe contar, minha jovem — disse o caçador. — Eles são Naois, filho de Uisnech, e Allen e Arden, seus dois irmãos.

— Como é a aparência desses homens, se por acaso os víssemos? — indagou Deirdre.

— Ora, o aspecto e a forma desses homens são assim — disse o caçador —: eles têm a cor do corvo nos cabelos, a pele branca como os cisnes na água, e as bochechas são como o sangue da novilha vermelha, e sua velocidade e seu salto são os do salmão na torrente do rio e dos cervos na encosta cinza da montanha. E Naois é muito maior que o resto do povo de Erin.

— Sejam eles quem forem — disse a parteira —, você sairá daqui e tomará outro rumo. E, Rei da Luz e do Sol!, de boa fé e com certeza, pouca é minha gratidão por você ou por ela que o deixou entrar!

O caçador foi embora e seguiu direto para o palácio do Rei Connachar. Ele mandou dizer ao rei que, por favor, gostaria de

lhe falar. O rei respondeu à mensagem e saiu para conversar com o homem.

— Qual é o motivo da sua visita? — perguntou o rei ao caçador.

— Eu só tinha que lhe dizer, ó rei — disse o caçador —, que vi a criatura mais bela que já nasceu em Erin, e vim aqui contar ao senhor.

— Quem é essa beldade, e onde se pode encontrá-la, já que nunca foi vista antes senão por você, se é que de fato a viu?

— Bem, eu a vi — disse o caçador. — Mas, se a vi, nenhum outro homem pode vê-la, a menos que receba instruções minhas sobre o local onde ela vive.

— E você vai me guiar até onde ela vive? A recompensa para me guiar será tão boa quanto a recompensa pela sua mensagem — garantiu o rei.

— Bem, eu o guiarei, ó rei, embora provavelmente isso não seja o que elas querem — respondeu o caçador.

Connachar, rei de Ulster, mandou chamar seus parentes mais próximos e contou-lhes suas intenções. Embora cedo tenha surgido o canto dos pássaros entre as cavernas rochosas e no bosque, mais cedo ainda Connachar, rei de Ulster, chegou, com sua pequena tropa de amigos queridos, durante o agradável crepúsculo do fresco e suave mês de maio; o orvalho cobria cada arbusto, flor e caule, quando foram arrancar Deirdre da colina verde onde ela morava. Muitos dos jovens tinham o passo ágil, rápido e gracioso quando começaram, mas, quando chegaram à cabana, tinham o passo fraco, débil e vacilante por causa da distância e da dificuldade da estrada.

— Lá embaixo, agora, no fundo do vale, fica a cabana onde a mulher mora, mas não vou chegar mais perto do que isto da velha — disse o caçador.

Connachar desceu com seu bando de parentes até a colina verde onde Deirdre morava e bateu à porta da cabana. A parteira respondeu:

— Nada menos que a ordem e o exército de um rei me tirariam da minha cabana esta noite. E eu agradeceria muito se você me dissesse quem quer que eu abra a minha porta.

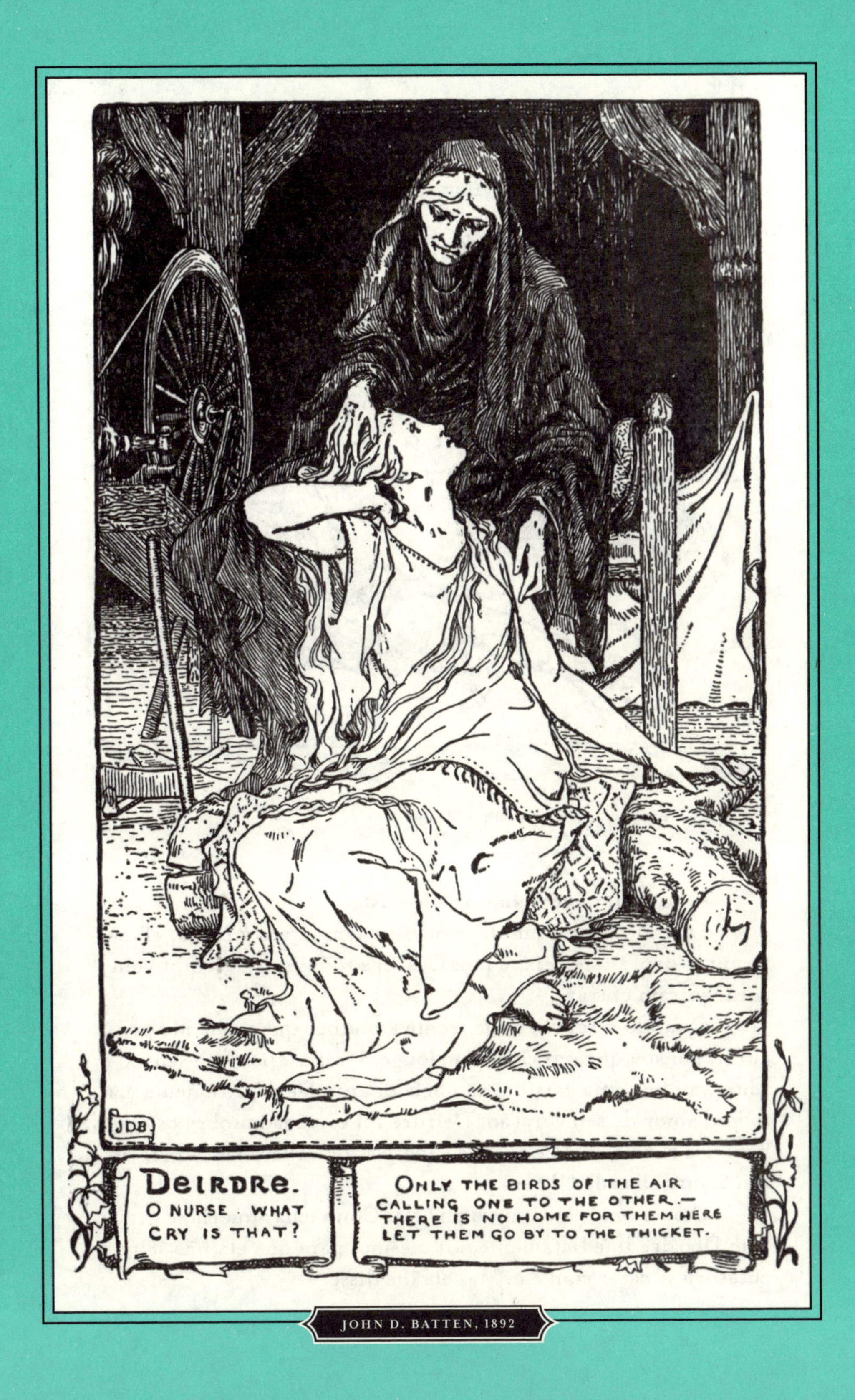

JOHN D. BATTEN, 1892

JOHN D. BATTEN, 1892

— Sou eu, Connachar, rei de Ulster.

Quando a pobre mulher ouviu quem estava à porta, ela se levantou depressa e deixou passar o rei e todos de seu séquito que conseguiram entrar.

Quando o rei viu à sua frente a mulher que tinha ido procurar, pensou que nunca vira ao longo dos dias, nem em seus sonhos à noite, uma criatura tão bela quanto Deirdre, e deu a ela todo o amor de seu coração. Deirdre foi carregada sobre os ombros dos heróis, e ela e sua mãe adotiva foram levadas à corte do Rei Connachar de Ulster.

Com o amor que sentia por ela, Connachar queria se casar com Deirdre imediatamente, ali mesmo, para que ela não se recusasse a se casar com ele. Mas ela lhe disse:

— Eu ficaria grata se o senhor me desse um tempo de um ano e um dia.

— Eu lhe concederei isso — disse ele —, por mais difícil que seja, se você me der sua palavra de honra de que se casará comigo ao fim desse prazo de um ano.

E ela lhe deu sua palavra. Connachar conseguiu para ela uma tutora e algumas amas alegres e recatadas, que se deitariam e se levantariam com ela, que a entreteriam e conversariam com ela. Deirdre era habilidosa nas tarefas das donzelas e esposas, e Connachar achava que nunca tinha visto com seus olhos mortais uma criatura que o agradasse mais. Certo dia, Deirdre e suas acompanhantes estavam na colina atrás da casa, apreciando a vista e aproveitando o calor do sol. Então viram chegar três viajantes. Deirdre olhava para os homens que se aproximavam, maravilhada. Quando os homens chegaram perto delas, Deirdre lembrou-se do que o caçador contara, e disse a si mesma que aqueles eram os três filhos de Uisnech, e que aquele era Naois, que era uma cabeça mais alto que todos os homens de Erin. Os três irmãos passaram sem notá-las, sem sequer olhar para as jovens na colina. O amor por Naois atingiu o coração de Deirdre, de modo que ela não pôde fazer nada além de segui-lo. Ela suspendeu a barra de suas vestes e foi atrás dos homens que passavam pelo sopé da colina, deixando suas acompanhantes para trás. Allen e Arden tinham ouvido falar da mulher que Connachar, rei de Ulster, tomara para si e pensaram que, se Naois, seu irmão, a visse, ele a tomaria para si próprio, principalmente porque ela não era casada com o rei. Eles notaram a mulher vindo e gritaram um para o outro para acelerarem o passo, pois tinham um longo caminho a percorrer e o crepúsculo já estava chegando. E assim fizeram. Deirdre gritou:

— Naois, filho de Uisnech, você vai me deixar?

— Que grito agudo e estridente é esse? O mais melodioso que meu ouvido já escutou e, de todos que ouvi, o mais estridente que já atingiu meu coração?

— Não é nada além do lamento dos cisnes de Connachar — disseram seus irmãos.

— Não! É o grito angustiado de uma mulher — disse Naois, e ele jurou que não avançaria mais até ver de quem era o grito, então voltou.

Naois e Deirdre se encontraram, e Deirdre beijou Naois três vezes, e deu um beijo em cada um de seus irmãos. Com a confusão em que se encontrava, Deirdre ficou vermelha como o fogo, e sua cor veio e desapareceu tão depressa quanto o movimento do álamo à beira do rio. Naois pensou que nunca tinha visto criatura mais bela e deu a Deirdre o amor que nunca concedera a coisa, visão ou criatura alguma além dela.

Então Naois colocou Deirdre sobre seus ombros e disse aos irmãos que mantivessem o ritmo, e eles assim o fizeram. Naois achou que não seria bom para ele permanecer em Erin, por conta da maneira como Connachar, rei de Ulster, filho de seu tio, se voltaria contra ele por causa da mulher, embora o rei não tivesse se casado com ela; então retornou a Alba, ou seja, à Escócia. Ele chegou à margem do lago Ness e fez casa ali. De sua porta, podia pescar o salmão na correnteza e, de sua janela, podia caçar o cervo na encosta cinza. Naois e Deirdre, Allen e Arden moravam em uma torre, e viveram felizes pelo tempo em que ficaram lá.

Foi então que chegou ao fim o período que Deirdre tinha para se casar com Connachar, rei de Ulster. Connachar decidiu que ia buscá-la pela ponta da espada, fosse ela casada com Naois ou não. Então ele preparou um grande e alegre banquete. Enviou uma mensagem por toda Erin para todos os seus parentes, convidando-os para a festa. Connachar achava que Naois não viria, embora devesse convidá-lo, e a ideia que surgiu em sua mente foi enviar o irmão de seu pai, Ferchar Mac Ro, a Naois em missão diplomática. Ele fez isso; e Connachar disse a Ferchar:

— Diga a Naois, filho de Uisnech, que estou dando um grande e alegre banquete a meus amigos e parentes espalhados por toda vastidão de Erin, e que não vou descansar de dia nem dormir à noite, se ele, Allen e Arden não participarem da festa.

Ferchar Mac Ro e seus três filhos iniciaram sua jornada e chegaram à torre onde Naois morava ao lado do lago Etive. Os filhos de Uisnech deram as boas-vindas cordiais a Ferchar Mac Ro e a seus três filhos e lhe pediram notícias de Erin.

— A melhor notícia que tenho para você — disse o herói destemido — é que Connachar, rei de Ulster, está oferecendo um grande e suntuoso banquete a seus amigos e parentes espalhados por toda a vastidão de Erin, e ele prometeu pela terra debaixo de seus pés, pelo céu alto sobre dele, e pelo sol que se move para o oeste, que não descansará de dia nem dormirá à noite, se os filhos de Uisnech, os filhos do irmão de seu próprio pai, não voltarem para a terra de sua casa e para o solo onde nasceram, e também para o banquete, e ele nos enviou nessa missão para convidá-los.

— Nós iremos com você — disse Naois.

— Nós iremos — disseram seus irmãos.

Mas Deirdre não queria ir com Ferchar Mac Ro, e ela tentou todas as orações para impedir Naois de ir com ele. Ela disse:

— Eu tive uma visão, Naois, e você vai interpretá-la para mim. Então ela cantou:

Ó Naois, filho de Uisnech, ouça com cuidado
O que num sonho me foi revelado.

Três pombas brancas do sul vinham
Sobre o mar cruzando o céu,
E da colmeia em seus bicos traziam
Doces e suaves gotas de mel.
Ó Naois, filho de Uisnech, ouça com cuidado
O que num sonho me foi revelado.

Três falcões cinza vinham do sul para mim
Sobrevoando o oceano,
Traziam em seus bicos gotas carmim
Que eram tudo que mais amo.

Disse Naois:

Isso não passa do medo em seu coração
E de um sonho na escuridão, Deirdre.

— O dia em que Connachar enviou o convite para sua festa será um dia de má sorte para nós se não formos, ó Deirdre.

— Vocês irão até lá — disse Ferchar Mac Ro. — E, se Connachar mostrar bondade para com vocês, mostrem bondade para com ele. Se ele demonstrar ira para com vocês, demonstrem ira para com ele, e eu e meus três filhos estaremos com vocês.

— Nós estaremos — disse Drop Destemido.

— Nós estaremos — disse Hardy Heroico.

— Nós estaremos — disse Fiallan, o Fiel.

— Eu tenho três filhos e eles são três heróis, e em qualquer dano ou perigo que possa lhes acontecer, eles estarão ao seu lado, e eu mesmo estarei junto com eles. — E Ferchar Mac Ro fez seu juramento e deu sua palavra diante de suas armas de que, diante de qualquer dano ou perigo que surgisse para os filhos de Uisnech, ele e seus três filhos não deixariam uma cabeça sobre um corpo vivo em Erin, independentemente de espada ou capacete, de lança ou escudo, de lâmina ou cota de malha, não importava quão bons fossem.

Deirdre não queria deixar Alba, mas foi com Naois. Ela derramou lágrimas copiosamente e cantou:

Muito querida me é a terra lá de cima,
E ao deixá-la meu coração dói.
Da Alba, de bosques, lagos e colinas,
Devo partir com Naois.

Ferchar Mac Ro não parou até que levasse consigo os filhos de Uisnech, apesar das suspeitas de Deirdre.

O coracle foi posto ao mar,
Sobre ele a vela se içou;
E depois de dois dias a remar,
às margens de Erin chegou.

Assim que os filhos de Uisnech desembarcaram em Erin, Ferchar Mac Ro enviou uma mensagem a Connachar, rei de Ulster, avisando que os homens que ele queria tinham vindo e que devia mostrar bondade a eles.

— Bem — disse Connachar —, eu não esperava que os filhos de Uisnech viessem, embora tenha mandado chamá-los, e não estou pronto para recebê-los. Mas há uma casa lá embaixo onde acomodo os estrangeiros. Eu os deixarei ir para lá hoje, e minha casa estará pronta para eles amanhã.

Mas ele, que estava lá em cima no palácio, sentiu que demorava muito para ter notícias de como estavam as coisas lá embaixo, na casa dos estrangeiros.

— Você, Gelban Grednach, filho do Rei de Lochlin, vá até lá e me traga informações sobre Deirdre, se a tonalidade e a compleição de sua pele se mantêm. Se sim, eu a tomarei, com o fio da lâmina e a ponta da espada. Se não, deixarei que Naois, filho de Uisnech, fique com ela para si — disse Connachar.

Gelban, o alegre e encantador filho do Rei de Lochlin, desceu à casa dos estrangeiros, onde estavam os filhos de Uisnech e Deirdre. Ele olhou pelo buraco na porta. A mulher para quem ele olhava era tomada por uma chama carmesim quando alguém a fitava. Ao ver Deirdre, Naois soube que mais alguém estava olhando para ela por trás da porta. Ele pegou um dos dados sobre a mesa à sua frente e o atirou pelo buraco, arrancando o olho de Gelban Grednach, o Alegre e Encantador, que saiu pela parte de trás de sua cabeça. Gelban voltou ao palácio do Rei Connachar.

— Você era alegre e charmoso quando saiu, mas está triste e sem charme no regresso. O que aconteceu com você, Gelban? Você a viu? A pele e a compleição de Deirdre são como antes? — perguntou Connachar.

— Bem, eu vi Deirdre. Eu a vi de verdade e, enquanto a olhava pelo buraco na porta, Naois, filho de Uisnech, acertou meu olho com um dos dados em suas mãos. Mas, para falar a verdade, embora ele tenha arrancado um de meus olhos, ainda era meu desejo continuar olhando para ela com o outro olho, não fosse pela pressa com que o senhor me mandou voltar — respondeu Gelban.

— Isso é verdade — disse Connachar. — Que trezentos heróis corajosos vão à casa dos estrangeiros, tragam Deirdre aqui para mim e matem o resto.

Connachar ordenou que trezentos fortes heróis fossem à casa dos estrangeiros, levassem Deirdre de volta com eles e matassem o resto.

— Os homens do rei estão vindo me buscar — disse Deirdre.

— Sim, mas eu mesmo sairei e deterei os homens do rei — retrucou Naois.

— Não será você, mas nós que iremos — disseram Drop Destemido, Holly Heroico e Fiallan, o Fiel. — Foi a nós que nosso pai confiou sua defesa contra danos e perigos quando partiu para casa.

E os jovens galantes, muito nobres, muito viris, muito bonitos, com belos cachos castanhos, saíram com as armas apropriadas para uma luta feroz e vestidos com armaduras próprias para o combate violento, polidas, claras, brilhantes, resplandecentes e cheias de lâminas, decoradas com muitas imagens de animais, pássaros, bichos rastejantes, leões, tigres de patas ágeis, águias-reais, gaviões devastadores e víboras ferozes; e os jovens heróis dizimaram três terços da tropa.

Connachar saiu às pressas e gritou de raiva.

— Quem está aí no campo de batalha matando meus homens?

— Nós, os três filhos de Ferchar Mac Ro.

— Bem — disse o rei —, darei um indulto ao seu avô, um indulto ao seu pai e um indulto para cada um de vocês três, se vierem para o meu lado esta noite.

— Bem, Connachar, não aceitaremos sua oferta nem agradeceremos por ela. Preferimos, de longe, ir para casa de nosso pai e contar a ele os atos de heroísmo que tivemos, a aceitar qualquer coisa nesses seus termos. Naois, filho de Uisnech, Allen e Arden são parentes seus tanto quanto nossos. Apesar disso, você está disposto a derramar o sangue deles, e também derramaria o nosso,

Connachar. — E os jovens nobres, viris e bonitos, com belos cachos castanhos, voltaram para dentro. — Agora voltaremos para casa — disseram eles — e contaremos ao nosso pai que você está a salvo das mãos do rei. — E os jovens, muito altos, ágeis e bonitos, foram para a casa do pai contar a ele que os filhos de Uisnech estavam a salvo. Isso aconteceu no final do dia, durante a noite, e pelo crepúsculo da manhã, e Naois disse que eles também deveriam ir embora, sair daquela casa e retornar a Alba.

Naois e Deirdre, Allen e Arden começaram a voltar a Alba. O rei ficou sabendo que o grupo que ele estava perseguindo havia partido. Então mandou chamar o Druida Duanan Gacha, o melhor mágico que ele tinha, e disse-lhe o seguinte:

— Muita riqueza eu gastei com você, Druida Duanan Gacha, para lhe dar educação, aprendizado e os mistérios da magia. Vou culpar você se essas pessoas se afastarem de mim hoje sem se importarem, sem consideração ou respeito por mim, sem que tenhamos chance de ultrapassá-las ou poder para detê-las.

— Bem, eu vou detê-las — disse o mágico —, até que a companhia que você enviou para buscá-las retorne. — E o mago colocou diante deles um bosque que homem algum poderia atravessar, mas os filhos de Uisnech marcharam através do bosque sem parar nem hesitar, e Deirdre segurou a mão de Naois.

— De que adiantou isso? Ainda não foi o bastante — disse Connachar. — Eles partiram sem muito esforço dos seus pés, nem detiveram seus passos, sem consideração ou respeito por mim, e não tenho poder para alcançá-los ou chance de fazê-los voltar esta noite.

— Vou tentar outro plano com eles — disse o druida; e colocou diante deles um mar cinzento em vez de uma planície verde. Os três heróis tiraram suas roupas e as amarraram atrás da cabeça, e Naois colocou Deirdre sobre seus ombros.

Eles se lançaram de lado na correnteza,
E mar e terra não tinham diferença,
O oceano cinzento e agitado
Era igual ao verde prado.

— Embora isso seja bom, ó Duanan, não fará os heróis voltarem — disse Connachar. — Eles se foram sem consideração por mim, e sem honra para mim, e sem que eu tenha poder para persegui-los ou forçá-los a voltar esta noite.

— Vamos tentar outro método com eles, já que este não os deteve — disse o druida.

E então ele congelou o agitado mar cinzento e o transformou em picos íngremes, afiados como espadas em uma extremidade e com o poder venenoso das víboras na outra. Então, Arden gritou que estava ficando cansado e quase desistindo.

— Venha aqui, Arden, e sente-se no meu ombro direito — disse Naois.

Arden veio e sentou-se no ombro de Naois. Arden não estava havia muito tempo nessa posição quando morreu; mas, embora estivesse morto, Naois não o largou. Allen então gritou que estava ficando fraco e quase desistindo. Quando Naois ouviu seu lamento, ele soltou o suspiro penetrante da morte e pediu a Allen que se segurasse nele, pois o levaria à terra. Não demorou muito para que a fraqueza da morte se impusesse a Allen, e ele soltou o irmão. Naois olhou em volta e, quando viu seus dois amados irmãos mortos, não se importou se vivia ou morria. Ele soltou o amargo suspiro da morte, e seu coração explodiu.

— Eles se foram — disse o Druida Duanan Gacha ao rei —, e eu fiz o que o senhor me pediu. Os filhos de Uisnech estão mortos e não vão mais incomodá-lo; e você tem sua esposa, sã e salva, toda para si.

— Abençoado seja você por isso, e que os bons resultados se acumulem para mim, Duanan. Não considero um prejuízo o que gastei na sua educação e no seu ensino. Agora seque a inundação e deixe-me ver se consigo contemplar Deirdre — disse Connachar. E o Druida Duanan Gacha secou o dilúvio da planície, e os três filhos de Uisnech estavam caídos juntos, mortos, sem o sopro da vida, lado a lado no prado verdejante, e Deirdre, curvando-se sobre eles, derramava lágrimas.

Então Deirdre disse este lamento:

JOHN D. BATTEN, 1902

— O leal, o amado, flor de beleza; adorado, correto e forte; querido, nobre e modesto guerreiro. O leal, de olhos azuis, amado por sua esposa; adorado no local do encontro, quando tua voz soou clara através dos bosques da Irlanda. Não poderei comer ou sorrir daqui para a frente. Não se parta hoje, meu coração: em breve estarei no meu túmulo. Fortes são as ondas de tristeza, porém mais forte é a tristeza em si, Connachar.

HELEN STRATTON, 1915

As pessoas então se reuniram em volta dos corpos dos heróis e perguntaram a Connachar o que deveria ser feito deles. A ordem que ele deu foi que abrissem uma cova e colocassem os três irmãos lado a lado.

Deirdre permaneceu sentada à beira do túmulo, pedindo constantemente aos coveiros que a fizessem mais larga. Quando os corpos dos irmãos foram sepultados, Deirdre disse:

Naois, meu amor, venha aqui
Deixe Arden junto de Allen descansar;
Se os mortos têm algum direito de sentir,
Vocês teriam feito para Deirdre um lugar.

Os homens fizeram o que ela lhes pediu. Ela pulou no túmulo e deitou-se ao lado de Naois, e morreu ao lado dele.

O rei ordenou que seu corpo fosse erguido da sepultura e enterrado do outro lado do lago. Isso foi feito a mando do rei, e a cova foi fechada. Então, um broto de abeto cresceu do túmulo de Deirdre e outro broto de abeto cresceu do túmulo de Naois, e os dois abetos se uniram em um nó acima do lago. O rei ordenou que os abetos fossem cortados, e isso foi feito duas vezes, até que, na terceira vez, a esposa com a qual o rei se casara o fez interromper essa maldade e parar com sua vingança contra os mortos.

JOSEPH JACOBS
Irlanda
FILHOS
DE LIR
1894
"Oidheadh chloinne Lir",
recontado por Joseph Jacobs,
em Filhos de Lir, crianças são
transformadas em pássaros e sofrem
um triste destino.
É possível que o conto original
date do século XIV, no início da
cristianização dos povos celtas.

conteceu que os cinco Reis da Irlanda se contataram para determinar quem deveria ser o Rei dos Reis, e o rei Lir, da Colina do Campo Branco, esperava ser certamente o eleito. Quando os nobres formaram o conselho, escolheram Dearg, filho de Daghda, para ser o Rei dos Reis, pois seu pai fora um druida bom e ele era o mais velho de seus filhos. Porém Lir deixou a Assembleia de Reis e foi para casa na Colina do Campo Branco. Os outros reis teriam o seguido para dar-lhe ferimentos de lança e espadas por não jurar lealdade ao homem a quem eles haviam dado o poder. Mas Dearg, o Rei, não aceitou ouvir essa ideia e disse:

— É preferível que nos unamos a ele pelo vínculo de parentesco, para que a paz possa ser mantida nestas terras. Mande até Lir, para ser sua esposa, uma das três mais belas donzelas e de melhor reputação em Erin: as três filhas de Oilell de Aran, minhas três próprias amas de leite.

Então os mensageiros disseram a Lir que Dearg, o Rei, o concederia um filho adotivo dos seus próprios filhos adotivos. Lir se agradou com a ideia e saiu no dia seguinte com cinquenta carruagens da Colina do Campo Branco. Ao chegar ao Lago do Olho Vermelho, perto de Killaloe, viu as três filhas de Oilell. Dearg, o Rei, lhe disse:

— Escolha entre as donzelas, Lir.

— Eu não sei qual seria a melhor dentre todas — disse Lir —, mas a mais velha delas é a mais nobre, e é ela a quem devo escolher.

— Se é assim — disse Dearg, o Rei —, Ove é a mais velha, e ela será dada a ti se tu assim desejares.

Então Lir e Ove casaram-se e voltaram juntos à Colina do Campo Branco.

Depois disso, eles tiveram gêmeos, um filho e uma filha, e os deram os nomes de Fingula e Aod. Em seguida, mais dois filhos vieram, Fiachra e Conn. Quando eles nasceram, Ove morreu. Lir sentiu o amargor de seu luto pela esposa, mas foi apenas por seu grande amor aos filhos que ele não morreu de tristeza. Dearg, o Rei, entristeceu-se por Lir e o chamou à sua presença, dizendo:

— Nós estamos tristes por Ove em seu nome; mas, para que a nossa amizade não se desfaça, eu te darei a irmã dela, Oifa, como esposa.

Então Lir concordou; eles se casaram e o rei a levou consigo para a sua casa. A princípio, Oifa sentia afeição e honra pelos filhos de seu marido e de sua irmã; de fato, todos os que viam os quatro irmãos não podiam negar-lhes o amor de sua alma. Lir era próximo às crianças, e elas sempre dormiam em camas em frente a de seu pai, que costumava acordar muito cedo todas as manhãs para deitar-se com os filhos. Mas, a partir disso, uma pontada de ciúmes passou por Oifa, e ela veio a sentir pelos meninos ódio e inimizade.

Um dia, Oifa chamou a sua carruagem e entrou nela com as quatro crianças de Lir. Fingula não queria ir com a madrasta nessa jornada, pois havia sonhado na noite passada com um aviso contra Oifa; contudo, não podia evitar o seu destino.

Quando a carruagem chegou ao Lago dos Carvalhos, Oifa disse ao povo:

— Matem os quatro filhos de Lir e eu lhes darei uma recompensa de cada tipo no mundo.

Mas eles se recusaram e lhe disseram que aquele era um pensamento muito cruel. Então ela levantou uma espada para destruir as crianças, porém a sua própria feminilidade e fraqueza não a deixaram seguir em frente. Por isso, a madrasta levou seus enteados para o lago, a fim de se banharem, e eles a obedeceram.

Tão logo chegaram ao lago, ela os atingiu com a vara de feitiços de um druida e os transformou em quatro belos e perfeitamente brancos cisnes. Em seguida, cantou para eles essa música:

Fora com vocês, por sobre as ondas selvagens, crianças do Rei!
Doravante seus gritos serão aqueles dos bandos de pássaros.

E Fingula respondeu:

Sua bruxa! Nós vos conhecemos pelo nome certo!

Possas tu nos conduzir de onda para onda,
Mas por vezes nós descansaremos na costa
Nós teremos alívio, e você punição,
Apesar de nossos corpos estarem no lago,
Nossas mentes, ao menos, voaram para casa.

E, novamente, Fingula falou:

— Designe um fim à ruína e miséria que vós pusestes sobre nós.

Oifa riu e disse:

— Nunca vocês serão livres até que a mulher do sul seja unida com o homem do norte, até que Lairgnen de Connaught case com Deoch de Munster; e ninguém nunca terá poder para tirá-los desta forma. Por novecentos anos, vocês irão vagar por entre os lagos e riachos de Erin. Apenas isso, eu vos concedo: que vocês mantenham a sua fala, e não haverá música no mundo igual a vossa, a música melancólica que deverão cantar.

Isso ela disse porque o arrependimento, devido à maldade que havia feito, a tomou.

E então, por fim, Oifa disse:

Para longe de mim, suas crianças de Lir,
Doravante, o esporte dos ventos selvagens.
Até que Lairgnen e Deoch se unam,
Até que vocês cheguem ao noroeste do Erin Vermelho.

Uma espada de traição está atravessada no coração de Lir,
De Lir, o forte campeão,
Ainda que eu tenha trespassado a espada.
Minha vitória me corta o coração.

Então ela virou seus corcéis e foi para o salão de Dearg, o Rei. Os nobres da corte lhe perguntaram onde estavam as crianças de Lir, e Oifa disse:

— Lir não os confiará a Dearg, o Rei.

Mas Dearg pensou consigo mesmo que essa mulher havia cometido alguma traição contra eles, e, assim, enviou mensageiros ao salão do Campo Branco.

Lir perguntou aos mensageiros:

— Por qual motivo vieram?

— Para buscar vossos filhos, Lir — eles disseram.

— Eles não chegaram até vocês com Oifa? — perguntou Lir.

— Eles não chegaram — responderam os mensageiros —, e Oifa disse que você não havia deixado as crianças irem com ela.

Então Lir, ao ouvir essas coisas, ficou abatido e triste em seu coração, pois sabia que Oifa havia feito algo de errado contra suas crianças, e seguiu em direção ao Lago do Olho Vermelho. Quando os irmãos o viram se aproximar, Fingula cantou o seguinte:

Bem-vinda, cavalgada de corcéis
Aproximando-se do Lago do Olho Vermelho,
Uma comitiva de temor e mágica
Certamente busca por nós.

Movamo-nos para a margem, ó Aod,
Fiachra e gracioso Conn,
De nenhum dono sob este céu esses cavaleiros podem ser
Mas do Rei Lir com a sua ponderosa casa.

Enquanto ela cantava isso, o rei Lir chegou à margem do lago e ouviu os cisnes falando com vozes humanas. Ele conversou com os animais e perguntou quem eram. Fingula respondeu:

— Nós somos vossas crianças, arruinadas por vossa esposa, irmã de nossa própria mãe, pela sua mente doentia e seus ciúmes.

— Por quanto tempo o feitiço deverá permanecer sobre vocês? — perguntou Lir.

— Ninguém pode nos libertar até que a mulher do sul e o homem do norte se unam, até Lairgnen de Connaught casar Deoch de Munster.

Então Lir e seus homens gritaram de tristeza, chorando e lamentando, e ficaram próximos à margem do lago, ouvindo a

JOHN DUNCAN, 1914

música silvestre dos cisnes até que os animais voaram para longe. O rei Lir se dirigiu ao salão de Dearg, o Rei, e lhe disse o que Oifa havia feito aos seus filhos. E Dearg fez seu poder recair sobre Oifa, ordenando-a dizer que forma na terra ela consideraria a pior de todas. Ela disse que seria a forma de um demônio do ar.

— É nessa forma na qual eu colocarei você — disse Dearg, o Rei, e ele a atingiu com o cajado de feitiços e magia de druida e a transformou em um demônio do ar.

Ela rapidamente fugiu. Oifa ainda hoje é um demônio do ar, e será para todo o sempre.

Mas as crianças de Lir continuaram a deleitar os clãs irlandeses com a doce e encantadora música de suas canções, tanto que nenhum deleite que se comparasse com a música dos cisnes jamais foi ouvido no Erin, até que o tempo determinado para deixarem o Lago do Olho Vermelho chegou.

Então Fingula cantou essa música de despedida:

Adeus a ti, Dearg, o Rei,
Mestre de todo o saber dos druidas
Adeus a ti, nosso pai querido,
Lir da Colina do Campo Branco.

Nós já excedemos o nosso tempo
para longe e separados das assombrações dos homens
Na corrente do Moyle,
Nossas feições serão amargas e salgadas,

Até que Deoch venha a Lairgnen.
Então venham, irmãos de, outrora, bochechas rosas
Vamos partir do Lago do Olho Vermelho,
Vamos partir com tristeza da tribo que nos amou.

E depois eles levantaram voo, voando alto, levemente e pelos ares, até chegarem a Moyle, entre Erin e a Escócia.

Os homens de Erin ficaram entristecidos com a partida deles, e foi proclamado por toda Erin que, dali em diante, nenhum cisne

seria morto. Então os filhos de Lir ficaram solitários, sozinhos, preenchidos de frio, tristeza e arrependimento, até que uma forte tempestade recaiu sobre eles e Fingula disse:

— Irmãos, vamos designar um local para nos reencontrarmos caso o poder dos ventos nos separe.

E eles disseram:

— Vamos, ó irmã, para a Pedra das Focas.

Então as ondas subiram, o trovão rugiu, o raio brilhou e a varredora tempestade chegou, e as crianças de Lir se separaram umas das outras por sobre o imenso mar. Entretanto, uma calma plácida veio depois da grande tempestade. Fingula, ao se ver sozinha, disse:

Ai de mim que estou viva
Minhas asas estão congeladas a meus lados.
Ó, amados três, ó, amados três,
que se esconderam sob o abrigo das minhas penas,
Até os mortos voltaram aos vivos
Eu e os três nunca nos encontraremos novamente!

E ela voou sobre o lago das focas e logo viu Conn vindo em sua direção, com um ritmo pesado e penas encharcadas, e Fiachra também, gélido, molhado e enfraquecido, e não havia palavras que eles conseguissem falar, tão gelados e sem forças estavam. Mas Fingula os acomodou debaixo de suas asas e disse:

— Se Aod pudesse se juntar a nós agora, nossa felicidade estaria completa.

Porém logo eles viram Aod vindo em sua direção, com a cabeça seca e as penas lisas; Fingula o colocou sobre as penas do seu peito, Fiachra sob sua asa direita e Conn sob a asa esquerda. Assim, eles fizeram esse verso:

Nossa madrasta foi cruel conosco,
Ela jogou sua mágica em nós,
Nos enviando para o norte no mar
Na forma de cisnes encantados.

Nosso banho sobre a costa da cordilheira
é a espuma da maré de salmoura cristalina,
A nossa parte da festividade da cerveja
É a salmoura do mar de crista azul.

Um dia, eles viram uma esplêndida marcha de corcéis puros e brancos vindo na sua direção. Quando os corcéis chegaram mais perto, perceberam que os dois filhos do Rei vinham procurando pelos cisnes para lhes dar notícias de Dearg e Lir.

— Eles estão bem — disseram os filhos de Dearg, o Rei —, e estão vivendo em alegria, exceto pelo fato de que vocês não estão com eles e por não saberem aonde vocês foram quando deixaram o Lago do Olho Vermelho.

— Nós não estamos felizes — disse Fingula, e ela cantou essa canção:

Feliz é esta noite na casa de Lir,
Abundante é a carne e o vinho deles.
Mas as crianças de Lir — qual a recompensa deles?
Por pijamas, nós temos as nossas penas,
E por nossa comida e vinho —
A areia branca e a amarga água salgada,
A cama de Fiachra e o lugar de Conn,
Debaixo da cobertura das minhas asas no Moyle,
Aod tem abrigo no meu seio,
E lado a lado nós descansamos.

Os filhos de Dearg, o Rei, foram ao Salão de Lir e lhe disseram a situação de seus filhos.

Então o dia para as crianças de Lir cumprirem a sua parte chegou, e eles voaram de Moyle para a baía de Erris, e ficaram lá até que o momento do seu destino chegasse. Logo eles partiram até a Colina do Campo Branco e encontraram o lugar desolado e vazio, com nada além de residências destelhadas e florestas de urtigas — nenhuma casa, nem fogo, nem habitações. Os quatro

JOHN D. BATTEN, 1902

se aproximaram uns dos outros e soltaram alto seus gritos de lamentação. Fingula cantou esta canção:

Ai de mim! Isto é amargura para o meu coração
Ver a casa de meu pai abandonada —
Sem cães de caça, sem matilhas de cães,
Sem mulheres, e sem bravos reis

Sem copos de chifres, sem copos de madeira,
Ninguém bebendo em seus corredores luminosos.
Ai de mim! Eu vejo pelo estado da casa dele
Que o senhor desta casa e nosso pai não mais vive.

Muito temos sofrido nos nossos anos vagando,
Por bofetadas de vento, por frio congelante;
Agora chega a nossa maior dor —
Não há mais um homem que nos conheceu na casa onde nascemos.

Então as crianças de Lir voaram para longe, em direção à Ilha da Glória de Brandan, O Santo, e lá se acomodaram sobre o Lago dos Pássaros, até que o sagrado Patrick veio até a Irlanda e o sagrado Mac Howg seguiu para a Ilha da Glória.

Na sua primeira noite na Ilha, as crianças de Lir escutaram a voz do sino dele soando para as preces matinais, de modo que os cisnes começaram a se agitar em terror e os irmãos deixaram Fingula sozinha.

— O que é, queridos irmãos? — ela perguntou. — Nós não sabemos que voz fraca e amedrontadora é essa que ouvimos.

Então Fingula recitou o seguinte:

Ouçam o sino do Clérigo,
Aprumem suas asas e ergam-se
Graças a Deus ele está vindo,
Fiquem agradecidos que vocês o ouvem,

Ele nos libertará da nossa dor,
E trazê-los das rochas e pedras.
Graciosas crianças de Lir,
Ouçam o sino do Clérigo.

E Mac Howg desceu para a beira do lago e disse a eles:

— São vocês os filhos de Lir?

— Somos nós, sim — eles responderam.

— Graças a Deus! — disse o santo. — É por sua causa que vim para esta ilha, além de todas as outras ilhas na Irlanda. Venham até a terra agora e coloquem sua confiança em mim.

Então eles chegaram ao chão firme, e Mac Howg fez para os irmãos correntes de prata bem clara; uma entre Aod e Fingula e uma entre Conn e Fiachra.

Acontecia que, neste momento, Lairgnen era príncipe de Connaught e ia se casar com Deoch, a filha do rei de Munster. Ela havia ouvido a história das aves e foi tomada de amor e afeição por eles, e disse que não se casaria até que tivesse as maravilhosas

aves da Ilha da Glória. Lairgnen mandou o santo Mac Howg em uma busca pelos cisnes. Mas o santo não os entregava, e ambos, Lairgnen e Deoch, foram até lá.

Lairgnen foi pegar os pássaros do altar, mas tão logo colocou as mãos neles, a cobertura de pena dos animais caiu e os filhos de Lir se tornaram três homens bem velhos, e Fingula, uma magra e murcha velhinha, sem sangue ou carne. Lairgnen, sentindo-se causador do sofrimento, saiu do lugar com pressa, mas Fingula cantou essas palavras:

Venha e nos batize, Ó Clérigo,
Limpe as nossas manchas
Neste dia, eu vejo a nossa cova -
Fiachra e Conn de cada lado,
e no meu colo, nos meus braços,
coloque Aod, meu belíssimo irmão.

Depois disso, os filhos de Lir foram batizados. E eles morreram e foram enterrados como Fingula havia dito, Fiachra e Conn de cada lado dela, e Aod à sua frente. Um marco para túmulos foi erguido, e nele foram escritos seus nomes em runas. E esse foi o destino das crianças de Lir.

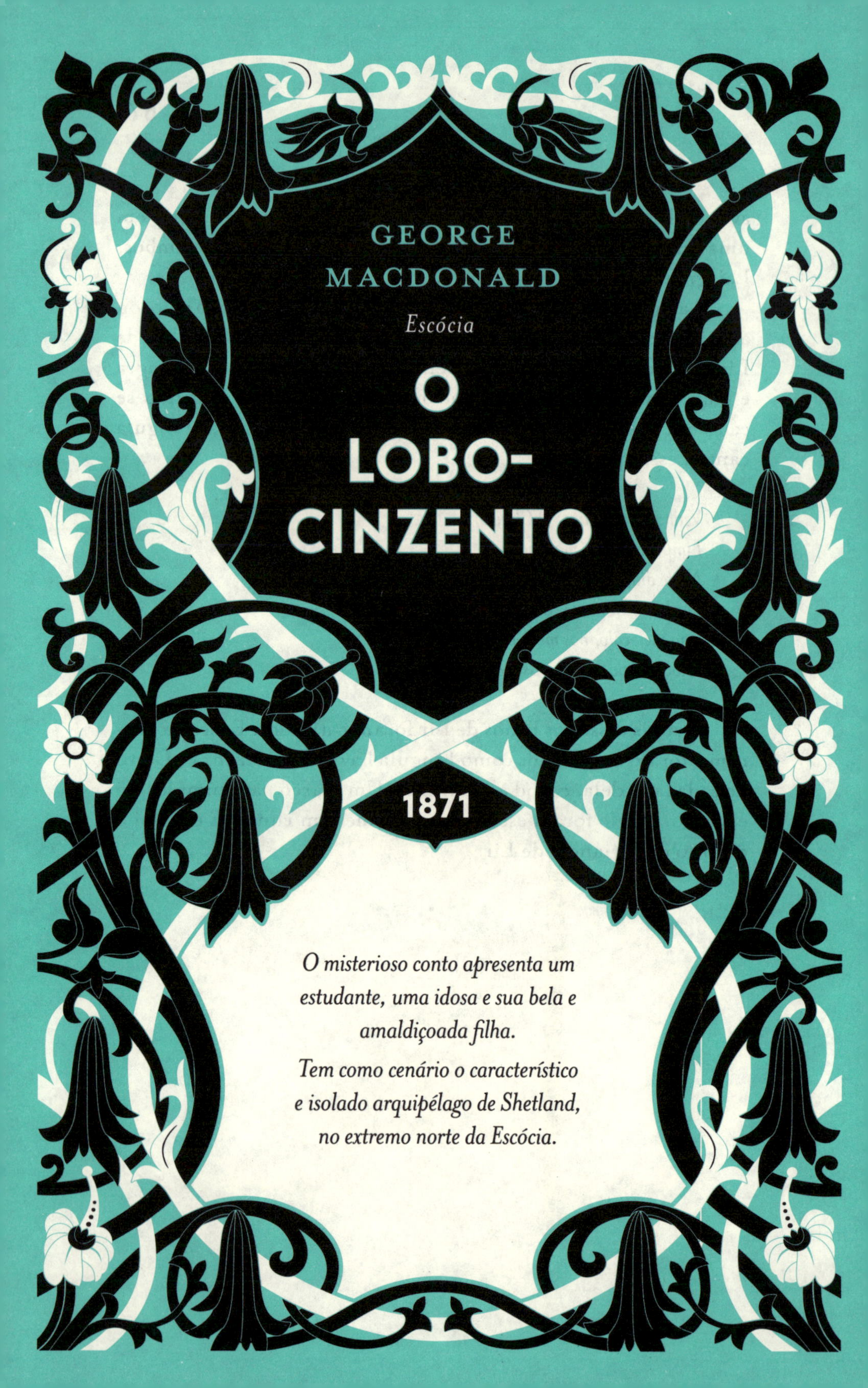
GEORGE
MACDONALD
Escócia
O
LOBO-
CINZENTO
1871
O misterioso conto apresenta um
estudante, uma idosa e sua bela e
amaldiçoada filha.
Tem como cenário o característico
e isolado arquipélago de Shetland,
no extremo norte da Escócia.

erta primavera, ao cair da noite, um jovem estudante inglês viajou para o norte, até as remotas ilhas escocesas chamadas Órcades e Shetland, e viu-se numa ilhota do último arquipélago em meio a uma tempestade de vento e granizo, que chegou de repente. De nada adiantou procurar abrigo, pois não só a tempestade obscureceu toda a paisagem, como também não havia nada ao seu alcance senão o musgo deserto.

Por fim, contudo, enquanto andava só por andar, chegou à beira de um penhasco e viu, alguns metros abaixo da borda, uma saliência rochosa onde poderia se proteger das rajadas tempestuosas, que vinham da direção contrária. Desceu apoiado nas mãos e percebeu que seus pés esmagavam alguma coisa: os ossos de muitos animais pequeninos espalhados diante de uma caverna na rocha. Era este o refúgio que procurava.

O jovem entrou e sentou-se numa pedra. A fúria da tempestade aumentou e, à medida que escurecia, ele ficou apreensivo, pois a ideia de passar a noite na caverna não o agradava. Havia se separado de seus companheiros do outro lado da ilha e sua apreensão só aumentava ao imaginar que deviam estar preocupados com ele. Finalmente, chegou a calmaria e, na mesma hora, ele ouviu um passo, furtivo e leve como o de um animal selvagem, sobre os ossos na entrada da caverna. Levantou-se um tanto assustado, embora um momento de breve ponderação pudesse ter-lhe garantido que não existia nenhum animal muito perigoso na ilha. Antes que pudesse pensar nisso, porém, surgiu na abertura o rosto de uma mulher. Por ímpeto, o viajante falou, e ela se sobressaltou com o som da voz dele. Ele não a enxergava bem, pois o interior da caverna estava escuro.

— Sabe me dizer como atravessar o pântano até Shielness? — perguntou ele.

— Não encontrará o caminho esta noite — respondeu ela com um tom de voz doce e um sorriso que o cativou, revelando dentes branquíssimos.

— Então, o que devo fazer?

— Minha mãe lhe oferecerá abrigo, mas é a única coisa que ela tem para dar.

— É muito mais do que eu esperava até agora há pouco — respondeu ele. — Ficarei muito agradecido.

Em silêncio, ela se virou e saiu da caverna. O jovem foi atrás.

A moça estava descalça e seus belos pés castanhos pisavam as pedras afiadas com passos de gato enquanto seguia uma trilha rochosa até o litoral. Usava roupas simples e rasgadas, e seus cabelos emaranhados voavam ao vento. Aparentava ter vinte anos mais cinco, era pequena e esbelta. Enquanto caminhava, seus dedos compridos seguravam e repuxavam as saias, nervosos. O rosto era acinzentado e macilento, mas tinha feições delicadas e pele lisa; as narinas finas tremiam como pálpebras a piscar e os lábios de contornos perfeitos não tinham cor que indicasse a presença do sangue a correr nas veias. Os olhos, ele não conseguia ver, pois ela jamais erguia a delicada pele das pálpebras.

Ao pé do penhasco, chegaram a uma cabaninha, colada às rochas, cujo interior era uma concavidade natural. Uma fumaça se espalhava dali e o cheiro agradável da comida deu esperança ao estudante faminto. Sua guia abriu a porta da cabana. Ele a seguiu e viu uma mulher debruçada sobre uma fogueira no chão; sobre o fogo havia um grande peixe a grelhar.

A filha disse algumas palavras e a mãe se voltou para dar as boas-vindas ao estranho. Seu rosto era muito velho e enrugado, mas decente, e pareceu um tanto aflito. Ela espanou o pó da única cadeira na cabana e a deixou ao lado do fogo para o jovem, voltada para a única janela. Dali, ele via uma pequena faixa de areia amarela sobre a qual as ondas se espalhavam languidamente. Abaixo da janela havia um banco onde a filha se largou numa postura incomum, apoiando o queixo na mão. Pouco depois, o jovem teve o primeiro vislumbre dos olhos azuis da moça. Estavam cravados nele com um estranho ar de interesse, até mesmo de cobiça, mas, como se percebesse que eles a entregavam ou traíam, ela os baixou

na mesma hora. No momento em que fez isso, seu rosto, não obstante o tom pálido, quase se tornou belo.

Quando o peixe ficou pronto, a velha limpou a mesa de pinho, ajeitou-a no piso desigual e a cobriu com uma bela toalha. Depois, serviu o peixe numa travessa de madeira e convidou o hóspede a comer. Vendo que não haveria outros preparativos, ele tirou sua faca de caça do bolso e cortou um pedaço do peixe, oferecendo-o primeiro à mãe.

— Venha, meu bem — disse ela.

A filha se aproximou da mesa, mas suas narinas e lábios se franziram de nojo. No instante seguinte, virou-se e saiu da cabana, apressada.

— Ela não gosta de peixe — explicou a velha — e não tenho mais nada para oferecer.

— Ela não parece estar bem de saúde — retorquiu ele.

A única resposta da mulher foi um suspiro. Os dois comeram o peixe com um pouco de pão de centeio. Quando estavam terminando a ceia, o jovem ouviu um som que parecia ser dos pés de um cachorro pisando a areia perto da casa; porém, antes que tivesse tempo de olhar pela janela, a porta se abriu e a moça entrou. Seu aspecto havia melhorado, talvez só por ter lavado o rosto. Ela levou um banco para perto do fogo, de frente para o estudante; mas, quando se sentou, ele viu, surpreso e até horrorizado, uma única gota de sangue naquela pele branca, dentro do vestido rasgado.

A velha pegou uma garrafa de uísque, pôs uma chaleira enferrujada no fogo e sentou-se diante dele. Assim que a água ferveu, ela começou a preparar um pouco de *toddy*[2] numa tigela de madeira.

O estudante não conseguia deixar de olhar para a moça e, por fim, viu-se fascinado; mais que isso, enfeitiçado. Ela mantinha os olhos baixos, velados pelas mais belas pálpebras ornadas pelos cílios mais negros, e ele a fitava, arrebatado, pois o fulgor

2 Bebida feita de água quente, mel ou açúcar, suco de limão e uísque ou outra bebida alcoólica forte, às vezes temperada com cravo e canela. [N. T.]

avermelhado da pequena lamparina a óleo disfarçava toda a estranheza da sua pele. Contudo, assim que ele teve um vislumbre fugaz daqueles olhos, sua alma estremeceu. O lindo rosto e os olhos vorazes alternavam os efeitos de fascínio e aversão.

A mãe colocou a tigela nas mãos do jovem. Ele bebeu frugalmente e a passou para a moça. Esta levou a tigela aos lábios e, ao provar da bebida — apenas prová-la —, olhou para ele. Devia haver alguma droga na bebida, pensou o estudante, e afetara sua mente. Ele viu os cabelos da moça se esticarem para trás, levando também a testa dela, enquanto a parte inferior do rosto se projetava em direção à tigela, revelando, enquanto ela bebia, os dentes brilhantes e agora proeminentes. Mas a visão se desfez na mesma hora; a moça passou a tigela para a mãe e, levantando-se, saiu da cabana, apressada.

A velha, então, apontou para uma cama de urze num canto, murmurando um pedido de desculpas, e o estudante, exaurido tanto pelo cansaço do dia quanto pela estranheza da noite, largou-se nela, envolto na própria capa. No momento em que se deitou, a tempestade recomeçou. O vento soprou com tanta força por entre as rachaduras da cabana que, para proteger-se das rajadas, o jovem teve que cobrir a cabeça com a capa. Incapaz de dormir, ficou deitado, ouvindo o ruído cada vez mais alto da tormenta, até a água começar a espirrar na janela. Por fim, a porta se abriu e a moça entrou, atiçou o fogo, arrastou o banco para perto dele e deitou-se naquela mesma postura estranha, com o cotovelo no banco, o queixo apoiado na mão e o rosto voltado para o jovem. Ele se mexeu um pouco; ela baixou a cabeça, apoiando a testa nos braços cruzados. A mãe havia desaparecido.

A sonolência tomou conta dele, mas um movimento no banco o despertou. Pensou ter visto uma criatura de quatro patas, alta como um cão grande, sair silenciosamente pela porta. Tinha certeza de que sentira um sopro de vento frio. Olhando atentamente a escuridão, julgou ver os olhos da donzela encontrarem os seus, mas a luz das brasas que restavam revelou nitidamente que o banco

estava vazio. Tentando imaginar o que a teria feito sair numa tempestade como aquela, ele caiu num sono profundo.

No meio da noite, o estudante sentiu uma dor no ombro, acordou de repente e viu os olhos reluzentes e os dentes arreganhados de um animal perto do rosto. A criatura tinha cravado as garras no ombro dele e a boca estava a ponto de alcançar-lhe a garganta. Antes que a fera enterrasse as presas, porém, ele agarrou o pescoço dela com uma das mãos e, com a outra, procurou a faca. Seguiu-se uma luta tremenda, mas, mesmo atacado pelas garras, ele encontrou e sacou a faca. Golpeou uma vez em vão e estava se preparando para uma estocada certeira quando, empregando o corpo inteiro num esforço enlouquecido, a criatura se contorceu e se libertou dele, fugindo com um som misto de grito e uivo. Mais uma vez, o jovem ouviu a porta se abrir e o vento se atirou contra ele, continuando a soprar; uma rajada de chuva caiu no chão e no rosto dele. Ele se levantou e lançou-se porta afora.

Era uma noite temível — totalmente escura, a não ser pelo lampejo do branco das ondas a alguns metros da cabana. A ventania era intensa, e a chuva, pesada. Um som pavoroso, misto de uivo e lamento, veio de algum lugar na escuridão. O jovem voltou à cabana e fechou a porta, mas não havia como trancá-la.

A lamparina estava quase se apagando e ele não conseguiu ver se a moça estava ou não deitada no banco. Superando a grande repulsa que sentia, ele se aproximou e estendeu as mãos; não havia nada lá. Sentou-se e esperou pelo amanhecer: não se atrevia a dormir mais.

Quando o dia finalmente raiou, ele saiu mais uma vez e olhou a paisagem lá fora. A manhã estava nublada, chuvosa e cinzenta. O vento arrefecera, mas as ondas quebravam furiosamente. Ele andou para lá e para cá, ansiando pela claridade.

Por fim, ouviu alguma coisa se mexer dentro da cabana. Logo a voz da velha o chamou da porta.

— O senhor acordou cedo. Desconfio que não tenha dormido bem.

— Não muito — respondeu ele. — Mas onde está sua filha?

— Ainda não acordou. Lamento só poder lhe oferecer um desjejum simples. Aceite uma bebida e um pouco de peixe, é tudo o que tenho.

Para não magoá-la, embora não tivesse apetite, ele sentou--se à mesa. Enquanto comiam, a filha chegou, mas deu as costas e foi até o outro canto da cabana. Quando ela voltou, depois de um instante, o jovem viu que estava de cabelos molhados e rosto ainda mais pálido. Aparentava estar fraca e doente, e, quando ergueu o olhar, toda a ferocidade havia desaparecido de sua expressão, dando lugar à tristeza. Seu pescoço estava agora coberto com um lenço de algodão. Olhou para ele de maneira modesta e cortês, sem desviar o olhar.

Aos poucos, o jovem cedia à tentação de enfrentar mais uma noite na cabana e ver o que se sucederia, quando a velha disse:

— O tempo ficará assim o dia todo. É melhor seguir caminho, do contrário seus amigos vão partir sem o senhor.

Antes que pudesse responder, ele percebeu o olhar suplicante da moça e hesitou, confuso. Olhando para a mãe, viu um sinal de ira na sua expressão. Ela se levantou e se aproximou da filha, erguendo a mão para dar-lhe um tapa. A moça abaixou a cabeça, gritando, e o jovem correu a se colocar entre as duas. Mas a mãe já havia alcançado a filha; o lenço caíra do pescoço dela e ele viu cinco hematomas naquela linda garganta — a marca dos dedos de sua mão esquerda. Gritando de pavor, ele correu para sair da casa, mas, ao chegar à porta, voltou-se. Sua anfitriã estava caída no chão, inerte, e uma enorme loba-cinzenta arremeteu contra ele.

Não havia nenhuma arma à mão e, mesmo se houvesse, seu cavalheirismo inato jamais deixaria que ele ferisse uma mulher, mesmo em forma de lobo. Por instinto, ele ficou firme, inclinou-se para a frente, estendeu os braços e preparou as mãos para agarrar de novo o pescoço em que havia deixado aquelas marcas lamentáveis. Mas a criatura escapou-lhe com um salto e, no momento em que ele esperava sentir uma mordida, encontrou uma mulher chorando em seu peito, abraçada ao seu pescoço. No instante seguinte, a loba-cinzenta se desvencilhou dele e, uivando, subiu o rochedo. Recompondo-se como pôde, o jovem a seguiu, pois era o único caminho até o pântano acima, que ele deveria atravessar para encontrar seus companheiros.

Na mesma hora, ele ouviu o som de ossos sendo esmagados — não como se a criatura os mastigasse, mas como se fossem triturados pelos dentes da raiva e da decepção. Olhando para cima, viu a entrada da caverna onde havia se protegido no dia anterior. Reunindo toda a sua determinação, passou por ela bem devagar. Do fundo, vinham sons mistos de gemido e rosnado.

Chegando ao alto do rochedo, ele correu a toda velocidade pelo pântano antes de se arriscar a olhar para trás. Quando finalmente o fez, viu, emoldurada pelo céu, a moça parada à beira do precipício, torcendo as mãos. Ela deu um único grito, mas não tentou segui-lo. O jovem chegou do outro lado a salvo.

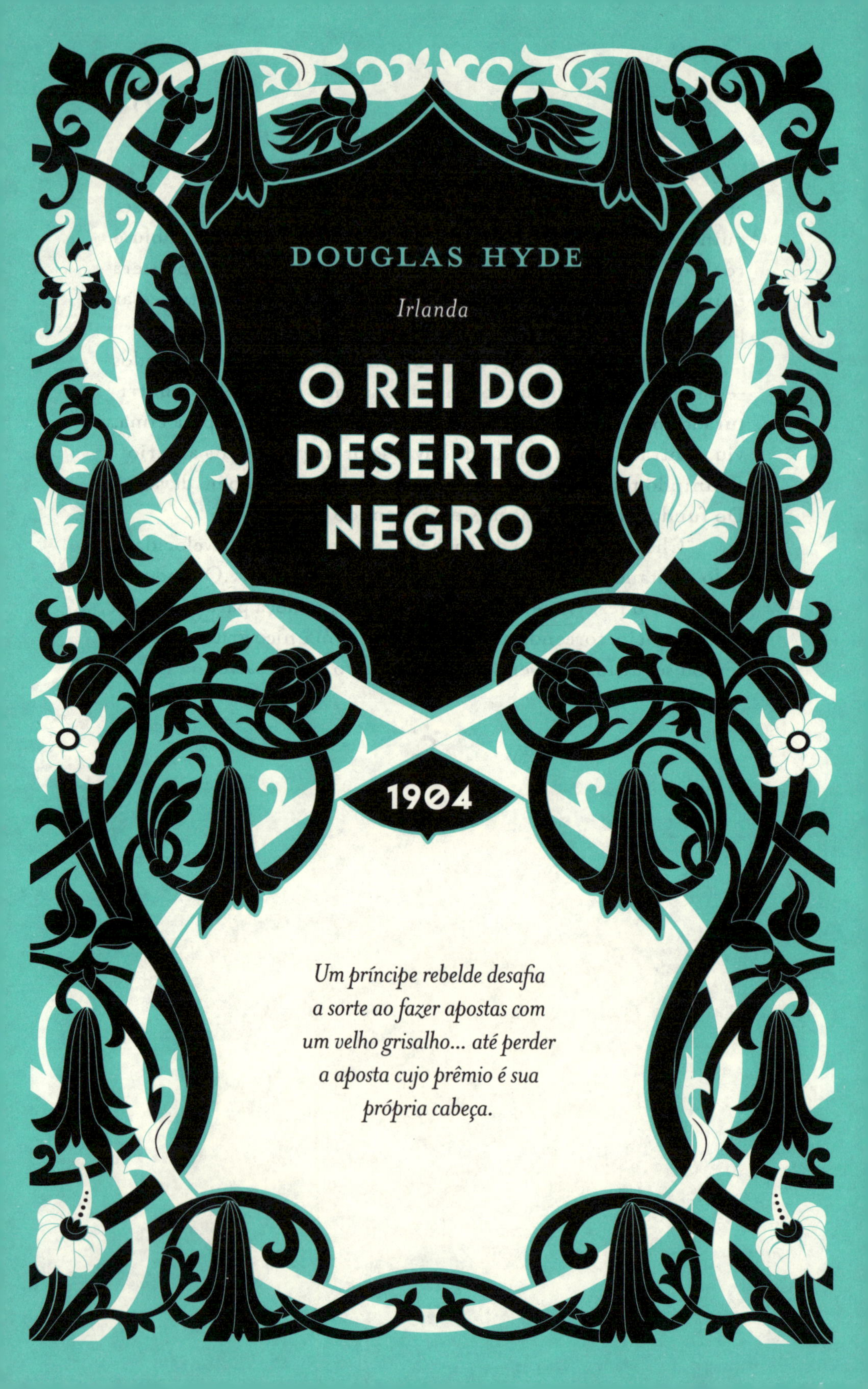
DOUGLAS HYDE
Irlanda
O REI DO DESERTO NEGRO
1904
Um príncipe rebelde desafia a sorte ao fazer apostas com um velho grisalho... até perder a aposta cujo prêmio é sua própria cabeça.

sta história foi contada por Laurence O'Flynn, da região de Swinford, no condado de Mayo, a meu amigo, o falecido F. O'Conor, de Athlone, de quem a ouvi em irlandês. É a décima primeira história de *An Sgeuluidhe Gaodhalach* e está aqui pela primeira vez traduzida literalmente para o inglês.

AN CRAOIBHIN AOIBHINN[3]

Quando O'Conor reinava na Irlanda, morava em Rathcroghan, em Connacht. Tinha um filho, mas este, quando cresceu, era rebelde, e o Rei não conseguia controlá-lo, porque ele queria agir conforme a própria vontade em todas as situações.

Uma manhã, ele saiu…

Com o cão aos calcanhares
E seu falcão caçador
E o corcel cor de carvão a carregá-lo

… e seguiu em frente, cantando o verso de uma canção para si mesmo, até chegar a um grande arbusto que crescia à beira de um vale. Havia um velho grisalho sentado ao pé do arbusto, e ele disse:

— Filho do Rei, se for capaz de jogar tão bem quanto é capaz de cantar uma canção, eu gostaria de jogar um jogo com você.

O filho do Rei achou que aquele fosse o desejo de um velho bobo e apeou, jogou a rédea sobre um galho e sentou-se ao lado do velho grisalho.

O velho pegou um baralho e perguntou:

— Sabe jogar cartas?

— Sei — respondeu o filho do Rei.

— O que apostaremos? — perguntou o velho grisalho.

— O que você quiser — respondeu o filho do Rei.

3 Pseudônimo do autor Douglas Hyde. Significa “o lindo raminho” em irlandês. [N. T.]

— Muito bem: se eu ganhar, você deve fazer para mim qualquer coisa que eu lhe peça, e, se você ganhar, devo fazer por você qualquer coisa que me peça — disse o velho grisalho.

— Concordo — respondeu o filho do Rei.

Jogaram o jogo, e o filho do Rei venceu o velho grisalho. Ele disse:

— O que gostaria que eu fizesse por você, filho do Rei?

— Não vou pedir que faça nada por mim — respondeu o filho do Rei. — Acho que você não é capaz de fazer muitas coisas.

— Não se preocupe com isso — disse o velho. — Você precisa me pedir alguma coisa. Nunca perdi uma aposta que não fosse capaz de pagar.

Como eu disse, o filho do Rei achou que aquele fosse o desejo de um velho bobo, e, para satisfazê-lo, disse:

— Tire a cabeça da minha madrasta e ponha a cabeça de uma cabra nela por uma semana.

— Farei isso por você — disse o velho grisalho.

O filho do Rei foi andando em seu corcel...

Com o cão aos calcanhares
E seu falcão caçador

... e voltou-se para outro lugar, e não pensou mais no velho grisalho até voltar para casa.

Encontrou choro e grande pesar no castelo. Os servos contaram que um feiticeiro havia entrado na sala onde estava a Rainha e pusera uma cabeça de cabra nela, no lugar de sua própria cabeça.

— Por minha alma, que coisa espantosa — disse o filho do Rei. — Se eu estivesse em casa, teria cortado a cabeça dele com minha espada.

Havia grande pesar no Rei. Ele chamou um sábio conselheiro e perguntou se ele sabia como aquilo tinha acontecido com a Rainha.

— O fato é que não sei dizer — respondeu ele. — Isso é obra de feitiçaria.

O filho do Rei não revelou que tinha conhecimento do assunto, mas, na manhã seguinte, saiu…

Com o cão aos calcanhares
E seu falcão caçador
E o corcel cor de carvão a carregá-lo

… e não puxou as rédeas até chegar ao grande arbusto à beira do vale. O velho grisalho estava sentado embaixo do arbusto e disse:

— Filho do Rei, vai jogar hoje?

O filho do Rei desceu e disse:

— Vou.

Com isso, jogou as rédeas sobre um galho e sentou-se ao lado do velho. Ele pegou as cartas e perguntou ao filho do Rei se ele tinha recebido o que havia ganhado no dia anterior.

— Está tudo bem — respondeu o filho do Rei.

— Vamos fazer a mesma aposta hoje — disse o velho grisalho.

— Concordo — respondeu o filho do Rei.

Jogaram… e o filho do Rei venceu.

— O que gostaria que eu fizesse por você desta vez? — perguntou o velho grisalho.

O filho do Rei pensou e disse consigo: "Desta vez, darei a ele uma tarefa difícil". Então, respondeu:

— Há um campo de três hectares na parte de trás do castelo de meu pai; que amanhã de manhã esteja cheio de vacas e não haja duas da mesma cor, da mesma altura nem da mesma idade.

— Assim será — disse o velho grisalho.

O filho do Rei foi andando em seu cavalo…

Com o cão aos calcanhares
E seu falcão caçador

… e voltou para casa. O Rei sofria pela Rainha; havia médicos vindos de todos os lugares da Irlanda, mas não conseguiam fazer nada por ela.

Na manhã do dia seguinte, o pastor do Rei saiu cedo e viu o campo atrás do castelo cheio de vacas, e não havia duas da mesma cor, nem da mesma idade, nem da mesma altura. Ele entrou no castelo e contou ao Rei a notícia espantosa.

— Vá expulsá-las — mandou o Rei.

O pastor chamou homens e saiu com eles expulsando as vacas, mas, assim que as levava para um lado, elas entravam pelo outro. O pastor foi falar com o Rei novamente e disse que nem mesmo todos os homens na Irlanda seriam capazes de expulsar as vacas que estavam no campo.

— São vacas encantadas — disse o Rei.

Quando o filho do Rei viu as vacas, disse consigo: "Hoje vou jogar outra vez com o velho grisalho!".

Naquela manhã ele saiu…
Com o cão aos calcanhares
E seu falcão caçador
E o corcel cor de carvão a carregá-lo

… e não puxou as rédeas até chegar ao grande arbusto à beira do vale. O velho grisalho estava lá diante dele e perguntou se queria jogar cartas.

— Quero — respondeu o filho do Rei. — Mas você sabe muito bem que posso vencê-lo no jogo.

— Vamos jogar um jogo diferente, então — disse o velho grisalho. — Já jogou bola?

— Já, sim — respondeu o filho do Rei. — Mas acho que você é velho demais para jogar bola e, além disso, aqui não temos onde jogar.

— Se você concordar em jogar, vou encontrar um lugar — disse o velho grisalho.

— Concordo — respondeu o filho do Rei.

— Venha comigo — disse o velho grisalho.

O filho do Rei o seguiu pelo vale até chegar a um belo monte verde. Lá, o velho pegou uma varinha encantada, disse algumas palavras que o filho do Rei não entendeu e, depois de um tempo, o monte se abriu e os dois entraram, e passaram por diversos salões esplêndidos até chegarem a um jardim. Nele, havia uma coisa mais bonita que a outra e no fundo um lugar para jogar bola. Eles

jogaram uma moeda de prata para ver quem começaria, e o velho grisalho ganhou.

Começaram, então, e o velho grisalho não parou até vencer o jogo. O filho do Rei não sabia o que fazer. Por fim, perguntou ao velho o que gostaria que fizesse por ele.

— Sou o Rei do Deserto Negro, e você deve encontrar a mim e a minha morada dentro de um ano e um dia, ou eu o encontrarei e você perderá a cabeça.

Depois, levou o filho do Rei pelo mesmo caminho que usaram para entrar. O monte verde se fechou atrás deles, e o velho grisalho desapareceu de vista.

O filho do Rei foi para casa, andando em seu corcel...

Com o cão aos calcanhares

E seu falcão caçador

... e um bocado cabisbaixo.

Naquela noite, o Rei observou que havia pesar e grande sofrimento em seu filho, e, quando ele foi dormir, o Rei e todas as pessoas que estavam no castelo ouviram seus suspiros e desvarios. O Rei estava sofrendo — porque havia uma cabeça de cabra na Rainha —, mas ficou sete vezes pior quando lhe contaram a história (completa) de como isso acontecera, do começo ao fim.

Ele chamou um sábio conselheiro e perguntou se sabia onde morava o Rei do Deserto Negro.

— O fato é que não sei — disse ele. — Mas, tão certo quanto há um rabo no gato, a menos que o jovem herdeiro encontre o feiticeiro, perderá a cabeça.

Naquele dia, houve grande pesar no castelo do Rei. Havia uma cabeça de cabra na Rainha, e o filho do Rei ia sair em busca de um feiticeiro, sem saber se algum dia voltaria.

Depois de uma semana, a cabeça de cabra foi retirada da rainha e sua própria cabeça foi colocada de volta. Quando soube como a cabeça de cabra fora colocada, ela foi tomada por um grande ódio do filho do Rei e disse:

— Que ele nunca mais volte, nem vivo nem morto.

Numa manhã de segunda-feira, ele deixou sua bênção com o pai e os parentes, prendeu sua sacola de viagem ao ombro e foi...

Com o cão aos calcanhares
E seu falcão caçador
E o corcel cor de carvão a carregá-lo.

Caminhou naquele dia até o sol se pôr atrás da sombra das montanhas e até a escuridão da noite chegar, sem saber onde poderia conseguir hospedagem. Notou uma grande floresta do seu lado esquerdo e foi na direção dela o mais rápido possível, esperando passar a noite abrigado debaixo das árvores. Sentou-se aos pés de um grande carvalho e abriu a sacola de viagem para pegar um pouco de comida e bebida, quando viu uma enorme águia vindo em sua direção.

— Não tenha medo de mim, filho do Rei; eu o conheço: é o filho de O'Conor, Rei da Irlanda. Sou amiga, e, se você me der seu cavalo para eu dar de comer aos meus quatro filhotes famintos, eu o levarei mais longe do que seu cavalo o levaria, e talvez o ponha no rastro daquele que você procura.

— Pode ficar com o cavalo, à vontade — respondeu o filho do Rei —, embora eu sofra por me separar dele.

— Muito bem, estarei aqui amanhã ao nascer do sol. — Com isso, a águia abriu o enorme bico, apanhou o cavalo, abocanhou-o de um lado a outro, alçou voo e desapareceu de vista.

O filho do Rei comeu e bebeu o suficiente, colocou a sacola de viagem embaixo da cabeça e não demorou muito a dormir. Só acordou quando a águia veio e disse:

— É hora de irmos; há uma longa jornada à nossa frente. Pegue sua sacola e pule nas minhas costas.

— Mas, para minha tristeza — disse ele —, devo separar-me do meu cão e do meu falcão.

— Não se entristeça — respondeu ela. — Quando voltar, eles estarão aqui diante de você.

Ele pulou nas costas dela. A águia alçou voo e partiu pelos ares. Ela o levou por sobre montanhas e vales, por um grande mar

e por florestas, até que ele pensou estar no fim do mundo. Quando o sol estava se pondo atrás da sombra das montanhas, ela pousou no meio de um grande deserto e disse ao filho do Rei:

— Siga o caminho do seu lado direito, e ele o levará à casa de um amigo. Devo voltar para cuidar dos meus filhotes.

Ele seguiu o caminho e não demorou muito para chegar à casa, onde entrou. Havia um velho grisalho sentado no canto. Ele se levantou e disse:

— Cem mil boas-vindas a você, filho do Rei de Rathcroghan em Connacht.

— Não sei quem é você — respondeu o filho do Rei.

— Conheci seu avô — disse o velho grisalho. — Sente-se; sem dúvida há fome e sede em você.

— Não estou livre delas — respondeu o filho do Rei.

O velho bateu as palmas das mãos uma na outra e dois servos vieram servir à mesa com carne de boi, carneiro, porco e muito pão diante do filho do Rei, e o velho disse:

— Coma e beba o suficiente. Talvez leve muito tempo até encontrar refeição semelhante.

Ele comeu e bebeu o quanto quis e agradeceu por isso.

Então, o velho disse:

— Você vai em busca do Rei do Deserto Negro. Vá dormir agora, e pesquisarei nos meus livros para ver se consigo encontrar a morada desse Rei. — Ele bateu palmas, e veio um servo, a quem disse: — Leve o filho do Rei ao seu quarto.

O servo o levou para um belo quarto, e ele não demorou muito a adormecer.

Na manhã do dia seguinte, o velho veio e disse:

— Levante-se, há uma longa jornada à sua frente. Você deve percorrer oitocentos quilômetros antes do meio-dia.

— Eu não conseguiria fazer isso — respondeu o filho do Rei.

— Se for um bom cavaleiro, darei a você um cavalo que o levará nessa jornada.

— Farei o que você diz — respondeu o filho do Rei.

O velho deu-lhe muito que comer e beber, e, quando ficou satisfeito, deu-lhe um pequeno garrano[4] branco e disse:

— Dê rédea solta ao garrano. Quando ele parar, olhe para o céu e verá três cisnes brancos como a neve. São as três filhas do Rei do Deserto Negro. Haverá um guardanapo verde na boca de uma delas: é a filha caçula, e não há pessoa viva no mundo além dela que possa levá-lo à casa do Rei do Deserto Negro. Quando o garrano parar, você estará perto de um lago. Os três cisnes vão pousar à beira do lago, se transformarão em três mulheres jovens e entrarão no lago nadando e dançando. Fique atento ao guardanapo verde e, quando vir as moças no lago, pegue o guardanapo e não o solte por nada. Esconda-se debaixo de uma árvore e, quando as moças saírem, duas delas vão se transformar em cisnes e desaparecer no ar. A filha caçula dirá: "Farei qualquer coisa por aquele que me trouxer meu guardanapo." Nessa hora, apareça, dê a ela o guardanapo, diga que não há nada que você queira senão ir à casa do pai dela e conte que é filho do rei de um país poderoso.

O filho do Rei fez tudo como o velho desejava e, quando entregou o guardanapo à filha do Rei do Deserto Negro, disse:

— Sou o filho de O'Conor, Rei de Connaught. Leve-me ao seu pai. Há muito tempo que o procuro.

— Não seria melhor que eu fizesse outra coisa por você? — perguntou ela.

— Não quero nada mais — respondeu ele.

— Se eu lhe mostrar a casa você não ficará satisfeito? — disse ela.

— Ficarei satisfeito — respondeu ele.

— Agora — disse ela —, jure por sua vida que não contará ao meu pai que fui eu quem o levou à casa dele, e serei uma boa amiga para você; só admita que tem grandes poderes de feitiçaria.

— Farei o que você diz — respondeu o filho do Rei.

Ela se transformou num cisne e disse:

4 Raça de cavalo pequena, resistente e antiga. [N. T.]

GEORGE DENHAM, 1909

— Pule nas minhas costas, ponha as mãos debaixo do meu pescoço e segure-se firme.

Assim ele o fez, e ela bateu as asas e partiu pelos ares por sobre montanhas e entremontes, sobre o mar e as colinas, até pousar quando o sol estava se pondo. Ela disse a ele:

— Vê aquela grande casa acolá? É a casa do meu pai. Adeus. Sempre que estiver em perigo, estarei ao seu lado. — E assim ela o deixou.

O filho do Rei foi até a casa e entrou, e quem viu sentado numa cadeira de ouro senão o velho grisalho que jogara cartas e bola com ele?

— Filho do Rei — disse ele —, vejo que me encontrou antes do ano e um dia. Há quanto tempo saiu de casa?

— Hoje de manhã, quando me levantava da cama, vi um arco-íris. Dei um salto, montei nele e deslizei até aqui.

— Por minha alma, foi uma grande façanha que você realizou — disse o velho Rei.

— Eu poderia fazer uma coisa mais espantosa do que essa se quisesse — respondeu o filho do Rei.

— Tenho três coisas para você fazer — disse o velho Rei —, e, se for capaz de fazê-las, poderá escolher uma das minhas três filhas como esposa. Se não conseguir fazê-las, perderá a cabeça, como muitos outros rapazes perderam antes de você.

"Então", continuou ele, "não há comida nem bebida na minha casa, a não ser uma vez por semana, e nós a consumimos hoje de manhã."

— Para mim dá na mesma — respondeu o filho do Rei. — Eu poderia jejuar por um mês se precisasse.

— Sem dúvida você pode ficar sem dormir também — disse o velho Rei.

— Posso, sem dúvida — respondeu o filho do Rei.

— Terá uma cama dura esta noite, então — disse o velho Rei. — Venha comigo e vou mostrá-la a você.

Ele o levou para fora, mostrou uma grande árvore com uma forquilha e disse:

— Suba lá e durma na forquilha, e esteja de pé ao nascer do sol.

Ele subiu na forquilha, mas, assim que o velho Rei dormiu, a jovem filha veio, levou-o a um belo quarto e o manteve lá até o velho Rei estar prestes a se levantar. Então, ela o levou de volta à forquilha da árvore.

Com o nascer do sol, o velho Rei veio até ele e disse:

— Agora, desça e venha comigo para eu lhe mostrar o que deve fazer hoje.

Ele levou o filho do Rei à beira de um lago, mostrou um antigo castelo e disse:

— Jogue cada pedra daquele castelo no lago, e trate de acabar antes de o sol se pôr. — E assim ele o deixou.

O filho do Rei começou a trabalhar, mas as pedras estavam tão presas umas às outras que ele não foi capaz de erguer nenhuma, e nem se estivesse trabalhando até hoje teria tirado uma pedra do castelo. Sentou-se, então, pensando no que deveria fazer, e não demorou para que a filha do velho Rei viesse até ele e perguntasse:

— Qual é a causa da sua tristeza?

Ele contou o trabalho que devia fazer.

— Que não haja tristeza em você; eu farei isso — respondeu ela. Então, deu pão, carne e vinho para ele, pegou uma varinha encantada, golpeou com ela o antigo castelo e, num instante, todas as pedras estavam no fundo do lago. — Agora — disse ela —, não conte ao meu pai que fui eu quem fez o trabalho por você.

Quando o sol estava se pondo à noite, o velho Rei veio e disse:

— Vejo que você terminou seu trabalho do dia.

— Terminei — respondeu o filho do Rei. — Consigo fazer qualquer trabalho.

Agora o velho Rei pensava que o filho do Rei tinha grandes poderes de feitiçaria, e disse a ele:

— O trabalho de amanhã será tirar as pedras do lago e reconstruir o castelo como era antes.

Levou o filho do Rei para casa e disse:

— Vá dormir no lugar onde ficou ontem à noite.

Quando o velho Rei foi dormir, a jovem filha veio, o levou para o belo quarto e o manteve lá até que o velho Rei estivesse prestes a se levantar de manhã. Então, ela o levou de volta à forquilha da árvore.

Ao nascer do sol, o velho Rei veio e disse:

— É hora de começar a trabalhar.

— Não há a menor pressa em mim — respondeu o filho do Rei —, porque sei que consigo fazer meu trabalho do dia sem demora.

Ele foi até a beira do lago, mas não conseguiu ver nenhuma pedra, tão escura estava a água. Sentou-se numa pedra e não demorou muito para Finnuala — esse era o nome da filha do velho Rei — vir até ele e dizer:

— O que tem a fazer hoje?

Ele contou, e ela disse:

— Que não haja tristeza em você. Posso fazer isso no seu lugar. — Finnuala deu pão, carne de boi, de carneiro e vinho para ele. Depois, pegou a varinha encantada, bateu na água do lago e, num instante, o antigo castelo se reergueu como havia sido no dia

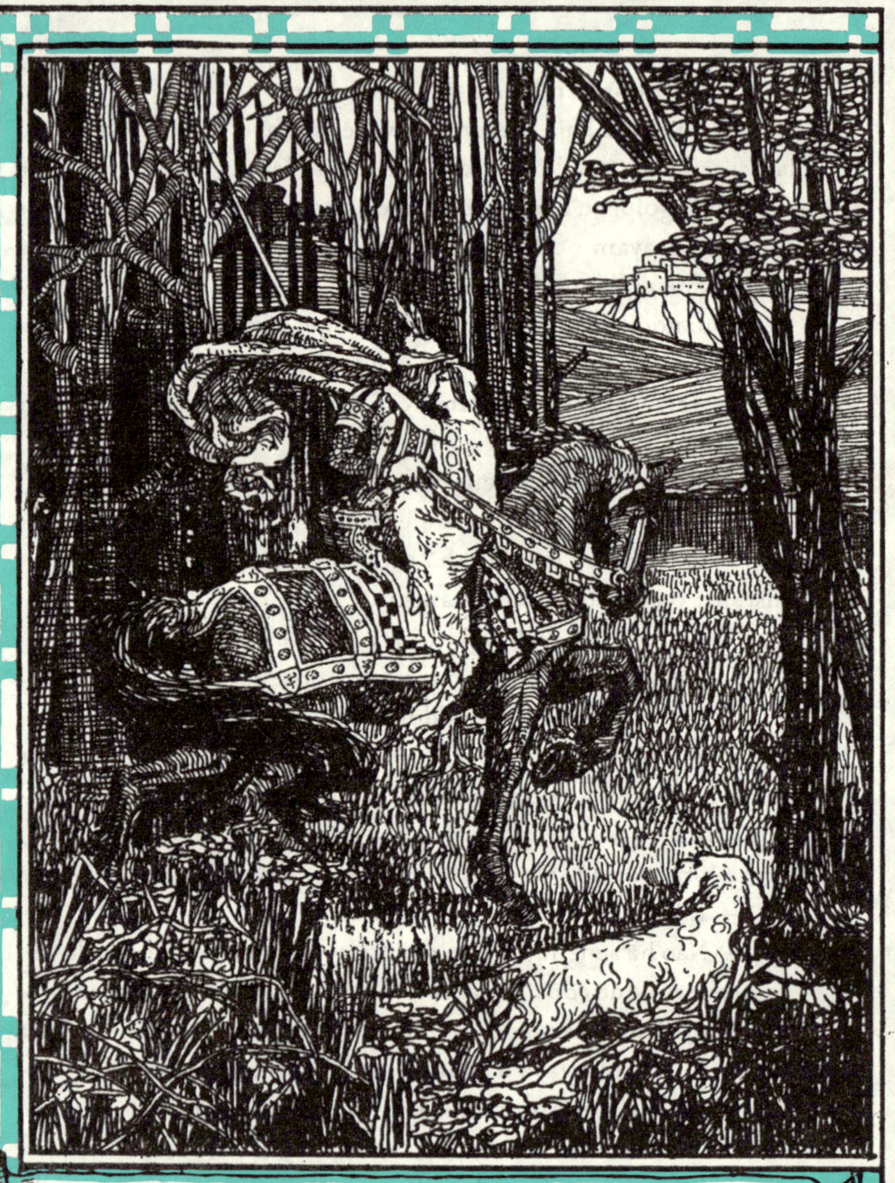

THE KING OF THE BLACK DESERT

GEORGE DENHAM, 1909

anterior. Ela disse a ele: — Por sua vida, não conte ao meu pai que fiz esse trabalho por você, nem que tem o menor conhecimento de mim.

Naquela noite, o velho Rei veio e disse:

— Vejo que terminou o trabalho do dia.

— Terminei — disse o filho do Rei. — Foi um trabalho fácil de fazer.

O velho Rei achou que o filho do Rei tinha mais poder de feitiçaria do que ele próprio, e disse:

— Você tem apenas mais uma coisa a fazer. — Ele o levou para casa e o colocou para dormir na forquilha da árvore, mas Finnuala veio e o levou para o belo quarto, e pela manhã ela o mandou novamente para a árvore.

Ao nascer do sol, o velho Rei foi até ele e disse:

— Venha comigo e vou lhe mostrar seu trabalho do dia. — Levou o filho do Rei a um grande vale, mostrou-lhe um poço e disse: — Minha avó perdeu um anel naquele poço. Pegue-o para mim antes que o sol se ponha hoje.

Agora, esse poço tinha trinta metros de profundidade e seis de circunferência, e estava cheio de água, e havia um exército do inferno guardando o anel.

Quando o velho Rei foi embora, Finnuala veio e perguntou:

— O que deve fazer hoje?

Ele contou e ela disse:

— Essa é uma tarefa difícil, mas farei o possível para salvar sua vida. — Então, deu carne, pão e vinho para ele. Depois, transformou-se num mergulhão e pulou no poço. Não demorou muito para que ele visse fumaça e raios saindo do poço, e ouviu um som como o de um trovão, e qualquer um que estivesse ouvindo esse barulho pensaria que o exército do inferno estava lutando.

Ao fim de um tempo, a fumaça desapareceu, os raios e trovões cessaram e Finnuala voltou com o anel. Ela entregou o anel ao filho do Rei e disse:

— Ganhei a batalha e sua vida está salva. Mas, veja, o dedo mínimo da minha mão direita está quebrado. Talvez tenha sido por sorte que se quebrou. Quando meu pai vier, não dê o anel a ele, mas ameace-o com firmeza. Ele o fará, então, escolher sua esposa, e é assim que você escolherá. Eu e minhas irmãs estaremos numa sala; haverá um buraco na porta e todas passaremos nossas mãos por ele juntas. Você passará sua mão pelo buraco, e a mão que estiver segurando quando meu pai abrir a porta será daquela que você tomará como esposa. Pode me reconhecer pelo dedo quebrado.

— Posso; e o amor do meu coração é você, Finnuala — disse o filho do Rei.

Naquela noite, o velho Rei veio e perguntou:

— Pegou o anel da minha avó?

— O fato é que peguei — respondeu o filho do Rei. — Havia um exército do inferno guardando-o, mas eu o venci e venceria mais sete vezes. Não sabe que sou de Connacht?

— Dê o anel para mim — disse o velho Rei.

— Na verdade, não vou dar — respondeu ele. — Lutei muito por ele. Mas você me dará minha esposa; quero seguir viagem.

O velho Rei o levou para casa e disse:

— Minhas três filhas estão naquela sala diante de você. A mão de cada uma delas está estendida, e aquela cuja mão você ficar segurando até eu abrir a porta será sua esposa.

O filho do Rei passou a mão pelo buraco na porta e agarrou a mão com o dedo mínimo quebrado, segurando-a com firmeza até que o velho Rei abrisse a porta da sala.

— Esta é minha esposa — disse o filho do Rei. — Agora, entregue-me a fortuna da sua filha.

— Ela não tem fortuna a receber além do corcel castanho e esbelto para levá-los para casa, e que você nunca mais volte, nem vivo nem morto!

O filho do Rei e Finnuala foram cavalgando o corcel castanho e esbelto, e não demorou para que chegassem à floresta onde o filho do Rei deixara o cão e o falcão. Estavam lá, diante dele, junto de seu belo cavalo cor de carvão. Então, ele mandou o corcel castanho e esbelto de volta. Colocou Finnuala montada em seu cavalo e saltou para montar também...

Com o cão aos calcanhares
E seu falcão caçador

... e não parou até chegar a Rathcroghan.

Lá, houve uma grande recepção, e não demorou para que ele e Finnuala se casassem. Tiveram uma vida longa e próspera. Hoje, contudo, é quase impossível encontrar ao menos uma trilha até o antigo castelo de Rathcroghan em Connacht.

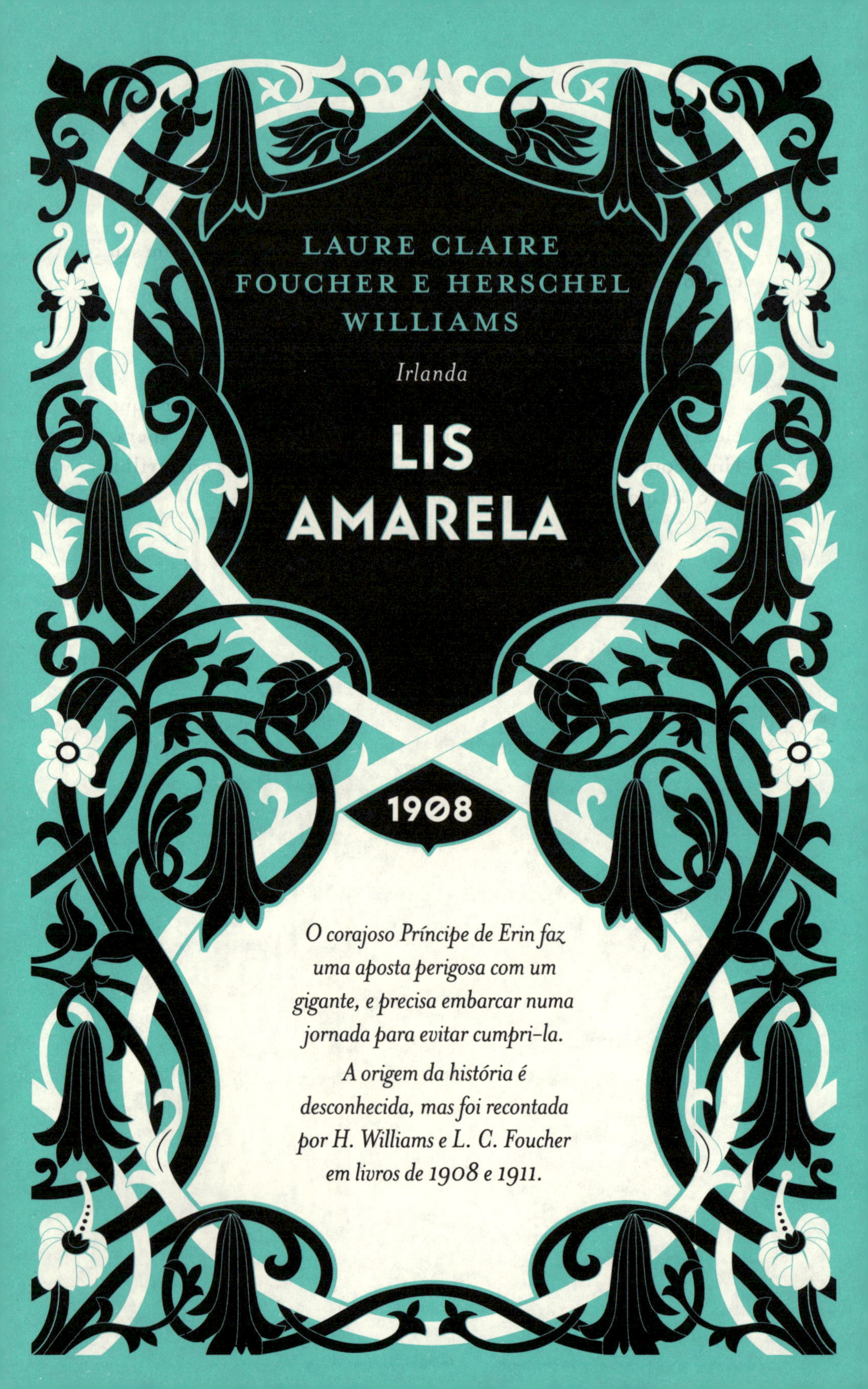

LAURE CLAIRE FOUCHER E HERSCHEL WILLIAMS
Irlanda
LIS AMARELA
1908
O corajoso Príncipe de Erin faz uma aposta perigosa com um gigante, e precisa embarcar numa jornada para evitar cumpri-la.
A origem da história é desconhecida, mas foi recontada por H. Williams e L. C. Foucher em livros de 1908 e 1911.

ra uma vez, na Irlanda, quando as fadas eram tão numerosas quanto os dentes-de-leão no prado, um rei poderoso e sua boa rainha. Os nomes desses grandes governantes há muito foram esquecidos pelos escritores da história, pois viveram centenas e centenas de anos atrás.

Eles reinavam em Erin e moravam num grande castelo de pedra construído no alto de um penhasco com vista para o mar. Erin era a parte mais bonita da Irlanda, pois suas florestas e grandes extensões de terra eram verdes como a esmeralda, e os céus e águas tão azuis quanto a turquesa.

Esse rei e essa rainha tinham apenas um filho, conhecido como o Príncipe de Erin. Era um garoto brilhante e bonito, mas não queria nada além de se divertir. Seu pai costumava dizer-lhe que era errado fazer apostas, mas o rapaz não dava ouvidos a seus conselhos.

Um dia, o príncipe foi à floresta caçar veados. Perambulou o dia inteiro, carregando seu arco e suas flechas, mas não conseguiu achar nenhum. Por fim, sentou-se para descansar.

Estava quase dormindo quando ouviu um assobio estridente atrás de si e o som de pés pesados sobre os galhos caídos.

— Quem é você? — gritou uma voz alta e rouca.

O príncipe virou-se rapidamente e viu um gigante marchando colina abaixo em sua direção. Era quase tão alto quanto a árvore mais alta e seu rosto era medonho. Os olhos eram como bolas de fogo e as narinas vertiam fumaça negra.

— Ai de mim, é o Gigante de Loch Lein[5] — gritou o príncipe. Quis fugir o mais rápido possível, mas seus pés não se mexeram. Tremia de cima a baixo, pois sabia que o Gigante de Loch Lein caçava garotos na floresta assim como os garotos caçavam animais. Muitos rapazes foram capturados pela terrível criatura, levados ao castelo nas profundezas da floresta e nunca mais voltaram para seus pais.

— Quem é você? — rugiu o gigante outra vez.

5 Loch Lein, Loch Léin ou Lough Leane é o maior dos lagos de Killarney, no Condado de Kerry, no sudoeste da Irlanda. [N. T.]

— Sou o filho do Rei de Erin — respondeu o garoto, tentando ser corajoso.

— Estou esperando por você há muito tempo — disse o gigante com uma risada que soou como um trovão. — Nunca devorei um príncipe de verdade, embora tenha ouvido falar que a carne deles é muito macia.

O príncipe se virou, trêmulo de temor, mas o gigante o agarrou e disse:

— Não tema. Como você é filho do governante de Erin, vou dar-lhe uma chance de escapar. Ouvi dizer que você sabe jogar bons jogos e aprecia apostas. Vamos jogar uma partida nesta encosta. Se eu ganhar, vou levá-lo ao meu castelo, para nunca mais voltar à sua casa.

O príncipe gostava tanto de jogar que, mesmo amedrontado, concordou em fazer o que o gigante queria.

— Tenho duas belas propriedades, cada uma contendo um castelo — contou o gigante. — Serão suas se me derrotar no jogo.

— E eu também tenho duas propriedades que serão suas se me vencer — respondeu o príncipe. — Nenhum homem em Erin jamais me venceu num jogo.

Então, jogaram até o anoitecer, o príncipe esquecendo por completo o medo que tinha do gigante. Embora o Gigante de Loch Lein fosse um jogador habilidoso, o Príncipe de Erin o derrotou facilmente.

— Pode ir — resmungou o gigante quando o jogo acabou. — Você é mesmo um jogador excelente, o melhor em todo o país.

A maioria dos historiadores antigos concorda que o Príncipe de Erin não contou aos pais que escapou por pouco do gigante. Assim que chegou em casa, subiu ao topo da torre mais alta, de onde podia contemplar a floresta, ao longe, na qual ficava o castelo do gigante.

— Voltarei amanhã e vencerei o gigante, pois vai ser uma grande diversão — disse ele consigo. — Mesmo que eu seja derrotado, o gigante não se atreverá a destruir o filho do Rei de Erin, pois o exército de meu pai vai procurar por mim e arrasar o castelo do gigante quando me encontrar. Além disso, ouvi dizer que

ele tem três filhas lindas, as garotas mais formosas de toda a terra. Eu gostaria de vê-las.

Na manhã seguinte, enquanto o príncipe se preparava para caçar, o velho mais sábio da corte, cujo nome era Glic, foi até o rei e disse:

— O príncipe está prestes a sair para caçar. Peço que não o deixe ir, pois receio que vá deparar com um grande perigo.

O rei ordenou que seu filho passasse o dia todo dentro do palácio, mas, quando ninguém estava olhando, o príncipe fugiu para a encosta perto da floresta. Mais uma vez, ouviu um assobio estridente que sacudiu os ramos das árvores como um vendaval, e em instantes viu o gigante marchando em sua direção.

— Ho, ho, meu jovem príncipe! — exclamou o gigante. — Eu sabia que você voltaria hoje. Vamos jogar outro jogo. O que vai apostar contra mim?

— Aposto meu rebanho — respondeu o príncipe, não tão amedrontado quanto antes.

— E eu aposto quinhentos bois com chifres de ouro e cascos de prata — disse o gigante. — Tenho certeza de que você não consegue me vencer outra vez.

— Combinado — respondeu o príncipe, e imediatamente começaram a jogar.

Em pouco tempo, o príncipe ganhou o jogo e o gigante soltou um uivo de raiva. Voltando-se para a floresta, assobiou alto três vezes, e quinhentos bois com chifres de ouro e cascos de prata vieram de lá.

— São seus — disse o gigante. — Leve-os até o portão do palácio e volte amanhã.

O príncipe, tomado pelo prazer do triunfo, levou o gado até o portão do palácio, onde o pastor do rei se encarregou deles. Então ele se apressou a falar com o pai e a mãe e pediu que fossem ver a valiosa aposta que havia ganhado do Gigante de Loch Lein.

O rei, a rainha e toda a corte ficaram encantados com os bois, cujos chifres de ouro e cascos de prata cintilavam à luz do sol.

Na manhã do terceiro dia, o Príncipe de Erin vestiu novamente suas roupas de caça e quis ir para a floresta; mas Glic, o adivinho, mais uma vez o deteve.

— Nada de bom pode vir dessa jogatina, pois no fim o gigante o derrotará e você nunca mais voltará para nós — disse Glic.

— Não tenho medo — declarou o príncipe, rindo —, pois, se ele me aprisionar, cortarei a cabeça dele.

Assim, partiu outra vez, cantando uma melodia alegre. Mal se sentara na encosta quando ouviu o assobio do gigante. O príncipe não ficou nem um pouco amedrontado, embora o gigante estivesse com uma carranca de raiva porque fora obrigado a abrir mão de seu rebanho.

— O que vai apostar hoje? — rugiu o gigante.

— Aposto minha cabeça contra a sua — respondeu o príncipe, audacioso.

— Rá, rá! Você ficou bem valente — riu o gigante, zombeteiro. — Aposto minha cabeça que posso vencê-lo hoje. Se você perder o jogo, cortarei a sua antes de o sol nascer amanhã.

Eles jogaram na encosta até o anoitecer. O jogo foi tenso, cheio de interesse e exaltação ansiosa; mas o príncipe foi derrotado. Com um grito de triunfo, o gigante dançou, pisoteando pequenas árvores e arbustos.

O príncipe realmente lamentou ter apostado uma propriedade tão útil quanto a própria cabeça, mas não se queixou.

— Você é um rapaz honesto, apesar de imprudente — disse ele. — Vou deixar que viva um ano e um dia a mais. Volte para seu palácio, mas não conte a ninguém que vou cortar sua cabeça. Quando o tempo tiver acabado, volte à encosta para pagar sua aposta.

O gigante desapareceu, deixando o pobre príncipe sozinho e de coração muito abalado. Ele não foi para casa, só perambulou sem se importar para onde ia.

Finalmente, descobriu que estava numa terra estranha muito além da fronteira de Erin. De cada lado havia pastos verdes e, ao longe, colinas altas e verdes; mas não se via nenhuma casa.

Ele continuou a andar, fraco de fome, até chegar a uma velha cabana que ficava no sopé de uma colina. Estava iluminada por uma vela. Ele entrou e ficou cara a cara com uma velha que estivera curvada sobre o fogo. Os dentes dela eram tão longos quanto o cajado que ela trazia e os cabelos escassos pendiam soltos em torno do rosto.

Antes que o príncipe pudesse falar, a velha disse:

— Você é bem-vindo à minha casa, filho do Rei de Erin.

Ela o pegou pela mão, levou a um canto da sala e o mandou lavar o rosto e as mãos. Enquanto isso, preparou um mingau quente para ele e pediu que comesse uma farta refeição.

O príncipe ficou muito surpreso por ela saber seu nome e tentou imaginar por que continuava tão quieta. Pensou que devia ser uma bruxa; mas um garoto faminto, não importa quão elevada seja sua posição, tende a esquecer o perigo diante de uma boa ceia. Depois de comer e beber tudo o que quis, ele se sentou perto do fogo até que ela o levasse para um quarto e o mandasse para a cama.

Na manhã seguinte, a bruxa o acordou, pedindo que se levantasse e tomasse o desjejum de pão e leite.

Ele fez o que ela mandava, sem sequer lhe oferecer bom-dia.

— Sei o que o atormenta, filho do Rei de Erin — disse ela. — Se fizer o que digo, não terá motivos para se lamentar. Aqui está um novelo de linha. Segure uma ponta do fio e jogue o novelo à sua frente. Quando começar sua jornada, o novelo vai rolar, mas você deve continuar a segui-lo e enrolar o fio o tempo todo, ou vai se perder outra vez. Você ficou comigo ontem à noite; esta noite, ficará com minha irmã.

O príncipe pegou o novelo de linha, jogou-o diante de si e começou a andar devagar, enrolando o fio em outro novelo. A cada passo que dava, o novelo se afastava mais e mais dele. O dia todo ele andou morro acima e vale abaixo, cada vez mais rápido, até seus pés e mãos estarem tão cansados que mal conseguia mexê-los. Por fim, o novelo de linha parou na porta de uma cabana que ficava no sopé de uma montanha alta. Uma vela tremeluzia na janela. Ele pegou o novelo e correu até a porta, onde encontrou outra velha bruxa cujos dentes eram tão longos quanto muletas.

— Bem-vindo, filho do Rei de Erin! — exclamou ela. — Você ficou com minha irmã caçula ontem à noite, esta noite ficará comigo e amanhã com minha irmã mais velha.

Ela o levou para dentro da cabana, mandou-o lavar as mãos e o rosto, deu-lhe uma ceia farta de mingau e bolos e o mandou para a cama.

Na manhã seguinte, a bruxa o chamou para o desjejum. Quando ele terminou de comer, ela deu-lhe um novelo de linha e mandou que ele o seguisse como antes.

O príncipe o seguiu por campos e plantações, cada vez mais rápido, até tarde da noite seguinte, quando parou na porta de uma cabana que ficava no sopé de uma colina. Uma vela crepitava na janela como se lhe desse as boas-vindas. Uma bruxa, mais rústica que as outras, estava parada junto do fogo fazendo mingau.

Ela cumprimentou o príncipe como suas irmãs haviam feito, mandou que lavasse o rosto e as mãos, deu-lhe a ceia e o mandou para a cama. Na manhã seguinte, no desjejum, ela lhe entregou um novelo de linha e disse:

— Filho do Rei de Erin, você perdeu a cabeça para o Gigante de Loch Lein, que mora perto daqui num grande castelo cercado de espinhos. Um dia, perderá a cabeça para a filha dele. Siga este novelo de linha até o lago atrás do castelo. Quando chegar ao lago, ao meio-dia, o novelo estará desenrolado.

"Pouco depois, as filhas do cruel Gigante de Loch Lein vão ao lago tomar banho. Seus nomes são Lis Azul, Lis Branca e Lis Amarela. A última é a mais sábia e a mais bonita das três. Roube as roupas dela e não as devolva até ela prometer ajudá-lo, pois é a única pessoa no mundo capaz de ser mais astuta que o Gigante de Loch Lein."

O príncipe agradeceu o conselho da bruxa e seguiu o novelo de linha até o Castelo dos Espinhos, que era uma construção escura e sombria, escondida das vistas por grandes árvores. Quando chegou ao lago atrás do castelo, o novelo desapareceu.

Ele ficou parado por um tempo olhando para o lago, que parecia uma turquesa brilhante ao sol. Nessa hora, ouviu gritinhos e

gargalhadas femininas. Escondeu-se atrás de um grupo de arbustos de onde podia ver sem ser visto. Três lindas garotas vieram correndo até a beira do lago, onde pararam para olhar ao redor.

Foi muito fácil para o príncipe identificar seus nomes. A mais alta, que usava um vestido azul-claro, tinha olhos tão azuis quanto o céu; ele sabia que ela devia ser Lis Azul. Uma delas era tão alva que parecia ter sido esculpida em mármore; ele teve certeza de que ela era Lis Branca. Mas Lis Amarela era pequena e esbelta, com cabelos que cintilavam como ouro à luz do sol. Era maravilhosamente graciosa e bonita.

Lis Amarela tirou o manto de fios de ouro e ficou com um traje de banho do mesmo material. Com um grito de alegria, ela pulou na água, seguida de suas irmãs.

O Príncipe de Erin pulou de seu esconderijo e pegou o manto de ouro. Lis Amarela o viu e gritou o mais alto que pôde:

— Devolva meu manto dourado. Meu pai vai me matar se eu o perder. Por favor, não fuja.

— O que você me dá por ele? — perguntou o príncipe, afastando-se devagar do lago.

— Qualquer coisa que você deseje, pois sou protegida por uma fada madrinha que torna todas as coisas possíveis — respondeu Lis Amarela.

— Vim me entregar ao seu pai, o Gigante de Loch Lein, de acordo com minha promessa — contou o príncipe. — Gostaria que você o fizesse me libertar. Aqui está seu manto.

Ele deixou o manto na grama e subiu a colina em direção ao castelo. Momentos depois, Lis Amarela juntou-se a ele, usando seu manto dourado.

— Você é o filho do Rei de Erin — disse ela, sorrindo docemente e alcançando-o. — Se fizer o que eu digo, não perderá a cabeça, mas, no futuro, espero que nunca seja tolo o bastante para apostar sua cabeça ou qualquer outra ninharia que possa ter.

— Prometo não fazer isso — respondeu o príncipe, olhando-a com admiração. — Se seu pai tivesse apostado sua linda cabeça dourada, creio que eu poderia tê-lo vencido no jogo.

Lis Amarela jogou os cachos e riu alegremente, dizendo:

— Meu pai tem uma cama macia para você num tanque fundo; mas não se aflija, pois vou ajudá-lo.

Passaram em silêncio pelos portões de pedra do Castelo dos Espinhos. Os grandes pátios de pedra, sacadas e ameias estavam completamente desertos. Lis Amarela levou o príncipe para a cozinha, a maior que ele já vira. O chão era de pedras brancas, e um caldeirão de latão borbulhava sobre as chamas da grande lareira. Lis Amarela escondeu o príncipe atrás de uma cortina num canto do cômodo.

Nessa hora, o Gigante de Loch Lein apareceu e se jogou numa cadeira diante do fogo. Começou a farejar o ar e finalmente rugiu:

— O filho do Rei de Erin está aqui! Traga-o para cá, Lis Amarela.

A garota fez o que ele pedia. O príncipe não pôde deixar de tremer ao ficar diante do gigante feroz, embora sentisse que Lis Amarela cumpriria sua promessa.

— Você deve estar muito cansado — rugiu o gigante, tão alto que os pratos nas prateleiras trepidaram. — Tenho uma cama boa e macia para você.

Ele agarrou o príncipe, carregou-o pela cozinha, abriu um tanque e o atirou dentro dele. *Splash*! O príncipe caiu de cabeça em um metro de água.

O mais terrível foi que o gigante fechou a tampa do tanque. O príncipe temia muito mais a escuridão do que a água, mas não gritou. Ficou tremendo por mais de uma hora, imaginando se Lis Amarela o havia esquecido e desejando estar em casa a salvo em sua cama de seda e ouro.

Por fim, a tampa se ergueu e Lis Amarela olhou para ele do alto com um sorriso travesso.

— Devo roubar suas roupas e fugir, como você tentou fazer hoje? — sussurrou ela.

— Não, não me deixe aqui. Farei o que você quiser — implorou o príncipe, com os dentes batendo.

— Então saia, vista estas roupas quentes e secas que eu trouxe para você e coma a ceia — disse ela.

O príncipe não demorou a sair de sua cama macia. Encontrou o gigante num sono pesado diante da lareira, roncando alto o bastante para abafar a mais terrível trovoada.

Lis Amarela não disse uma palavra, mas deu ao príncipe algumas roupas secas e o mandou ficar no canto até ela voltar. Logo ela reapareceu com uma ceia tentadora fumegando numa bandeja e disse para ele comer. Estava faminto e comeu com muito entusiasmo. Depois, ela o levou para outro canto da sala e levantou uma cortina pendurada ali.

Ele viu uma cama branca e macia e uma mesa com água fresca e toalhas. Lis Amarela desejou-lhe bons sonhos e saiu apressada.

Ao amanhecer, ela voltou e disse, animada:

— Acorde, Príncipe de Erin! Não perca nem um instante ou estaremos perdidos. Vista as roupas que usou ontem e venha comigo.

O príncipe se levantou e se vestiu o mais rápido possível. Afastou a cortina que escondia sua cama e seguiu a garota.

— Quando as galinhas começarem a cacarejar, meu pai acordará — sussurrou ela. — Volte para dentro do tanque e fecharei a tampa.

O príncipe hesitou.

— Faça o que digo ou nós dois estaremos perdidos — insistiu a garota.

O príncipe pulou no tanque e Lis Amarela fechou a tampa. O barulho despertou o gigante, que esticou os membros pesados, esfregou o nariz e bocejou. Ele abriu os olhos, espiou ao redor, atravessou a sala, abriu o tanque e gritou:

— Bom dia, Príncipe de Erin; o que achou de passar a noite na sua cama macia?

— Nunca dormi melhor, obrigado — respondeu sinceramente o príncipe.

— Então, saia — ordenou o gigante.

O príncipe obedeceu.

— Já que dormiu tão bem, vai trabalhar duro hoje — disse o gigante. — Vou poupar sua cabeça se você limpar meus estábulos. Lá ficam quinhentos cavalos e ninguém os limpa há setecentos anos. Estou ansioso para encontrar o alfinete do sono da minha bisavó,

que se perdeu em algum lugar nesses estábulos. A pobre e velha alma nunca mais dormiu depois de perdê-lo, e assim morreu por falta de sono. Quero o alfinete do sono para meu uso particular, pois tenho sono muito leve.

— Farei o melhor que puder para encontrar o alfinete — respondeu o príncipe, quase desanimado, pois nunca havia limpado nem mesmo a ponta das próprias botas.

— Aqui estão duas pás, uma antiga e uma nova — disse o gigante grosseiramente. — Pode pegar a que preferir. Cave até encontrar o alfinete do sono. Espero vê-lo quando voltar para casa hoje à noite.

O príncipe pegou a pá nova e seguiu o gigante até os estábulos, onde centenas de cavalos começaram a relinchar, fazendo um barulho ensurdecedor.

— Lembre-se, Príncipe de Erin, quero o alfinete do sono ou então a sua cabeça — disse o gigante, enquanto ia embora.

O príncipe começou a trabalhar, mas, toda vez que jogava o volume de uma pá pela janela, o volume de duas entrava voando para tomar seu lugar. Por fim, cansado e desanimado, sentou-se para descansar.

Nessa hora apareceu Lis Amarela, mais bonita do que nunca, com outro vestido de ouro e prata, e flores amarelas nos cabelos dourados.

— O que está tentando fazer, Príncipe de Erin? — perguntou, com um riso que formou covinhas nas bochechas.

— Estou tentando encontrar o alfinete do sono da sua trisavó — foi a resposta lamentável.

— Você é um príncipe poderoso e meu pai é um gigante poderoso, mas ambos são tolos como todos os homens — disse ela. — Como imagina que minha trisavó poderia perder o alfinete do sono nos estábulos? Eu é que estou com o alfinete do sono; aqui está. Eu o coloquei no bolso do meu pai ontem à noite para que ele não pudesse acordar e nos pegar.

— Você é uma garota muito habilidosa! — exclamou o príncipe, fora de si de tanta alegria e admiração.

Passaram o dia todo juntos, até Lis Amarela dizer que precisava ir, pois ouviu os passos de seu pai a uma légua de distância, e ele chegaria em dois minutos.

Quando o gigante viu que o príncipe havia encontrado o alfinete do sono, ficou imensamente surpreso.

— Ou minha filha Lis Amarela o auxiliou, ou então foi o Espírito do Mal — murmurou ele.

Antes que o príncipe pudesse responder, o gigante o agarrou, levou-o de volta para a cozinha e o atirou novamente no tanque. Então, sentou-se diante da lareira, segurando o alfinete do sono. Logo, começou a roncar como mil locomotivas.

Abriu-se a tampa do tanque, e Lis Amarela, doce e sorridente, gritou o mais alto que pôde:

— Levante-se da sua cama macia, Príncipe de Erin; coma a ceia que preparei e fale tão alto quanto quiser, pois meu pai foi dormir segurando o alfinete do sono da minha trisavó.

As horas que passaram juntos foram alegres e, depois que Lis Amarela se juntou às irmãs na torre de vigia, o príncipe voltou a dormir na cama macia no canto da cozinha. Ao amanhecer, Lis Amarela o acordou mais uma vez e o mandou voltar correndo para o tanque.

Assim que a tampa se fechou, Lis Amarela correu até o pai, pegou o alfinete do sono e o jogou no chão. O gigante deu um rugido e caiu esparramado no chão de pedra.

— Quem me acordou? — rosnou ele, tentando ficar de pé.

— Fui eu, querido pai — disse a garota com ar meigo. — O senhor teria dormido para sempre se eu não tivesse tirado o alfinete do sono de seu poder. É muito tarde.

— Você é uma filha boa e confiável — respondeu o gigante. — Vou dar-lhe uma coisa bonita.

Ele foi ao tanque e ordenou que o príncipe saísse de sua cama boa e macia.

— Você ficou tanto tempo deitado na cama que precisará trabalhar ainda mais hoje — acrescentou. — Faz muito tempo que ninguém refaz o telhado dos meus estábulos, e quero que você

faça isso hoje. Eles se estendem por muitos hectares, mas, se terminar antes do anoitecer, pouparei sua cabeça. Só que eles devem ser cobertos com penas, que devem ser colocadas uma por uma, e não pode haver duas iguais.

O príncipe ficou cabisbaixo outra vez, mas disse que faria o possível.

— Mas onde encontrarei os pássaros? — perguntou depois de um tempo de silêncio desamparado.

— Onde você acha? Espero que não tente encontrá-los na lagoa dos sapos — respondeu o gigante, impaciente. — Aqui estão dois apitos, um antigo e um novo. Pode pegar o que preferir.

— Vou pegar o novo — disse o príncipe, e o gigante deu-lhe um apito que parecia nunca ter sido usado.

— Um dia você aprenderá que as coisas antigas são melhores — avisou o gigante, desdenhoso.

Quando o gigante se foi, o príncipe tocou o apito até que seus lábios ficassem inchados, mas nenhuma ave veio em seu socorro. Por fim, sentou-se numa pedra, prestes a chorar.

Mas Lis Amarela reapareceu, mais encantadora do que nunca, com outro vestido amarelo bordado com asas de libélulas e pérolas nos cabelos magníficos.

— Por que está sentado tocando um apito em vez de trabalhar? — perguntou ela. — Pobre príncipe, deve estar com fome. Aqui está uma pequena mesa posta para dois debaixo desta grande árvore. Quando as coisas o preocuparem, não desista. Quem mantém o apetite não tem motivo para se desesperar.

Eles se sentaram e comeram línguas de pavão, bolos cobertos com glacê, amêndoas e muitas outras delícias, e ficaram mais felizes do que nunca.

— Mas está ficando tarde, e ainda resta cobrir os estábulos! — gritou o príncipe, lembrando-se de repente de sua tarefa assim que satisfez o apetite.

— Olhe para trás — disse a garota.

O príncipe, para sua grande surpresa, viu que os estábulos estavam cobertos de plumas macias de aves, nenhuma igual à outra.

— Você é um prodígio — disse ele, segurando as mãos da moça em agradecimento.

— Nem um pouco — respondeu ela. — Como os pássaros poderiam trabalhar para você enquanto estava lá tocando aquele apito terrível? Os pássaros seriam amigos tão bons quanto os cães se as pessoas não os assustassem tanto. Mas não diga mais nada. Ouço meu pai bebendo na fonte a três quilômetros daqui, e ele chegará em quatro minutos.

Ela segurou as saias junto do corpo e, com um sorriso doce, correu para dentro do castelo.

— Quem cobriu aquele telhado? — gritou o gigante assim que chegou.

— Minha própria força fez isso — respondeu o príncipe humildemente, sentindo que não havia contado uma falsidade, pois Lis Amarela era ainda mais do que força para ele.

O gigante, em vez de agradecer a ele por seus serviços, o agarrou novamente e o jogou de cabeça no tanque da cozinha. Em seguida, sentou-se diante do fogo. A cabeça do gigante mal começara a pesar quando Lis Amarela colocou o alfinete do sono sobre o nariz do pai para ter certeza de que ele não conseguiria acordar. Então, libertou o príncipe, e eles passaram a noite como antes, porém com muito mais alegria.

Na manhã seguinte, o gigante abriu o tanque e ordenou que o príncipe saísse.

— Tenho uma tarefa para você que nem mesmo um príncipe pode cumprir — disse ele. — Tenho certeza de que cortarei sua cabeça antes do anoitecer. Perto do castelo há uma árvore com trezentos metros de altura. Tem apenas um galho, que fica próximo do alto. Esse galho contém um ninho de corvo. No ninho há um ovo. Quero esse ovo para a ceia hoje à noite. Se você não o trouxer, vai se arrepender.

O gigante levou o príncipe até a árvore, que se erguia como uma grande coluna de vidro liso, tão escorregadia que nem mesmo uma formiga conseguiria rastejar sobre ela sem deslizar.

Quando o gigante se foi, o príncipe tentou uma dezena de vezes subir até o alto, mas a cada vez voltava à terra mais rápida e dolorosamente do que antes. Ficou muito feliz quando Lis Amarela apareceu.

E agora vem a parte do conto que é de gelar o sangue, e eu preferiria omitir; mas devo contar tudo a você do mesmo modo como as queridas criancinhas irlandesas ouviram séculos atrás, do contrário vou sentir que desfigurei esta antiga obra do folclore das fadas.

Lis Amarela, como sempre, trouxe algo para comer e, depois que comeram, pela primeira vez ela se voltou para o príncipe com ar tristonho.

— Lamento que meu pai tenha dado essa tarefa a você, mas devemos nos submeter ao que não podemos evitar — disse ela. — Ai de mim! Querido príncipe, você tem que me matar.

— Matá-la? — gritou ele, horrorizado. — Nunca! Prefiro perder a cabeça mil vezes.

— Mas, se você tomar cuidado, voltarei a viver — insistiu a garota. — Minha fada madrinha cuidará de mim. Você verá que é fácil arrancar minha carne, pois só precisa dizer: "Lis Amarela de Loch Lein". Repita e meus ossos vão se separar. Você verá que meus ossos se fixarão a esta árvore como pequenos degraus. Pela escada de ossos, você poderá subir até o alto da árvore. Pegue o ovo e desça com cuidado, a cada vez tirando um dos meus ossos da árvore, até chegar à terra. Em seguida, empilhe os ossos sobre a minha carne e diga: "Volte, Lis Amarela de Loch Lein", e eis que voltarei a ser eu mesma. Mas tome cuidado… tome cuidado para não deixar nenhum dos meus ossos na árvore.

Por um longo tempo, o príncipe se recusou a obedecer o pedido, até Lis Amarela se irritar e dizer:

— Então contarei ao meu pai que o venho ajudando, e ele matará a nós dois. Apresse-se, pois o tempo é curto.

— Lis Amarela de Loch Lein! — gritou o príncipe, sem olhar para ela. — Lis Amarela de Loch Lein! — gritou novamente.

O príncipe olhou para baixo e viu a seus pés uma pilha de ossinhos brancos. Ele os recolheu e, subindo devagar, fez uma pequena

escada fixando-os na árvore. Logo alcançou o ninho do corvo, encontrou o ovo, guardou-o no bolso e desceu, arrancando os ossos da árvore enquanto seguia. Depois, empilhou-os sobre a carne e as roupas da garota e, com lágrimas nos olhos, gritou:

— Volte, Lis Amarela de Loch Lein!

E, imediatamente, Lis Amarela apareceu diante dele, mas não estava mais sorrindo.

— Patife! — gritou ela. — Você me deixou aleijada pelo resto da vida! No fim das contas, não passa de um garoto descuidado.

— Ah, o que deixei de fazer? — gritou o príncipe, pálido de medo.

— Um dos meus dedinhos do pé ainda está pendurado na árvore. Ah, que criatura desajeitada é um príncipe!

O príncipe pediu perdão de joelhos e, finalmente, Lis Amarela abriu seu doce sorriso de antes e disse:

— Sou grata por não ser pior. Que visão eu seria se você tivesse esquecido minha espinha dorsal!

Eles se alegraram e conversaram novamente até a hora do gigante chegar. Lis Amarela foi para a torre e o príncipe ficou à espera no portão do castelo, segurando o ovo do corvo.

— Você com certeza é mágico! — arfou o gigante ao ver o príncipe. — Não posso cortar sua cabeça, senão um destino pior se abaterá sobre mim. Vá para casa agora mesmo. Não fique aqui nem mais um minuto.

O príncipe queria se despedir de Lis Amarela, mas é claro que foi impossível, por isso ele partiu para casa o mais rápido que pôde.

Quando chegou ao Palácio de Erin, o rei, a rainha, o velho Glic e toda a corte correram para recebê-lo. Nunca antes houve tanta alegria por lá. Houve dias e dias de festejos e danças ao som de músicas melodiosas, e realizou-se um torneio em que os melhores arqueiros do reino testaram suas habilidades.

Um ano depois, o velho Glic, que estava sempre arranjando problemas, disse ao rei que estava na hora do príncipe se casar com uma dama nobre de grande riqueza. O príncipe queria se casar com Lis Amarela, mas o rei disse que ele deveria escolher uma princesa

cuja posição se equiparasse à dele. Desesperado, o príncipe mandou que Glic escolhesse uma esposa para ele em breve, do contrário voltaria a perambular e nunca mais retornaria.

— Encontrei uma dama adequada — disse Glic. — O pai dela é o Rei de Loch Lein, o reino ao lado do nosso. O pai é poderoso, a família é famosa, sua riqueza é incalculável e ela é tão bela quanto a Rainha das Fadas.

— Se ela me aceitar, eu me casarei com ela — respondeu o príncipe —, mas não vou procurá-la pessoalmente.

O rei enviou Glic à corte de Loch Lein, levando presentes valiosos e escoltado por soldados e serviçais. Poucas semanas depois, ele voltou e disse ao Rei de Erin que o Rei de Loch Lein havia consentido em dar ao príncipe sua filha em casamento.

Na mesma hora começaram os preparativos para um casamento grandioso. Na corte haveria todo tipo de passatempos, várias danças e outros divertimentos a desfrutar, e as famílias reais de muitos reinos diferentes, até mesmo das ilhas do mar, compareceriam.

O próprio príncipe finalmente se interessou muito em se preparar para o grande evento. Na verdade, quase se esqueceu de Lis Amarela e da ajuda que ela havia lhe dado para salvar sua cabeça. No entanto, pediu que seu pai convidasse o Gigante de Loch Lein para comparecer à festa que aconteceria antes do dia do casamento. Também concordaram em convidar Lis Azul, Lis Branca e Lis Amarela, e tratá-las como princesas do sangue real.

No momento certo, o Rei de Loch Lein, que era um homem idoso, chegou com sua filha e uma enorme comitiva de serviçais. O porteiro tocou sua trompa e toda a corte de Erin saiu para cumprimentá-los. O Rei e a Princesa de Loch Lein foram conduzidos ao salão de recepções, onde a Rainha e o Príncipe de Erin lhes deram as boas-vindas.

O príncipe ficou muito decepcionado ao contemplar a princesa e zangado com Glic, pois ela era arrogante e nada bonita. Parecia estar mais satisfeita com os móveis e tapeçarias caras do que com o príncipe.

ADA BUDELL, 1911

O dia da festa finalmente chegou. A mesa no salão de festas estava repleta de frutas e carnes requintadas de todos os tipos a serem servidas em pratos de ouro maciço. Todos pareciam felizes, principalmente o velho Glic, que deveria receber uma grande quantia por ter encontrado uma esposa para o príncipe.

No final da festa, o Rei de Erin cantou uma balada e o Rei de Loch Lein contou uma história. Naqueles tempos, as pessoas apreciavam feitos de magia, e o príncipe pediu a Glic que chamasse o poderoso Gigante de Loch Lein, para que ele pudesse realizar alguns truques.

Em instantes o gigante entrou no salão, curvando-se rigidarigidamente, enquanto as pessoas batiam palmas e davam vivas. Ele não olhou para o príncipe, mas fez uma reverência aos dois reis.

— Suas Majestades — disse ele —, minha filha é a verdadeira mágica. Sei que ela ficará feliz em entretê-los por um momento. Na verdade, ela consentiu em tomar o meu lugar.

Nessa hora, Lis Amarela entrou no salão com um vestido dourado que deslizava pelo chão. Seus cabelos dourados brilhavam como o sol. Ninguém ali jamais tinha visto cabelos tão magníficos nem rosto e forma tão belos. Todos ficaram maravilhados demais com sua beleza e elegância para proferir uma palavra de boas-vindas.

Lis Amarela sentou-se à mesa e jogou dois grãos de trigo no ar. Eles se acenderam acima da mesa e se transformaram num pombo e numa pomba. Na mesma hora, o primeiro começou a bicar sua companheira, quase expulsando-a da mesa. Para surpresa de todos, a pomba gritou:

— Você não me tratou assim no dia em que limpei os estábulos para você e encontrei o alfinete do sono.

Lis Amarela colocou dois grãos de trigo diante deles, mas o pombo os devorou avidamente e continuou a maltratar sua companheira.

— Você não teria feito isso comigo no dia em que cobri o telhado dos estábulos para você com as penas dos pássaros, nenhuma igual à outra — gritou a pomba.

Quando mais alguns grãos de trigo foram deixados diante deles, o pombo comeu mais avidamente do que antes e, depois de devorar todos, empurrou a companheira para fora da mesa. Ela pousou no chão gritando:

— Você não teria feito isso no dia em que me matou e usou meus ossos para fazer degraus na árvore de vidro com trezentos metros de altura, para pegar o ovo do corvo para a ceia do Gigante de Loch Lein... e esqueceu meu dedinho do pé, e me tornou coxa para o resto da vida!

O Príncipe de Erin levantou-se, vermelho de vergonha, e, voltando-se para o Rei de Loch Lein, disse:

— Quando eu era mais jovem, vagava por aí a caçar e jogar. Uma vez, longe de casa, perdi a chave de um baú valioso. Depois que uma nova chave foi feita, encontrei a antiga. Qual das duas chaves se deve guardar: a antiga ou a nova?

O Rei de Loch Lein ficou confuso, mas respondeu prontamente:

— Guarde a antiga, certamente, pois se encaixará melhor e você está mais acostumado com ela.

— Agradeço seu ótimo conselho — continuou o príncipe com um sorriso. — Lis Amarela, filha do Gigante de Loch Lein, é a antiga chave do meu coração, e não me casarei com nenhuma outra moça. Sua filha, a princesa, é a nova chave que nunca foi experimentada. Ela é apenas a convidada de meu pai, e nada mais; mas ficará melhor por ter comparecido ao meu feliz casamento em Erin.

Houve grande espanto das famílias reais e de seus convidados quando o príncipe pegou Lis Amarela pela mão e a levou a uma cadeira ao lado dele. Mas, quando os músicos começaram a tocar uma ária animada, o palácio ressoou da torre ao calabouço com gritos alegres de "Vida longa ao Príncipe de Erin e sua noiva, Lis Amarela de Loch Lein!".

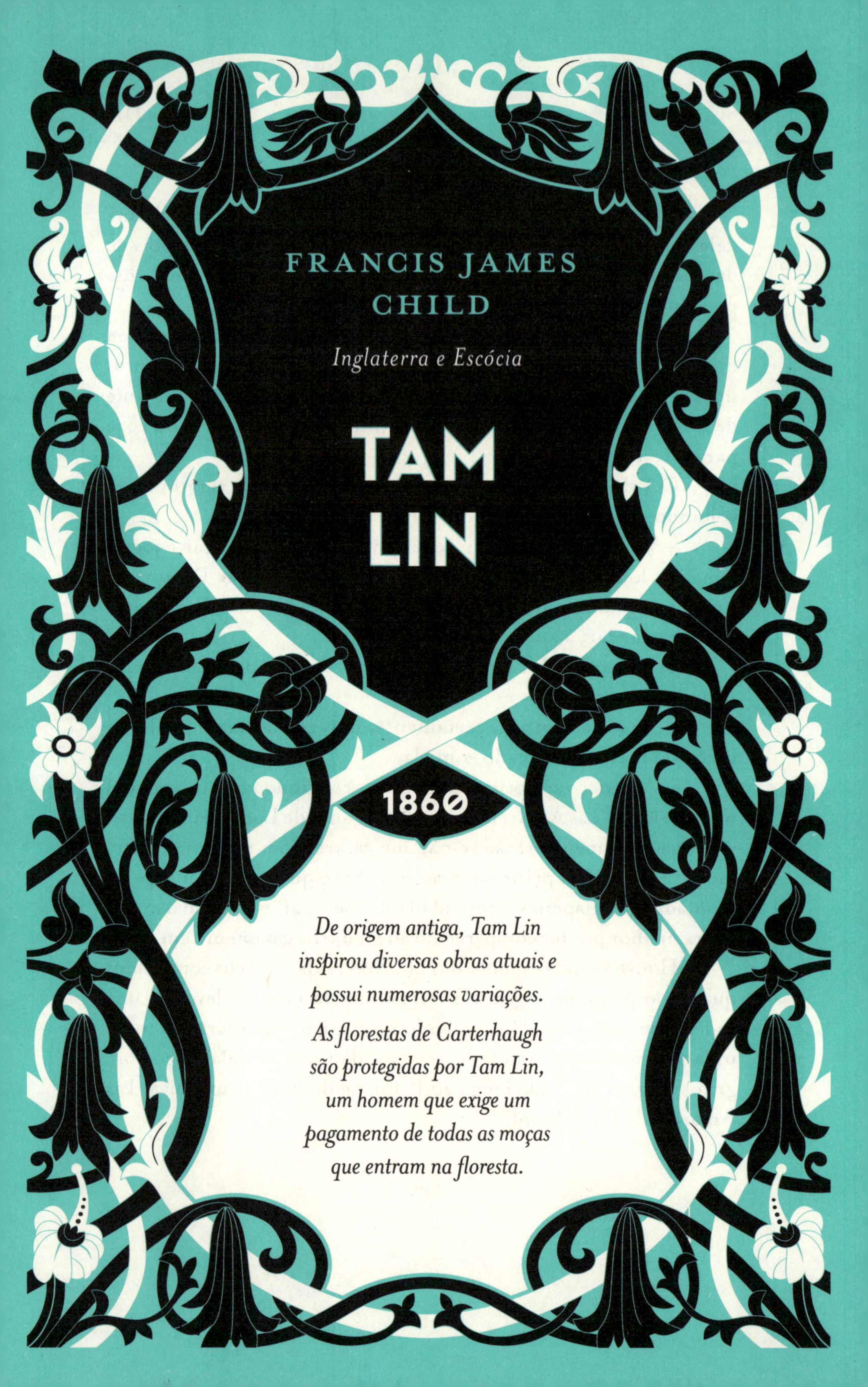
FRANCIS JAMES
CHILD
Inglaterra e Escócia
TAM
LIN
1860
De origem antiga, Tam Lin
inspirou diversas obras atuais e
possui numerosas variações.
As florestas de Carterhaugh
são protegidas por Tam Lin,
um homem que exige um
pagamento de todas as moças
que entram na floresta.

1. h, eu as proíbo, donzelas
De Carterhaugh visitar
Com seus cabelos cobertos de ouro,
Pois o jovem Tam Lin está lá.

2. Não há ninguém que saia da floresta
Sem lhe pagar por sua liberdade,
Seja com seus anéis, seus mantos verdes
Ou mesmo com sua virgindade.

3. Janet prendeu seu manto
Um pouco acima das patelas,
Os cabelos numa trança contornavam
A linha dos olhos dela,
E para Carterhaugh se foi
Rápida como uma gazela.

4. Quando chegou à floresta
Tam Lin estava enfeitiçado
Ali viu seu cavalo,
Mas o jovem não foi avistado.

5. Ela não arrancou uma rosa dupla,
Não duas flores, apenas uma.
Então o jovem Tam Lin a advertiu:
"Donzela, não arranques mais nenhuma."

6. "Por que arrancou a rosa, Janet,
E por que sua haste quebrou?
Por fim, por que está aqui
Se Tam Lin não a chamou?"

7. "Carterhaugh, é minha floresta,
Meu pai me deu de coração,

Virei sempre que quiser,
E não preciso da tua permissão."

8. Janet prendeu seu manto
Um pouco acima das patelas,
Os cabelos numa trança contornavam
A linha dos olhos dela,
E para a casa de seu pai correu
Rápida como uma gazela.

9. Vinte e quatro jovens fadas
Divertiam-se a jogar
E então surgiu a bela Janet,
A flor mais linda do lugar.

10. Vinte e quatro jovens fadas
Estavam jogando xadrez,
E então surgiu a bela Janet,
Sem cor alguma em sua tez.

11. Então falou um velho cavaleiro,
Que o muro do castelo tinha pulado:
"Ah, pobre de ti, bela Janet,
Mas todos nós seremos culpados."

12. "Controle a língua, seu velho
Ou uma morte terrível enfrentará!
O pai do meu filho quem escolhe sou eu,
E nenhum de vocês o será."

13. Então falou seu querido pai,
Em um tom manso e sem esperança
"Ai de mim, minha doce Janet,
Mas acho que carregas uma criança."

14. "Pai, se carrego uma criança,
É só a mim que deves culpar.
Não há um cavaleiro em sua casa
Cujo nome meu filho terá.

15. "Pois meu amor não é cavaleiro,
E sim um elfo da floresta
Não darei meu amor verdadeiro
A ninguém sem ser honesta.

16. "O cavalo do meu amor
É mais leve que o vento,
Tem ferraduras de prata e ouro
E corre mais que o pensamento."

17. Janet prendeu seu manto
Um pouco acima das patelas,
Os cabelos numa trança contornavam
A linha dos olhos dela,
E partiu para Carterhaugh
Rápida como uma gazela.

18. Quando chegou à floresta
Tam Lin estava enfeitiçado
Ali viu seu cavalo,
Mas o jovem não foi avistado.

19. Ela não arrancou uma rosa dupla,
Não duas flores, apenas uma.
Então o jovem Tam Lin a advertiu:
"Donzela, não arranques mais nenhuma."

20. "Por que arrancar a rosa, Janet,
Entre os bosques tão verdes,

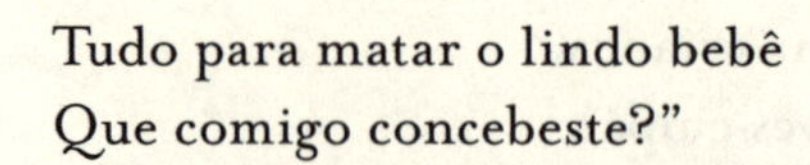

Tudo para matar o lindo bebê
Que comigo concebeste?"

21. "Oh, diga-me agora, Tam Lin,
Em nome daquele que na cruz morreu,
Se já pisou em uma capela,
E se a cristandade já conheceu?"

22. "Roxbrugh era meu avô,
E me levou com ele para caçar.
Ao se passar um dia
O destino veio me buscar.

23. "Quando um dia se passou,
Um vento muito frio soprava,
Caí do meu cavalo,
Quando com meu avô voltava.
Foi a Rainha das Fadas que me pegou,
E me levou para a colina onde morava.

24. "Agradável é a terra das fadas,
Mas um mistério se escondeu,
Ao fim de cada sete anos,
O inferno cobra o que é seu,
Tenho o tamanho e o peso certo
E temo que o tributo seja eu.

25. "Mas se a noite é das bruxas,
A manhã é de todos os santos,
Então me prenda, minha donzela,
E controle o seu pranto.

26. "Na escuridão da meia-noite
O povo das fadas vai desfilar,

E aqueles que querem o amor verdadeiro,
Em Miles Cross vão se encontrar."

27. "Mas como vou saber, Tam Lin,
Ou como meu coração saberá,
Entre tantos cavaleiros que nunca vi,
Qual deles devo segurar?"

28. "Deixe passar o cavalo negro, senhora,
E deixe também o castanho ir ligeiro,
Mas corra para o corcel branco como leite,
E derrube dele o cavaleiro.

29. "Pois no cavalo branco estarei eu,
E que seja perto da cidade,
Porque eu era um cavaleiro comum
Antes de me tornarem essa entidade.

30. "Minha mão esquerda estará nua
Mas a direita virá enluvada,
Verás meu cabelo penteado
Sob a frente do elmo levantada,
Não duvide que lá estarei,
Mas não posso lhe dizer mais nada.

31. "Quando estiver em seus braços, senhora,
Uma serpente ou um lagarto me farão parecer
Mas me segure com força e não tema,
Pois serei eu, o pai do seu bebê.

32. "Também me transformarão num urso selvagem
E num leão cheio de confiança
Mas me segure com força e não tema,
E eu amarei a sua criança.

33. "Mais uma vez mudarei em seus braços
Um barra de ferro quente e vermelha serei.
Mas me segure com força e não tema,
E verás que nunca a machucarei.

34. "Por último vão me transformar
Em um carvão em brasa,
Então me jogue na água do poço,
E sem demora voltarei para casa.

35. "Quando eu voltar, me cubra com seu manto,
Pois estarei sem minhas roupas de cavaleiro
Não deixe que ninguém veja assim
Aquele que é seu amor verdadeiro."

36. Muito sombria era a noite,
E misterioso o caminho que se viu,
Quando a bela Jenny em seu manto verde
Para Miles Cross feliz partiu.

37. As rédeas dos cavalos se fizeram ouvir
Na hora mais escura.
E aquela jovem pôde sentir
A alegria mais pura.

38. Primeiro, deixou passar o negro,
E logo depois o castanho ligeiro,
Mas correu para o corcel branco,
E derrubou dele seu cavaleiro.

39. Ela se lembrava bem do que ele dissera,
E o jovem Tam Lin a tudo venceu,
Ela o cobriu com seu manto verde,
Muito alegre, quando ele apareceu.

40. Então falou a Rainha das Fadas,
De trás de um arbusto florido,
"Então assim se vai o jovem Tam Lin,
Tornar-se um digno marido."

41. E voltou a falar a Rainha,
Que era uma mulher irascível:
"Que ela se cubra de vergonha
E tenha uma morte terrível,
Pois levou embora daqui
Meu cavaleiro de mais alto nível.

42. "Se eu soubesse o que faria Tam Lin,
Se soubesse o que tinha planejado,
Teria arrancado seus olhos cinzentos
E numa árvore os pregado."

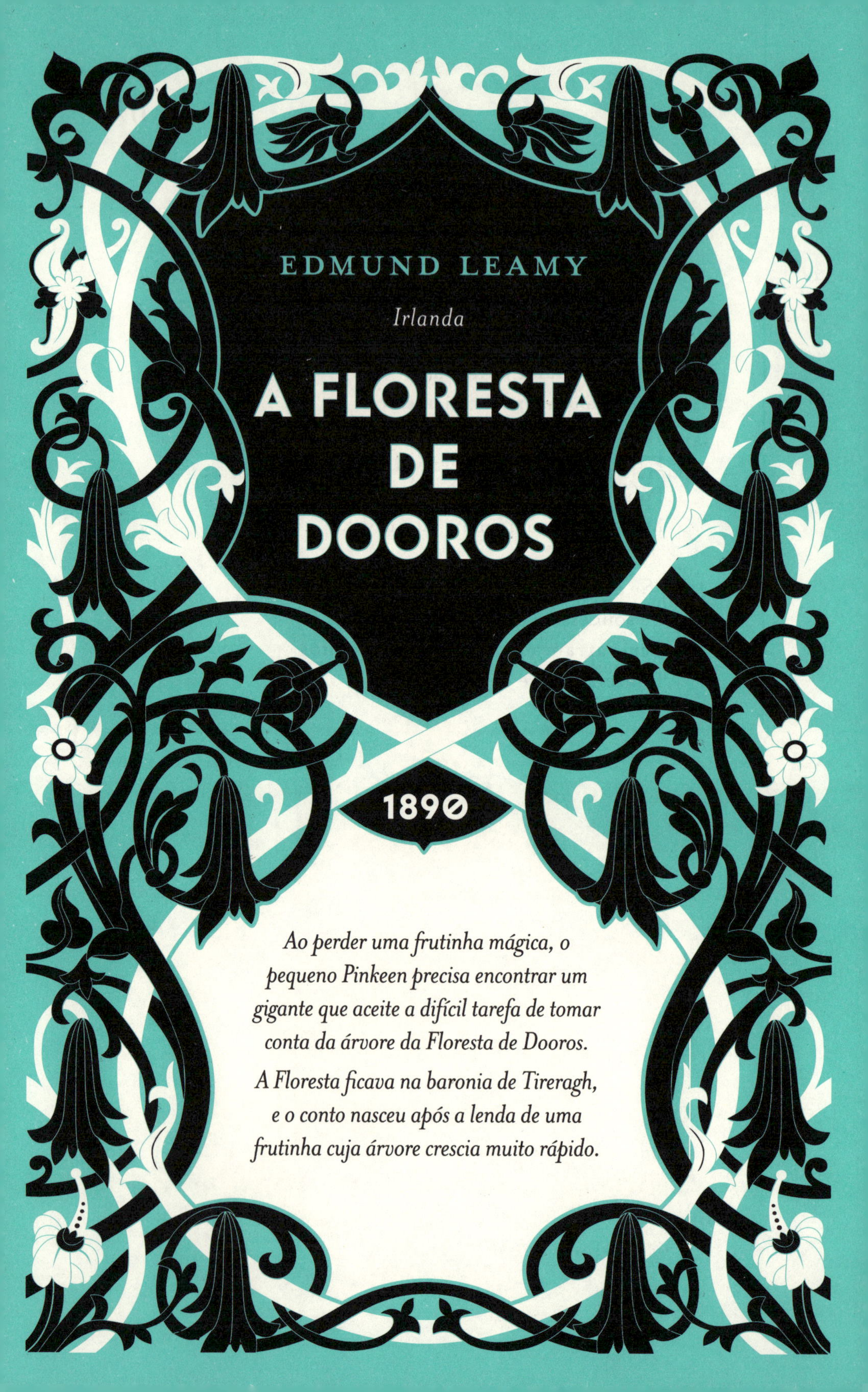
EDMUND LEAMY
Irlanda
A FLORESTA DE DOOROS
1890
Ao perder uma frutinha mágica, o pequeno Pinkeen precisa encontrar um gigante que aceite a difícil tarefa de tomar conta da árvore da Floresta de Dooros.
A Floresta ficava na baronia de Tireragh, e o conto nasceu após a lenda de uma frutinha cuja árvore crescia muito rápido.

ra uma vez, seres mágicos do oeste que, ao voltarem para casa depois de uma partida de hurling com as fadas dos lagos, descansaram por três dias e três noites na Floresta Dooros. Eles passavam os dias comendo e as noites dançando à luz da lua, e dançaram tanto que gastaram os sapatos, e por uma semana inteira depois disso, os leprechauns — sapateiros das fadas — trabalharam dia e noite fazendo novos, e o bater, raspar e martelar de seus martelinhos eram ouvidos em todas as cercas vivas.

Os seres mágicos se banqueteavam com frutinhas vermelhas que eram tão parecidas com as que nascem na sorveira brava que, só de olhar, era possível confundir uma com a outra; mas as frutas dos seres mágicos nascem apenas na terra mágica, e são mais doces do que qualquer fruta que nasce neste mundo, e se um idoso, grisalho e curvado, comesse uma delas, passaria a ser jovem, ativo e forte de novo; e se uma idosa, desgastada e enrugada, comesse uma delas, passaria a ser jovem, vivaz e bela; e se uma moça que não fosse bonita comesse uma delas, ela se tornaria mais linda do que uma flor cheia de beleza.

Os seres mágicos guardavam suas frutinhas com o mesmo cuidado de guardas escondendo ouro, e sempre que estavam prestes a sair da terra mágica, tinham que prometer, na presença do rei e da rainha, que não dariam nenhuma fruta a nenhum homem mortal, nem permitiriam que uma delas caísse na terra, pois se uma única fruta caísse na terra, uma árvore fina de muitos galhos, carregada de frutos, surgiria de uma vez, e os homens mortais poderiam comê-las.

Mas, por acaso, eles estavam na Floresta de Dooros e continuaram comendo e dançando por muito tempo, e estavam tão felizes por terem derrotado os seres mágicos do lago que um ser muito pequeno, não muito maior do que meu dedo, perdeu a cabeça e soltou uma frutinha na mata.

Quando o banquete terminou, os seres mágicos voltaram à terra mágica, e estavam em casa há mais de uma semana quando souberam do erro do amigo, e vamos contar como foi.

Um grande casamento estava prestes a acontecer, e a rainha dos seres mágicos mandou seis de seus escudeiros à Floresta de Dooros para pegar cinquenta borboletas com manchas douradas nas asas roxas, e cinquenta brancas sem manchas nem bolinhas, e cinquenta douradas, amarelas como a prímula, para fazer um vestido para si, e cem brancas, sem manchas nem bolinhas, para fazer vestidos para a noiva e as madrinhas.

Quando os escudeiros chegaram perto da mata, ouviram a música mais incrível, e o céu acima deles se tornou muito escuro, como se uma nuvem tivesse encoberto o sol. Eles olharam para cima e viram que a nuvem era formada por abelhas que, reunidas, voavam em direção à mata e zuniam sem parar. Ao ver isso, sentiram medo até virem as abelhas pousando em uma árvore, e observando a árvore de perto, viram que estava coberta com frutinhas mágicas.

As abelhas não viram os seres mágicos, por isso eles não sentiram mais medo, e caçaram as borboletas até capturarem toda a quantidade das muitas cores. Então, voltaram para a terra mágica e contaram à rainha a respeito das abelhas e das frutas, e a rainha contou ao rei.

O rei ficou muito bravo, e mandou seus escudeiros aos quatro cantos da terra mágica para reunir todos os súditos à sua frente, para que ele pudesse saber logo quem era o culpado.

Todos eles compareceram, exceto o pequeno que soltou a frutinha, e claro que todo mundo disse que ele não tinha ido porque estava com medo, e que devia ser o culpado.

Os mensageiros saíram todos à sua procura e, depois de um tempo, eles o encontraram escondido em uma samambaia e o levaram ao rei.

O pobre rapaz estava tão assustado que a princípio mal conseguia falar mas, depois de um tempo, disse que só sentiu falta

da frutinha quando chegou à terra mágica, e que sentiu medo de dizer algo às pessoas sobre o ocorrido.

O rei, que não queria saber de desculpas, sentenciou que o culpado deveria ser levado para a terra dos gigantes, que ficava além das montanhas, e ali ficar para sempre, a menos que conseguisse encontrar um gigante disposto a ir para a Floresta de Dooros e guardar a árvore mágica. Quando o rei determinou a sentença, todo mundo ficou triste, porque o réu era muito querido por todos. Nenhum harpista com sua harpa, nenhum flautista com sua flauta, nenhum violinista com seu violino conseguia tocar tão bem quanto ele tocava uma folha; e quando eles se lembravam de todas as noites de luar agradáveis nas quais tinham dançado ao ritmo de sua música, acharam que nunca mais a ouviriam nem dançariam mais, e seus coraçõezinhos foram tomados por pesar. A rainha estava tão triste quanto qualquer um de seus súditos, mas a palavra do rei tinha que ser obedecida.

Quando chegou o momento de o rapaz partir para o exílio, a rainha mandou seu principal mensageiro com ele com um punhado de frutinhas. Ela disse que ele deveria oferecê-las ao gigante, e dizer ao mesmo tempo que o gigante que estivesse disposto a proteger a árvore poderia se esbaldar com as frutinhas doces desde a manhã até a noite.

Quando o serzinho seguiu seu caminho, quase todos os seres mágicos o seguiram até as fronteiras da terra, e quando eles o viram subir a montanha em direção à terra dos gigantes, todos tiraram as capas vermelhas e as chacoalharam até ele desaparecer de vista.

Ele seguiu caminhando dia e noite, e, quando o sol nasceu numa manhã, ele estava no topo da montanha, e podia ver a terra dos gigantes no vale que se estendia bem à sua frente. Antes de começar a descer, ele se virou para olhar para a terra mágica uma última vez; mas não conseguiu ver nada, pois uma nuvem pesada e escura tampava a vista. Ele estava muito triste, cansado e com os pés doloridos e, conforme descia pela encosta acidentada, não

conseguia parar de pensar na mata verdejante e nos caminhos da linda terra que tinha deixado para trás.

Quando acordou, o chão estava tremendo, e seus ouvidos captaram um barulho parecido com trovão. Ele olhou para cima e viu, partindo em sua direção, um gigante assustador, com um olho que ardia como brasa no meio da testa, a boca arreganhada de orelha a orelha, os dentes compridos e tortos, a pele do rosto escura como a noite, e os braços e peito cobertos com pelos pretos arrepiados; enrolado em seu corpo, havia uma liga de ferro, e pendendo dela, com uma corrente, havia um porrete com pontas de ferro. Com um golpe do porrete, ele conseguia quebrar uma rocha em pedaços, e o fogo não podia queimá-lo, e a água não podia afogá-lo e armas não podiam feri-lo, e não havia como matá-lo, exceto se o acertassem com três golpes de seu próprio porrete. E ele era tão mal-humorado que os outros gigantes o chamavam de Sharvan, o Ranzinza. Quando o gigante viu a capa vermelha do ser mágico, deu um grito parecido com um trovão. O pobre rapazinho tremia da cabeça aos pés.

— O que o trouxe aqui? — perguntou o gigante.

— Por favor, sr. Gigante — disse o ser mágico —, o rei dos seres mágicos me baniu para cá, e aqui devo ficar para sempre, a menos que o senhor vá guardar a árvore dos seres mágicos na Floresta de Dooros.

— A menos que o quê? — vociferou o gigante, e deu um chute no ser mágico, fazendo-o rolar para longe e cair de cabeça para baixo.

O serzinho ficou deitado como se estivesse morto, e então o gigante, sentindo pena pelo que tinha feito, o segurou delicadamente entre o indicador e o polegar.

— Não tema, homenzinho — disse ele. — Agora, conte-me tudo sobre a árvore.

— É a árvore dos frutos mágicos que cresce na Floresta de Dooros — disse o serzinho —, e trouxe alguns deles comigo.

— Ah, sim? — disse o gigante. — Quero vê-los.

S. FAZOIN, 1906

DESCONHECIDO, 1890

O serzinho pegou três frutos do bolso de seu casaquinho verde e os entregou ao gigante.

O gigante olhou para eles por um segundo. Então, ele engoliu os três juntos, e depois de fazer isso sentiu-se tão feliz que começou a gritar e dançar de alegria.

— Mais, seu ladrãozinho! — disse ele. — Mais, seu... qual é seu nome? — perguntou o gigante.

— Pinkeen, a seu dispor, sr. Gigante — disse o serzinho enquanto entregava os frutos.

O gigante gritou mais alto do que antes, e seus gritos foram ouvidos por todos os outros, que partiram correndo na direção dele.

Quando Sharvan os viu chegar, ele pegou Pinkeen e o colocou dentro do bolso, para que não o vissem.

— Por que você está gritando? — perguntaram os gigantes.

— Porque — disse Sharvan — aquela pedra ali caiu no meu dedão.

— Seu grito não parecia o grito de um homem ferido — disseram eles.

— Como você pode saber o jeito com que gritei? — perguntou ele.

— É preciso dar uma resposta civilizada para uma pergunta civilizada — disseram eles —, mas, claro, você sempre foi Sharvan, o Rabugento. — E eles se foram.

Quando os gigantes desapareceram, Sharvan tirou Pinkeen de sua carteira.

— Mais umas frutas, seu ladrãozinho... ou melhor, pequeno Pinkeen — disse ele.

— Não tenho mais — disse Pinkeen —, mas, se você for guardar a árvore na Floresta de Dooros, pode se esbaldar com elas até a noite.

— Vou guardar toda árvore na floresta, se precisar — disse o gigante.

— Você vai ter que guardar uma só — disse Pinkeen.

— Como devo chegar a ela? — perguntou Sharvan.

— Primeiro você deve ir comigo em direção à terra mágica — disse o serzinho.

— Muito bem — concordou Sharvan —, vamos. — E ele pegou o serzinho e o colocou dentro de sua carteira, e em pouco tempo eles estavam no topo da montanha. Então, o gigante olhou ao redor em direção à terra dos gigantes; mas uma nuvem escura a escondia, enquanto o sol brilhava no vale à frente dele, e ele conseguia ver, a distância, as matas e as águas cristalinas da terra mágica.

Não demorou para ele chegar às fronteiras, mas, quando tentou atravessá-las, seus pés se prenderam no chão e ele não conseguiu dar nem um passo. Sharvan deu três gritos que foram ouvidos em toda a terra mágica, e fizeram as árvores nas matas tremerem, como se o vento de uma tempestade os estivesse atingindo.

DESCONHECIDO, 1890

— Ah, por favor, sr. Gigante, deixe-me sair — disse Pinkeen.

Sharvan pegou o serzinho e, assim que viu que estava nas fronteiras da terra mágica, o pequeno correu o mais rápido que suas pernas conseguiram, e antes que pudesse se afastar demais, encontrou todos os seres encantados que, ao ouvirem os gritos do gigante, desceram das samambaias para ver o que estava acontecendo. Pinkeen disse a eles que aquele gigante iria guardar a árvore, e os gritos eram porque ele estava preso nas fronteiras, e eles não precisavam temê-lo.

Os seres mágicos estavam tão felizes por terem Pinkeen de volta, que eles o carregaram em seus ombros e o levaram ao palácio do rei, e todos os harpistas, flautistas e violinistas marcharam à sua frente, tocando a música mais alegre que se pôde ouvir. O rei e a rainha estavam no gramado na frente do palácio quando a procissão alegre se aproximou e parou diante deles. Os olhos da rainha brilharam de prazer ao ver o pequeno preferido, e o rei também ficou feliz, mas parecia muito sério ao dizer:

— Por que você voltou, sirrah?

Então Pinkeen disse à vossa majestade que trouxera consigo um gigante disposto a guardar a árvore mágica.

— E quem ele é e onde ele está? — perguntou o rei.

— Os outros gigantes o chamavam de Sharvan, o Rabugento — disse Pinkeen —, e ele está preso fora das fronteiras da terra mágica.

— Está tudo bem — disse o rei —, você está perdoado.

Quando os seres mágicos ouviram isso, jogaram suas touquinhas vermelhas no ar, e aplaudiram tão alto que uma abelha que estava agarrada a um botão de rosa perdeu os sentidos e caiu no chão.

Em seguida, o rei ordenou que um de seus servos buscasse os frutos, fosse até Sharvan e mostrasse a ele o caminho para a Floresta de Dooros. O servo, levando os frutos consigo, foi até Sharvan, cujo rugido quase assustou o pobre coitado. Mas assim que o gigante provou os frutos, ele ficou de bom humor e perguntou ao mensageiro se este podia retirar o feitiço dele.

— Posso — disse o servo — e farei isso se prometer que não vai tentar atravessar as fronteiras da terra mágica.

— Prometo isso, do fundo do coração — disse o gigante. — Mas vamos, meu rapaz, pois minhas pernas estão doendo.

O mensageiro arrancou uma prímula e puxando os cinco botõezinhos vermelhos do vaso, ergueu um ao norte, um ao sul, um ao leste e um ao oeste, e um para o céu, e o feitiço foi quebrado, e os membros do gigante se libertaram. Então, Sharvan e o mensageiro mágico partiram para a Floresta de Dooros, e não demorou muito para que vissem a árvore mágica. Quando Sharvan viu os frutos brilhando ao sol, gritou tão alto e tão forte que o vento soprou o serzinho de volta para a terra mágica. Mas ele teve que voltar à mata para contar ao gigante que ele tinha que ficar o dia todo ao pé da árvore pronto para batalhar com quem quisesse roubar os frutos, e que durante a noite ele teria que dormir entre os galhos.

— Tudo bem — disse o gigante, que mal conseguia falar, já que estava com a boca cheia de frutos.

Bem, a fama da árvore mágica se espalhou muito, e todos os dias chegava um aventureiro para tentar levar embora alguns dos frutos; mas o gigante, como prometeu, estava sempre alerta, e nem um dia se passava sem que ele lutasse e matasse um invasor ousado, e o gigante nunca foi ferido, porque o fogo não o queimava, nem a água o afundava, nem arma alguma o feria.

Agora, naquele momento, Sharvan estava alerta, guardando a árvore, e um rei cruel reinava nas terras que davam para o sol nascente. Ele havia assassinado o rei legítimo de maneiras horrendas, e seus súditos, por amarem o soberano assassinado, odiavam o usurpador; mas, por mais que o detestassem, eles o temiam ainda mais, pois ele era corajoso e habilidoso, e estava armado com capacete e escudo que nenhuma arma feita por mãos mortais poderia atravessar, e sempre levava consigo duas lanças que nunca erravam o alvo, e eram tão fatais que eram chamadas de "as lanças da morte".

O rei assassinado tinha dois filhos — um garoto, cujo nome era Niall, e uma garota, que se chamava Rosaleen — ou melhor, Rosinha; mas nenhuma rosa já desabrochou com metade da beleza ou da doçura dela. Por mais cruel que o rei tirano fosse, ele temia o povo e não matou as crianças. Mandou o garoto à deriva no mar em um barco aberto, esperando que as ondas engolissem a embarcação; e pediu para uma velha bruxa lançar um feitiço de deformidade em Rosaleen, e, sob o feitiço, sua beleza desapareceu, até, por fim, ela se tornar tão feia e assustadora que quase ninguém falava com ela. E, rejeitada por todos, ela passava os dias no celeiro com o gado, e todas as noites ela chorava até dormir.

Um dia, quando ela estava se sentindo solitária, um pequeno pintarroxo se aproximou para pegar as migalhas que tinham caído aos pés dela. Ele parecia tão dócil que ela lhe ofereceu o pão na palma da mão, e quando ele aceitou, ela chorou de alegria por descobrir que havia um ser vivo que não a rejeitava. Depois disso, o pintarroxo a visitava todos os dias, e ele cantava com tanta doçura que quase se esqueceu de sua solidão e tristeza. Mas, certa vez, enquanto o pintarroxo estava com ela, a filha do rei tirano, que era muito bonita, passou com suas damas de companhia e, ao ver Rosaleen, a princesa disse:

— Ah, ali está aquela coisa horrorosa.

As damas riram e disseram nunca ter visto nada tão horrível.

A pobre Rosaleen sentiu como se seu coração fosse explodir, e quando a princesa e as damas de companhia estavam longe, ela quase morreu de tanto chorar. Quando o pintarroxo a viu chorando, pousou em seu ombro e encostou a cabeça em seu pescoço, e cantou baixinho, e Rosaleen se sentiu consolada, pois sentia que pelo menos tinha encontrado um amigo no mundo, apesar de ser um pequeno pintarroxo. Mas o pintarroxo podia fazer mais por ela do que ela seria capaz de imaginar. Ele escutou o comentário feito pela princesa, e viu as lágrimas de Rosaleen, e agora ele sabia por que ela era rejeitada por todos, e por que era tão infeliz.

E naquela noite, ele voou para a Floresta de Dooros, chamou um primo e contou tudo sobre Rosaleen para ele.

— E você quer um pouco dos frutos mágicos, acredito — disse o primo, Robin da Floresta.

— Quero — disse o pequeno amigo de Rosaleen.

— Ah — disse Robin da Floresta —, as coisas mudaram desde que você esteve aqui pela última vez. A árvore agora é guardada dia e noite por um gigante ranzinza. Ele dorme nos galhos durante a noite, e respira nos galhos e entre os galhos toda manhã, e sua respiração é veneno para aves e abelhas. Só há uma chance possível, e se você tentar, pode lhe custar sua vida.

— Então, me diga o que é, pois eu daria cem vidas por Rosaleen — disse o pintarroxo.

— Bem — disse Robin da Floresta —, todos os dias, um guerreiro vem lutar com o gigante, e o gigante, antes de começar a luta, coloca um galho de frutos no cinto de ferro ao redor de sua cintura, para que, ao se sentir cansado ou sedento, possa se refrescar, e existe uma pequena chance, enquanto ele está lutando, de pegar um dos frutos do galho; mas se ele respirar em cima de você, a morte é certa.

— Vou correr o risco — disse o pintarroxo de Rosaleen.

— Muito bem — falou o outro. E os dois pássaros voaram pela mata até aparecerem perto da árvore mágica. O gigante estava deitado, esticado aos pés dela, comendo os frutos; mas não demorou muito para um guerreiro aparecer e desafiá-lo à batalha. O gigante ficou de pé e, enfiando um galho da árvore em seu cinto, balançando a barra de ferro acima da cabeça, seguiu em direção ao guerreiro, e a luta começou. O pintarroxo pousou em uma árvore atrás do gigante, observando e esperando sua chance, mas demorou muito, porque os frutos estavam na parte da frente do cinto do gigante. Por fim, o gigante, com um golpe muito forte, derrubou o guerreiro, mas, ao fazer isso, tropeçou e caiu em cima dele, e antes que tivesse tempo de se recuperar, o pintarroxo partiu na direção dele como um raio e pegou um dos frutos, e então, o mais rápido

que as asas conseguiram carregá-lo, voou em direção à casa e, no caminho passou por uma tropa de guerreiros em cavalos brancos como neve. Todos os cavaleiros, exceto um deles, usavam capacetes prateados e mantos brilhantes de seda verde, presos por broches de ouro vermelho, mas o líder deles, que seguia à frente da tropa, usava um capacete dourado, e seu manto era de seda amarela, e ele parecia, de longe, ser o mais nobre deles. Quando o pintarroxo deixou os cavaleiros muito para trás, ele espiou Rosaleen sentada do lado de fora do palácio, lamentando seu destino.

O pintarroxo pousou em seu ombro, e quase antes que ela percebesse que ele estava ali, ele colocou o fruto entre seus lábios, e o gosto era tão delicioso que Rosaleen comeu de uma vez, e naquele momento o feitiço da bruxa passou, e ela se tornou adorável, uma flor de formosura. Naquele momento, os guerreiros nos cavalos brancos como neve se aproximaram, e o líder, com o manto de seda amarela e o capacete dourado, saltou do cavalo e se ajoelhou à sua frente, dizendo:

— Mais linda de todas as moças, certamente a senhorita é a filha do rei destas paragens, apesar de estar fora dos portões do palácio, sem uma corte, sem roupas da realeza. Sou o Príncipe dos Vales Ensolarados.

— Sou filha de um rei, sim — disse Rosaleen —, mas não do rei que governa estas paragens.

E, dizendo isso, ela correu, deixando o príncipe se perguntando quem ela podia ser. O príncipe, então, mandou os tocadores de trombeta avisarem sobre sua presença do lado de fora do palácio, e em poucos instantes o rei e todos os nobres foram cumprimentar o príncipe e seus guerreiros, dar a eles as boas-vindas. Naquela noite, um grande banquete foi organizado no salão, e o Príncipe dos Vales Ensolarados se sentou ao lado do rei, e ao lado do príncipe sentou-se a bela filha do rei, e então, na ordem certa, sentaram-se os nobres da corte e os guerreiros que tinham chegado com o príncipe e, na parede atrás de cada nobre e guerreiro, seu escudo e seu capacete estavam pendurados, iluminando

a sala. Durante o banquete, o príncipe falou de modo gracioso com a adorável moça ao seu lado, mas, durante todo o tempo, ele pensava na bela desconhecida que tinha visto do lado de fora do palácio, e seu coração desejava vê-la de novo.

Quando o banquete terminou, e os copos enfeitados com joias foram distribuídos pela mesa, os pássaros cantaram felizes, acompanhados por harpas, o "Cortejo à Lady Eimer", e enquanto eles viam sua beleza radiante ofuscando a de suas damas, o príncipe pensou que, por mais bela que Lady Eimer fosse, havia alguém ainda mais bela.

Quando o banquete terminou, o rei perguntou ao príncipe o que o levava àquelas paragens.

— Venho — disse o príncipe — à procura de uma noiva, pois me foi dito, em minha terra, que apenas aqui eu encontraria a moça que está destinada a dividir meu trono, e seu reino é famoso por ser o local onde moram as moças mais adoráveis do mundo todo, e eu acredito muito nisso — acrescentou o príncipe — depois do que vi hoje.

Quando a filha do rei ouviu isso, ela abaixou a cabeça e corou como uma rosa, pois, claro, pensou que o príncipe se referia apenas a ela, pois não sabia que ele tinha visto Rosaleen, e ela não tinha ouvido falar sobre a recuperação de sua beleza.

Antes que outra palavra pudesse ser dita, um grande barulho e o bater de espadas foram ouvidos do lado de fora do palácio. O rei e seus convidados se levantaram de onde estavam e empunharam a espada, e os bardos deram início à canção da batalha; mas suas vozes foram abafadas e as harpas silenciadas quando viram um guerreiro na entrada do salão , e em seu rosto eles reconheceram os traços do rei assassinado.

— Tis Niall voltou para assumir o trono de seu pai! — disse o bardo líder. — Vida longa a Niall!

— Vida longa a Niall! — responderam os outros.

O rei, pálido de ira e surpresa, virou-se para os líderes e nobres de sua corte e gritou:

— Não há nenhum homem leal o suficiente para mandar embora esse invasor de nosso banquete?

Mas ninguém se mexeu, nenhuma resposta foi dada. Então, o rei avançou sozinho, mas antes que pudesse chegar ao ponto em que Niall estava de pé, foi segurado por uma dezena de homens e desarmado de uma só vez.

Durante essa cena, a filha do rei tinha fugido assustada; mas Rosaleen, atraída pelo barulho, e ouvindo o nome do irmão e os gritos dados, entrara no salão sem ser notada por ninguém. Mas quando sua presença foi descoberta, todos os olhos ficaram encantados com sua beleza. Niall olhou para ela por um momento, tentando entender se a senhorita radiante diante dele poderia ser sua irmã de quem ele tinha sido separado muitos anos antes. No segundo seguinte, ela estava nos braços dele.

Então, o banquete foi servido de novo, e Niall contou a história de suas aventuras; e quando o Príncipe do Vale Ensolarado pediu a mão de Rosaleen, Niall pediu para a adorável moça decidir por si mesma. Com olhos tímidos e sorridente, ela disse "sim", e aquele foi o dia mais feliz e iluminado que já aconteceu, e Rosaleen se tornou a noiva do príncipe.

Em sua felicidade, ela não se esqueceu do pequeno pintarroxo, que foi seu amigo na tristeza. Ela o levou para casa consigo, em Vales Ensolarados, e todos os dias ela o alimentou com suas mãos, e todos os dias ela cantava as músicas mais doces que já tinham sido ouvidas por uma moça.

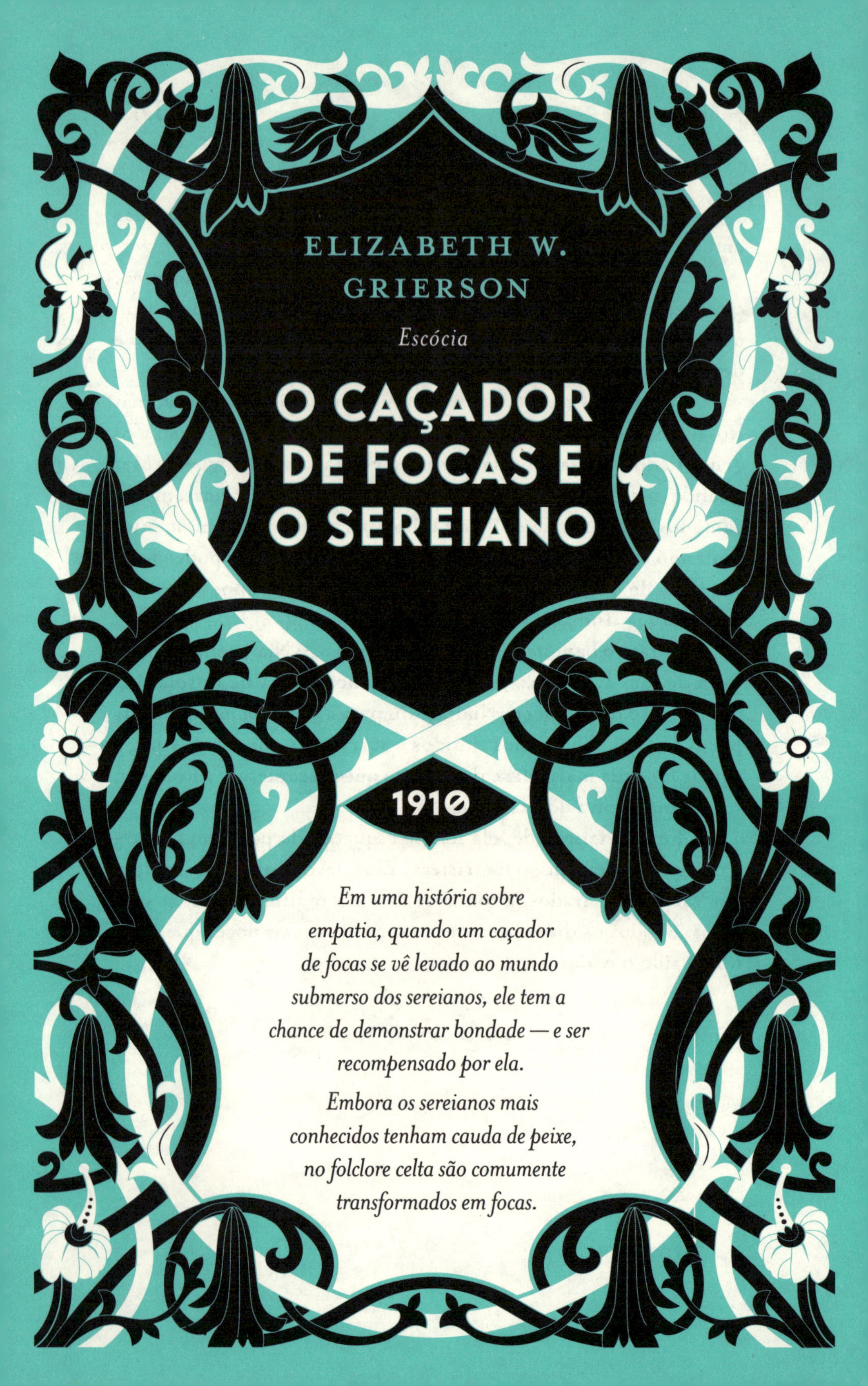
ELIZABETH W.
GRIERSON
Escócia
O CAÇADOR
DE FOCAS E
O SEREIANO
1910
Em uma história sobre
empatia, quando um caçador
de focas se vê levado ao mundo
submerso dos sereianos, ele tem a
chance de demonstrar bondade — e ser
recompensado por ela.
Embora os sereianos mais
conhecidos tenham cauda de peixe,
no folclore celta são comumente
transformados em focas.

Era uma vez um homem que morava não muito longe da casa de John o' Groat[6], que, como todos sabem, fica no extremo norte da Escócia. Ele vivia numa pequena choupana à beira-mar e ganhava a vida caçando focas e vendendo suas peles, que são muito valiosas.

Conseguia um bom dinheiro assim, pois essas criaturas costumavam vir do mar em grande número e deitar-se nas rochas perto da casa dele, aquecendo-se à luz do sol, de modo que não era difícil se esgueirar por trás delas e matá-las.

Algumas dessas focas eram maiores que outras, e as pessoas do campo costumavam chamá-las de *Roane* e sussurrar que não eram focas, mas sereianos e sereias que vinham de um país próprio, bem no fundo do mar, e adotavam esse estranho disfarce para poder atravessar a água e subir para respirar o ar da nossa terra.

Mas o caçador só ria das histórias e dizia que compensava muito matar aquelas focas, pois suas peles eram tão grandes que ele ganhava pagamento extra por elas.

Acontece que, um dia, quando exercia sua profissão, ele atingiu uma foca com sua faca de caça e, se o golpe foi certeiro o bastante, não sei dizer, mas, com um grito alto de dor, a criatura escorregou da rocha para o mar e desapareceu debaixo d'água, levando a faca consigo.

O caçador de focas, muito irritado com sua falta de jeito e também com a perda da faca, foi para casa jantar num estado de espírito muito abatido. No caminho, encontrou um cavaleiro tão alto, de aparência tão estranha e montado num cavalo tão gigantesco, que parou e olhou para ele, assombrado, imaginando quem era e de que país vinha.

6 A cidade de John O'Groats (grafia correta) fica no extremo norte da Escócia. Na época do rei Jaime IV (1488-1513), o holandês Jan de Groot teria construído uma casa no lugar e operado a balsa que a ligava às Ilhas Orkney. [N. T.]

O estranho parou também, perguntou-lhe qual era sua ocupação e, ao ouvir que era caçador de focas, imediatamente encomendou um grande número de peles. O caçador ficou encantado, pois aquela encomenda significava uma enorme quantia para ele. Mas foi tomado pelo desânimo quando o cavaleiro acrescentou que era absolutamente necessário que as peles fossem entregues naquela noite.

— Não consigo fazer isso — disse ele num tom decepcionado —, pois as focas só voltarão às rochas amanhã de manhã.

— Posso levá-lo a um lugar onde há inúmeras focas — respondeu o estranho —, se você montar na garupa do meu cavalo e vier comigo.

O caçador de focas concordou e montou atrás do cavaleiro, que balançou as rédeas, e o grande cavalo galopou num ritmo tal que ele teve muita dificuldade para continuar sentado.

Adiante seguiram, voando como o vento, até chegarem finalmente à beira de um imenso precipício, cuja face descia até o mar. Aqui, o cavaleiro misterioso deteve o cavalo com um puxão.

— Agora, desça — disse ele simplesmente.

O caçador de focas fez o que ele pediu e, quando se viu seguro no chão, espiou com cuidado além da beira do penhasco, para ver se havia alguma foca nas rochas lá embaixo.

Para sua surpresa, não viu rochas, só o mar azul, que chegava até o pé do penhasco.

— Onde estão as focas de que você falou? — perguntou ele ansioso, desejando nunca ter saído numa aventura tão precipitada.

— Logo você verá — respondeu o estranho, que estava cuidando das rédeas do cavalo.

Agora o caçador de focas estava completamente apavorado, pois tinha certeza de que algum mal estava prestes a se abater sobre ele, e, num lugar tão ermo, sabia que seria inútil gritar por socorro.

E parecia que seus medos se revelariam verdadeiros demais; no momento seguinte, a mão do estranho pousou no seu ombro

MORRIS MEREDITH WILLIAMS, 1910

e ele sentiu que era jogado com vigor além do penhasco, e caiu com estardalhaço no mar.

Pensou que sua última hora havia chegado e imaginou como alguém poderia cometer um ato tão injusto contra um homem inocente.

Mas, para seu espanto, descobriu que devia ter passado por alguma transformação, pois, em vez de se afogar na água, conseguia respirar com facilidade, e ele e seu companheiro, que ainda estava bem ao seu lado, pareciam estar afundando tão rapidamente no mar como se voassem pelos ares.

Mais e mais fundo eles foram, ninguém sabe até que ponto, até finalmente chegarem a uma enorme porta em arco, que parecia ser feita de coral rosa, cravejada de conchas de berbigão.

Ela se abriu por conta própria e, ao entrar, eles se viram num enorme salão, cujas paredes eram formadas por madrepérola, e o piso, por areia do mar, macia, firme e amarela.

O salão estava cheio de ocupantes, mas eram focas, não homens, e, quando o caçador se voltou ao companheiro para perguntar o que tudo aquilo significava, ficou horrorizado ao descobrir que ele também assumira a forma de uma foca. Ficou ainda mais horrorizado quando se avistou num grande espelho pendurado na parede e viu que também não exibia mais a aparência de um homem, mas fora transformado numa bela foca marrom e peluda.

— Ah, ai de mim — disse consigo —, sem que eu tivesse culpa, esse estranho ardiloso lançou-me um feitiço funesto, e nesta forma terrível ficarei pelo resto da minha vida.

No começo, nenhuma das enormes criaturas falou com ele. Qualquer que fosse a razão, pareciam estar muito tristes e se deslocavam brandamente pelo salão, conversando aos murmúrios e lamentos, ou deitavam-se tristonhas no chão arenoso, enxugando grandes lágrimas dos olhos com as barbatanas macias e felpudas.

Mas logo começaram a notá-lo, a sussurrar umas para as outras, e seu guia se afastou dele e desapareceu por uma porta no final do salão. Quando voltou, trazia uma faca enorme na mão.

— Já a viste? — perguntou ele, oferecendo-a para o infeliz caçador de focas, que, para seu horror, reconheceu a própria faca de caça, com a qual atingira a foca de manhã e que fora levada pelo animal ferido.

Ao vê-la, ele caiu de bruços e implorou por misericórdia, pois chegou na mesma hora à conclusão de que os habitantes da caverna, enfurecidos com o mal causado ao seu camarada, haviam, de algum modo mágico, conseguido capturá-lo e levá-lo à sua morada subterrânea, a fim de se vingar dele, matando-o.

Mas, em vez disso, as focas o rodearam, esfregando os narizes macios no pelo dele para demonstrar compaixão, e imploraram que ele não ficasse consternado, pois nenhum mal lhe

aconteceria, e elas o amariam por toda a vida se ao menos fizesse o que lhe pediam.

— Dizei-me o que é — pediu o caçador de focas —, e eu o farei, se estiver ao meu alcance.

— Vem comigo — respondeu seu guia, e abriu caminho até a porta pela qual havia passado quando fora buscar a faca.

O caçador de focas o seguiu. E lá, numa sala menor, encontrou uma grande foca marrom deitada num leito de algas marinhas rosa-pálidas, com uma ferida aberta no lado do corpo.

— Este é o meu pai — disse o guia —, a quem feriste hoje pela manhã, pensando que ele fosse uma das focas comuns que vivem no mar, em vez de um sereiano capaz de falar e entender, assim como vocês, mortais. Eu te trouxe aqui para curar as feridas dele, pois nenhuma outra mão que não a tua pode fazer isso.

— Não tenho habilidade na arte de curar — disse o caçador de focas, admirado com a clemência daquelas estranhas criaturas a quem ele havia inconscientemente injustiçado —, mas vou enfaixar a ferida da melhor maneira possível, e só posso lamentar que tenham sido minhas mãos a causá-la.

Ele foi até o leito e, curvando-se sobre o sereiano ferido, lavou e enfaixou a ferida como pôde; e o toque de suas mãos pareceu funcionar como mágica, pois, assim que terminou, a ferida pareceu se fechar e secar, deixando apenas a cicatriz, e a velha foca se levantou, plenamente recuperada.

Então houve grande alegria em todo o Palácio das Focas. Elas riram, conversaram e se abraçaram à sua maneira estranha, amontoando-se em volta do camarada e esfregando o nariz no dele, como se para mostrar o quanto estavam felizes com sua recuperação.

Mas tudo isso aconteceu enquanto o caçador de focas ficava sozinho num canto, com a mente tomada por pensamentos sombrios, pois, ainda que agora entendesse que não tinham intenção de matá-lo, ele não gostava da ideia de passar o resto da vida na forma de uma foca, a muitas braças de profundidade no oceano.

Naquele momento, porém, para sua grande alegria, o guia se aproximou dele e disse:

— Agora estás livre para voltar para casa, para tua esposa e filhos. Vou levar-te até eles, mas apenas com uma condição.

— E qual é? — perguntou o caçador de focas, ansioso e enlevado com a ideia de voltar em segurança ao mundo superior e à sua família.

— Que faças um juramento solene de nunca mais ferir uma foca.

— Farei isso de bom grado — respondeu ele, pois, embora a promessa significasse abrir mão de seu sustento, ele sentia que, se ao menos recuperasse sua forma correta, sempre poderia se voltar para outra ocupação.

Por isso, fez o juramento exigido com toda a solenidade, erguendo a barbatana enquanto jurava, e todas as outras focas o rodearam como testemunhas. E um suspiro de alívio percorreu os salões quando as palavras foram ditas, pois ele era o caçador de focas mais famoso do norte.

Então, disse adeus aos estranhos companheiros e, acompanhado por seu guia, passou mais uma vez pelas portas de coral, subiu, subiu e subiu pela água verde e sombria, até começar a ficar cada vez mais leve, e por fim emergiram à luz do sol.

Com um salto, chegaram ao topo do penhasco, onde o grande cavalo preto os esperava, mordiscando em silêncio a relva verde.

Quando deixaram a água, seu estranho disfarce sumiu, e agora estavam como antes, um simples caçador de focas e um cavaleiro alto e bem vestido com traje de montaria.

— Monta atrás de mim — disse o último enquanto montava na sela. O caçador de focas fez o que ele pediu, segurando com firmeza o casaco do companheiro, pois se lembrava de ter quase caído na jornada anterior.

Então, tudo aconteceu como acontecera antes. O cavaleiro balançou as rédeas e o cavalo saiu a galope, e não demorou muito

para que o caçador de focas se visse de pé diante do portão do seu jardim.

Levantou o braço para acenar, mas, quando o fez, o estranho pegou um enorme saco de ouro e o colocou na sua mão.

— Cumpriste a tua parte da barganha; devemos cumprir a nossa — disse ele. —Os homens jamais dirão que tiramos o trabalho de um homem honesto sem compensá-lo por isso, e aqui está o que sustentará teu conforto até o fim da tua vida.

Ele então desapareceu e, quando o assombrado caçador de focas levou o saco para dentro de sua choupana e despejou o ouro na mesa, descobriu que o estranho dissera a verdade e que ele seria rico pelo resto de seus dias.

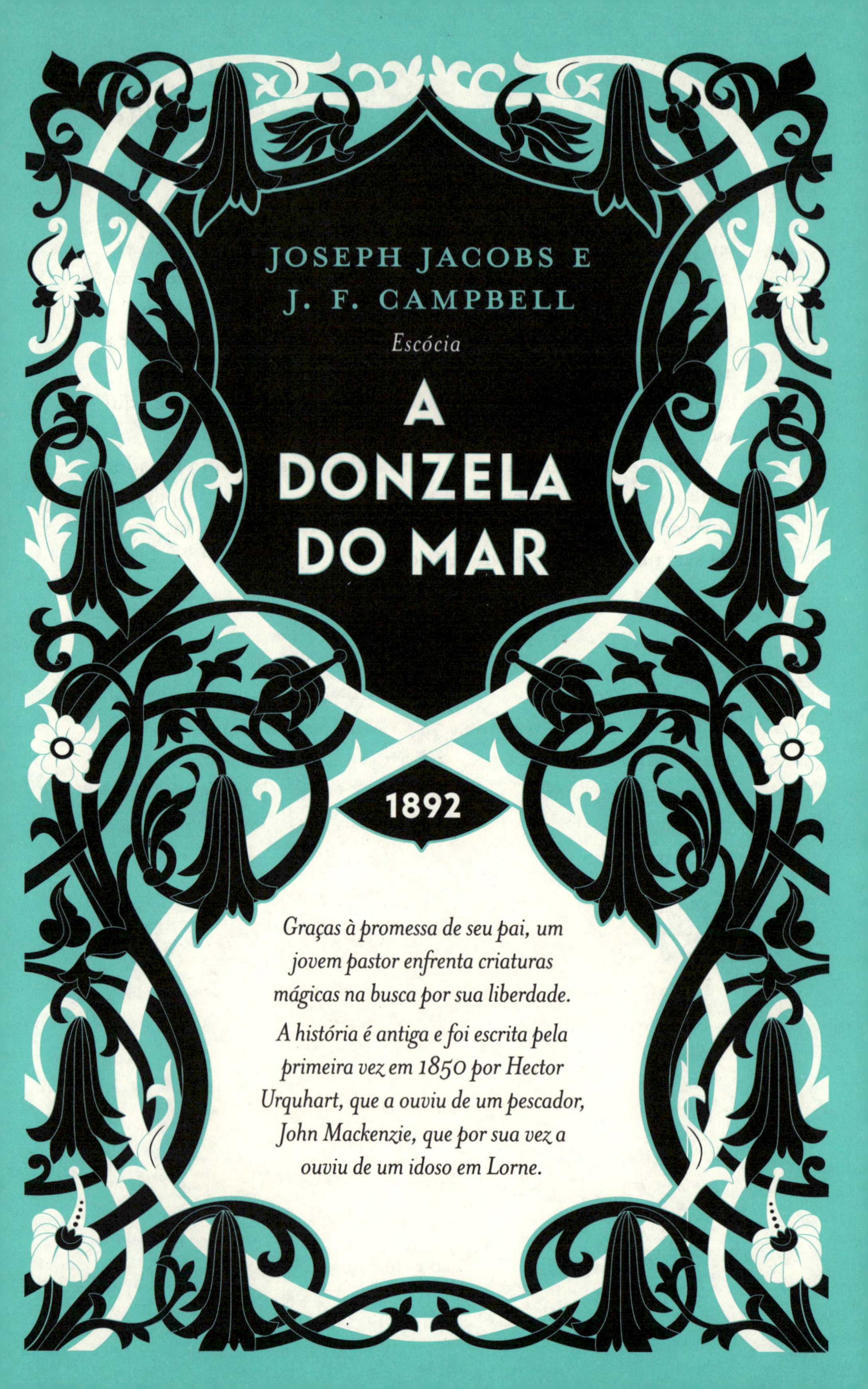
JOSEPH JACOBS E
J. F. CAMPBELL
Escócia
A DONZELA DO MAR
1892
Graças à promessa de seu pai, um jovem pastor enfrenta criaturas mágicas na busca por sua liberdade.
A história é antiga e foi escrita pela primeira vez em 1850 por Hector Urquhart, que a ouviu de um pescador, John Mackenzie, que por sua vez a ouviu de um idoso em Lorne.

ra uma vez um pobre pescador que não estava conseguindo pegar muitos peixes. Num dia fatídico, enquanto ele pescava, emergiu uma donzela do mar ao lado do barco, e perguntou:

— Está pegando bastante peixe?

O velho respondeu:

— Eu, não.

— Que recompensa me daria por mandar muitos peixes para você?

— *Ach*! — disse o velho. — Não tenho muito o que oferecer.

— Você me dará o primeiro filho que tiver? — perguntou ela.

— Eu lhe daria meu filho, se tivesse um — disse ele.

— Então vá para casa e lembre-se de mim quando seu filho tiver vinte anos, e pegará muitos peixes depois disso.

Tudo aconteceu como a donzela do mar disse, e ele pegou muitos peixes; mas, quando os vinte anos estavam perto do fim, o velho ia ficando cada vez mais aflito e pesaroso, enquanto contava cada dia que passava.

Não descansava nem de dia nem de noite.

Um dia, o filho perguntou ao pai:

— Alguém está atormentando o senhor?

— Está, mas isso não tem nada a ver com você nem com mais ninguém — respondeu o velho.

— Eu *preciso* saber o que é — disse o rapaz.

Finalmente, seu pai contou qual era o problema entre ele e a donzela do mar.

— Não se aflija — disse o filho. — Não vou me opor a você.

— Não, você não vai partir, meu filho, ainda que eu nunca mais pegue um peixe.

— Se não vai me deixar ir com o senhor, vá até a ferraria e mande o ferreiro fazer uma espada grande e forte, e sairei em busca da minha fortuna.

O pai foi à ferraria, e o ferreiro fez uma espada pesada para ele. O pai foi para casa com a espada. O rapaz a pegou e a brandiu uma ou duas vezes, e a lâmina explodiu em centenas de estilhaços. Ele pediu ao pai que fosse à ferraria e trouxesse outra espada com o dobro do peso; e foi o que o pai fez, e a mesma coisa aconteceu com a espada seguinte — partiu-se em duas. Lá se foi o velho de volta à ferraria; e o ferreiro fez uma grande espada, diferente de tudo o que já fizera.

— Eis tua espada — disse o ferreiro —, e deve ser boa a mão que empunhe esta lâmina.

O velho deu a espada ao filho, que a movimentou uma ou duas vezes.

— Vai servir — disse ele. — Chegou a hora de seguir meu caminho.

Na manhã seguinte, ele selou um cavalo preto que o pai tinha e aceitou o mundo como seu travesseiro. Depois de viajar um pouco, emparelhou com a carcaça de uma ovelha à beira da estrada. Ali, havia um grande cachorro preto, um falcão e uma lontra que brigavam pelo espólio. Então, pediram que o rapaz o dividisse para eles. Ele desceu do cavalo e dividiu a carcaça entre os três. Três partes para o cachorro, duas para a lontra e uma para o falcão.

— Em agradecimento — disse o cachorro —, se pés ligeiros ou dentes afiados puderem te auxiliar, pensa em mim, e estarei ao teu lado.

— Se o nadar dos pés no fundo de uma poça puder ajudar-te, pensa em mim, e estarei ao teu lado.

— Se surgirem apuros em que asas ligeiras ou garras curvas te sirvam, pensa em mim, e estarei ao teu lado — disse o falcão.

Depois disso, ele prosseguiu até chegar à casa de um rei, e arranjou trabalho como pastor, e seus ganhos seriam de acordo com o leite do rebanho. Ele saiu com as vacas, e não havia nada que pastar. À noite, quando as levou para casa, não tinham muito leite, não havia quase nada no lugar e, naquela noite, sua carne e bebida não passaram de sobras.

JOHN D. BATTEN, 1892

No dia seguinte, foi mais longe com as vacas e finalmente chegou a um lugar com muitíssimo capim, num vale verde como nunca vira igual.

Mas, na hora em que deveria tanger o rebanho para casa, quem ele encontrou senão um grande gigante de espada na mão?

— RÁ! RÔ! HO-GARACH!!! — disse o gigante. — Essas vacas são minhas; estão na minha terra, e tu, morto estás.

— Eu não diria isso — respondeu o pastor. — Não há como saber, mas pode ser mais fácil falar do que fazer.

Ele desembainhou a grande espada triunfal e se aproximou do gigante. O pastor brandiu a espada e a cabeça separou-se do gigante num piscar de olhos. Ele pulou no cavalo preto e foi procurar a casa do gigante. O pastor entrou, e naquele lugar havia dinheiro em profusão, e trajes de todos os tipos no guarda-roupa, com ouro e prata, e uma coisa mais bela que a outra. Ao cair da noite, ele se dirigiu à casa do rei, mas não levou nada da casa do gigante. E, quando as vacas foram ordenhadas, *havia* leite. Nessa noite, o pastor foi bem alimentado, com carne e bebida sem restrição, e o rei ficou muito satisfeito por ter contratado um pastor como ele. Ele continuou assim por um tempo, mas finalmente o vale ficou sem grama e a pastagem deixou de ser tão boa.

Então, pensou em ir um pouco além na terra do gigante, e viu um grande campo de capim. Voltou para buscar as vacas e as levou até o campo.

Não haviam passado muito tempo pastando ali quando um gigante grande e selvagem chegou, raivoso e enlouquecido.

— RÁ! RÓ! HOGARAICH!!! — disse o gigante. — É um gole do teu sangue que vai saciar minha sede esta noite.

— Não há como saber — respondeu o pastor —, mas é mais fácil falar do que fazer.

E, um contra o outro, os dois avançaram. *Aí* houve golpes de espada! Por fim, parecia que o gigante conquistaria a vitória sobre o pastor. Então ele chamou o cachorro, e com um único salto

o animal preto pegou o gigante pelo pescoço, e num instante o pastor cortou sua cabeça.

Nessa noite, ele voltou para casa muito cansado, mas seria de admirar se as vacas do rei não tivessem leite. Toda a família ficou encantada por ter um pastor como aquele.

No dia seguinte, o pastor dirigiu-se ao castelo. Quando chegou à porta, uma velhinha bajuladora o recebeu parada à porta.

— Saudações e boa sorte para ti, filho do pescador; é com prazer que te vejo; grande honra dás a este reino, pois decidiste entrar nele. Tua entrada é a glória deste humilde casebre; entra primeiro; honra aos gentis; segue adiante e toma fôlego.

— Entra antes de mim, anciã; não gosto de lisonjas ao ar livre; entra e vamos ouvir teu discurso.

Entrou a anciã, e, quando ela estava de costas para o rapaz, ele pegou a espada e decepou a cabeça dela; mas a espada voou da sua mão. E ligeira a anciã apanhou a cabeça com as duas mãos e a pôs no pescoço como estava antes. O cachorro pulou na anciã, e ela golpeou o generoso animal com uma clava mágica; e ele foi ao chão. Mas o pastor lutou para tomar a clava mágica, e, com um golpe no alto da cabeça, a anciã caiu por terra num piscar de olhos. Ele seguiu em frente, subiu um pouco e encontrou espólios! Ouro e prata, e uma coisa mais preciosa que a outra, no castelo da anciã. Ele voltou para a casa do rei, e houve grande alegria.

O pastor tangeu o rebanho assim por um tempo; mas uma noite, depois de voltar para casa, em vez de receber "saudações" e "boa sorte" da leiteira, encontrou todos angustiados, chorando.

Perguntou qual era a razão da angústia naquela noite. A leiteira disse:

— Há uma grande fera de três cabeças no lago, e deve receber um sacrifício todo ano, e este ano a sina é da filha do rei, e ao meio-dia de amanhã ela deve ir ao encontro da Fera Asquerosa na margem mais alta do lago, mas há um grande pretendente que vai resgatá-la.

— Que pretendente é esse? — perguntou o pastor.

— Ah, é um grande general do exército — disse a leiteira —, e, quando matar a fera, vai se casar com a filha do rei, pois o rei disse que quem puder salvá-la será seu marido.

Mas na manhã seguinte, quando a hora se aproximava, a filha do rei e esse herói do exército foram se encontrar com a fera, e chegaram à rocha negra, na margem mais alta do lago. Não estavam ali havia muito tempo quando o animal emergiu do meio do lago; mas, quando o general viu esse terror de fera com três cabeças, ficou apavorado, retirou-se à socapa e escondeu-se. E a filha do rei tremia, com medo, sem ninguém para salvá-la. De repente, ela viu um jovem bonito e robusto, montando um cavalo preto e vindo até onde ela estava. Usava um traje magnífico, estava completamente armado e seu cachorro preto o seguia.

— Há tristeza em seu olhar, moça — disse o jovem. — O que faz aqui?

— Ah! Não importa — respondeu a filha do rei. — Dentro em pouco estarei aqui para sempre.

— Eu não diria isso — respondeu ele.

— Um campeão fugiu como você há de fazer, e não foi há muito tempo — disse ela.

— Ele é um campeão que sustenta a guerra — declarou o jovem. E ao encontro da fera ele foi com a espada e o cão. Mas houve estrépito e estardalhaço entre ele e a fera! O cachorro continuou fazendo tudo o que podia, e a filha do rei ficou paralisada de medo dos sons da fera! Ora um estava por baixo, ora por cima. Mas finalmente o jovem cortou uma das cabeças. A fera rugiu, e o filho da terra, eco das rochas, gritou com ela, e isso lançou o lago num nevoeiro de ponta a ponta, e num piscar de olhos sumiu de vista.

— Que a boa sorte e a vitória o acompanhem, rapaz! — disse a filha do rei. — Estou salva por uma noite, mas a fera voltará outras vezes, até perder as outras duas cabeças.

Ele pegou a cabeça da fera, prendeu-a num nó e disse à filha do rei para trazê-la consigo amanhã. Ela deu a ele um anel de

JOHN D. BATTEN, 1892

ouro e voltou para casa com a cabeça apoiada no ombro, e o pastor foi cuidar das vacas. Mas a moça não estava longe quando aquele grande general a viu e disse:

— Vou matá-la se não disser que fui eu quem cortou a cabeça da fera.

— Ah! — respondeu ela —, é o que direi; quem mais cortou a cabeça da fera, senão você?

Chegaram à casa do rei; a cabeça estava apoiada no ombro do general. Houve grande alegria por ela ter voltado para casa viva e inteira, e esse grande capitão com a cabeça da fera cheia de sangue na mão. No dia seguinte, saíram, e não havia a menor dúvida de que esse herói salvaria a filha do rei.

Chegaram ao mesmo lugar e não estavam lá havia muito tempo quando a terrível Fera Asquerosa emergiu no meio do lago, e o herói escapou como fizera antes, mas não demorou muito para que o homem do cavalo preto aparecesse, usando um traje diferente. Não importava; ela sabia que era o mesmo rapaz.

JOHN D. BATTEN, 1892

— É com prazer que o vejo — disse ela. — Espero que você maneje sua grande espada hoje, como fez ontem. Venha e tome fôlego.

Mas não estavam ali havia muito tempo quando viram a fera fumegando no meio do lago.

Na mesma hora ele foi ao encontro da fera, mas houve *claquebam* e *claquebum*, estrépito e estardalhaço, raiva e rugidos da fera! Continuaram lutando por um longo tempo e, ao cair da noite, ele cortou outra cabeça da fera. Prendeu-a num nó e a entregou à moça. Ela deu a ele um de seus brincos, e ele pulou no cavalo preto e foi cuidar do pastoreio.

A filha do rei foi para casa com as cabeças. O general a encontrou, tomou-lhe a cabeça e disse que ela deveria dizer que foi ele quem cortou a cabeça da fera dessa vez também.

— Quem mais cortou a cabeça da fera, senão você? — disse ela. Chegaram à casa do rei com as cabeças. Então houve alegria e contentamento.

Na mesma hora do dia seguinte, os dois saíram. O general se escondeu como geralmente fazia. A filha do rei se dirigiu à margem do lago. O herói do cavalo preto veio, e, se houve raiva e rugidos da fera nos dias anteriores, este foi um dia terrível. Mas não importou; ele cortou a terceira cabeça da fera, prendeu-a no nó e a entregou para a moça. Ela deu a ele seu outro brinco e depois foi para casa com as cabeças. Quando chegaram à casa do rei, todos sorriram, e o general deveria se casar com a filha do rei no dia seguinte. O casamento ia acontecer, e todos no castelo esperavam ansiosos que o padre viesse. Mas, quando o padre chegou, a moça disse que só se casaria com quem conseguisse desatar as cabeças do nó sem cortá-lo.

— Quem deveria desatar as cabeças do nó, senão o homem que as prendeu? — disse o rei.

O general tentou, mas não conseguiu desatá-las, e no fim não restava ninguém na casa que não tivesse tentado fazer isso sem conseguir. O rei perguntou se havia mais alguém na casa para tentar desatar as cabeças do nó. Disseram que o pastor ainda não tentara. Mandaram chamar o pastor, e ele não demorou muito a jogá-las aqui e acolá.

— Mas pare um pouco, meu rapaz — disse a filha do rei. — O homem que cortou as cabeças da fera está com meu anel e meus dois brincos.

O pastor levou a mão ao bolso, tirou as joias e as jogou na mesa.

— És meu homem — disse a filha do rei.

O rei não ficou muito contente quando viu que um pastor se casaria com sua filha, mas ordenou que ele recebesse um traje melhor; mas sua filha falou, e disse que ele tinha o traje mais bonito que já se vira em seu castelo; e assim aconteceu. O pastor vestiu o traje dourado do gigante e eles se casaram no mesmo dia.

Agora estavam casados e tudo corria bem. Mas um dia, e foi o mesmo dia em que seu pai o prometera à donzela do mar, estavam passeando à margem do lago, e eis o que viram! Ela apareceu e o levou para o lago sem licença nem pedido. Agora a filha do

rei estava triste, chorosa e cega de dor pelo marido; estava sempre olhando o lago. Um velho adivinho a encontrou, e a moça contou o que tinha acontecido com seu companheiro. Então ele lhe disse o que fazer para salvá-lo, e ela o fez.

Levou sua harpa para a praia, sentou-se e tocou; e a donzela do mar apareceu para ouvir, pois as donzelas do mar gostam mais de música do que todas as outras criaturas. Mas, quando a esposa viu a donzela do mar, parou. A donzela do mar disse:

— Continue!

Mas a princesa respondeu:

— Não tocarei antes de ver meu homem outra vez.

Então a donzela do mar tirou a cabeça dele do lago. E a princesa tocou mais uma vez, parou e só continuou quando a donzela o ergueu até a cintura. Então a princesa tocou e parou de novo, e desta vez a donzela do mar o tirou todo do lago, e ele chamou o falcão, tornaram-se um só e voaram até a praia. Mas a donzela do mar levou a princesa, sua esposa.

Nessa noite, sofreram todos que estavam na cidade. O marido estava triste, choroso, vagando às margens do lago, para lá e para cá, dia e noite. O velho adivinho o encontrou. O adivinho disse que só havia um modo de matar a donzela do mar, e era este:

— Na ilha que fica no meio do lago, está a corça das patas brancas, das pernas mais esbeltas e do passo mais ligeiro e, se ela for capturada, uma gralha-cinzenta pulará de dentro dela, e se a gralha for capturada, uma truta sairá de dentro dela, mas há um ovo na boca da truta, e a alma da donzela do mar está no ovo, e se o ovo se quebrar, ela morrerá.

Agora, não havia como chegar a essa ilha, pois a donzela do mar afundava cada barco e jangada que entrasse no lago. Ele pensou em tentar pular o estreito montando o cavalo preto, e assim o fez. O cavalo preto pulou o estreito. O rapaz viu a corça e deixou o cachorro preto ir atrás dela, mas, quando estava num lado da ilha, a corça já estava no outro.

— Ah! Quem dera o cachorro preto da carcaça estivesse aqui!

Mal pronunciou a palavra e o cão agradecido apareceu ao seu lado; e atrás da corça ele foi, e não demoraram a fazê-la cair por terra. Mas mal a capturou e uma gralha-cinzenta pulou de dentro dela.

— Quem dera o falcão cinza dos olhos mais aguçados e asas mais ligeiras estivesse aqui!

Mal disse isso, o falcão estava perseguindo a gralha, e não demorou a deitá-la por terra; e, quando a gralha caiu na margem do lago, dela pulou a truta.

— Ah! Quem dera estivesses comigo agora, ó lontra!

Mal falou e a lontra estava ao seu lado, e na água pulou, e trouxe a truta do meio do lago; mas, assim que a lontra voltou à terra com a truta, o ovo saiu da sua boca; o rapaz pulou e pôs o pé em cima dele. Foi então que a donzela do mar apareceu e disse:

— Não quebre o ovo e ganhará tudo o que pedir.

— Entregue-me a minha esposa!

Num piscar de olhos, ela estava ao seu lado. Quando ele segurou a mão dela entre as suas, pisou no ovo e a donzela do mar morreu.

OSCAR WILDE
Irlanda
O GIGANTE EGOÍSTA
1888
Quando o Gigante expulsa as crianças de seu jardim, o Inverno encontra um novo lar e lhe ensina uma preciosa lição.
Uma história autoral e muito popular do mesmo autor de "O Retrato de Dorian Gray".

oda tarde, quando vinham da escola, as crianças costumavam brincar no jardim do Gigante.

Era um jardim grande e gracioso, com grama verde e macia. Aqui e ali, sobre a grama, destacavam-se flores lindas como estrelas, e havia doze pessegueiros que, na primavera, desabrochavam em delicadas flores em tons de rosa e pérola, e no outono davam frutos deliciosos. Os pássaros pousavam nas árvores e cantavam com tanta doçura que as crianças costumavam parar as brincadeiras para ouvi-los.

— Como somos felizes aqui! — gritavam umas para as outras.

Um dia, o Gigante voltou. Ele fora visitar um amigo, o ogro da Cornualha, e ficara com ele por sete anos. Terminados os sete anos, ele havia dito tudo o que tinha a dizer, pois seu assunto era limitado, e decidiu voltar ao próprio castelo. Quando chegou, viu as crianças brincando no jardim.

— O que estão fazendo aqui? — gritou com uma voz muito áspera, e as crianças fugiram.

— Meu jardim é meu jardim — disse o Gigante. — Qualquer um consegue entender isso, e não vou deixar que ninguém além de mim brinque nele.

Então, ele construiu um muro alto ao redor do jardim e colocou uma placa de advertência.

INVASORES
SERÃO
CASTIGADOS

Era um Gigante muito egoísta.

As pobres crianças não tinham mais onde brincar. Tentaram brincar na estrada, mas era muito poeirenta e cheia de pedras duras, e elas não gostaram. Costumavam passear em torno do muro alto quando as aulas terminavam, conversando sobre o belo jardim lá dentro.

— Como éramos felizes lá — diziam umas às outras.

Então chegou a Primavera, e em todo o país havia florzinhas e passarinhos. Somente no jardim do Gigante Egoísta ainda era Inverno. Os pássaros não queriam cantar lá porque não havia crianças, e as árvores se esqueceram de florescer. Um dia, uma linda flor ergueu a cabeça da grama, mas, quando viu a placa de advertência, teve tanta pena das crianças que se recolheu de volta à terra e foi dormir. As únicas pessoas que ficaram satisfeitas foram a Neve e a Geada.

— A Primavera esqueceu este jardim — gritaram elas —, então vamos morar aqui o ano todo.

A Neve cobriu a grama com seu grande manto branco e a Geada pintou todas as árvores de prata. Depois, convidaram o Vento Norte para ficar com elas, e ele veio. Estava envolto em peles, rugiu o dia inteiro pelo jardim e derrubou os chapéus das chaminés.

— Que lugar encantador — disse ele —, precisamos convidar o Granizo para nos visitar.

Então o Granizo veio. Todos os dias, por três horas, ele sacudia o telhado do castelo até quebrar a maior parte das telhas de ardósia, depois corria por todo o jardim o mais rápido que conseguia. Vestia cinza e seu hálito era como gelo.

— Não consigo entender por que a Primavera está tão atrasada — disse o Gigante Egoísta, sentado à janela, olhando para o jardim branco e frio. — Tomara que o tempo mude.

Mas a Primavera nunca veio, nem o Verão. O Outono deu frutos dourados a todos os jardins, mas, ao jardim do Gigante, não deu nenhum.

— Ele é muito egoísta — disse o Outono.

Por isso, era sempre Inverno lá, e o Vento Norte, o Granizo, a Geada e a Neve dançavam entre as árvores.

Uma manhã, o Gigante estava deitado acordado na cama quando ouviu uma linda música. Soou tão doce aos seus ouvidos que ele pensou que deviam ser os músicos do Rei a passar. Na verdade, era só um pequeno pintarroxo cantando do lado de fora da janela, mas fazia tanto tempo desde que o Gigante ouvira um

CHARLES ROBINSON, 1913

pássaro cantar em seu jardim que parecia a música mais bonita do mundo. Então o Granizo parou de dançar sobre a cabeça dele, e o Vento Norte deixou de rugir, e um perfume delicioso o alcançou através da janela aberta.

— Creio que a Primavera finalmente chegou — disse o Gigante, pulou da cama e olhou para fora.

O que ele viu?

Teve uma visão magnífica. Através de um pequeno buraco no muro, as crianças haviam entrado e estavam sentadas nos galhos das árvores. Em todas as árvores que ele podia ver havia uma criancinha. E as árvores ficaram tão felizes por ter as crianças de volta que se cobriram de flores e balançaram os braços delicadamente acima da cabeça dos pequeninos. Os pássaros voavam e gorjeavam com prazer, e as flores espiavam por entre a grama verde e riam. Era uma cena adorável, mas num canto ainda era Inverno. Era o canto mais distante do jardim, e nele havia um garotinho. Era tão pequeno que não conseguia alcançar os galhos da árvore e vagava em torno dela, chorando amargamente. A pobre árvore

WALTER CRANE, 1910

ainda estava muito coberta de Geada e Neve, e o Vento Norte soprava e rugia acima dela.

— Suba, garotinho! — disse a Árvore, e inclinou os galhos o mais baixo que pôde; mas o menino era pequeno demais.

E o coração do Gigante se derreteu enquanto ele olhava para fora.

— Como fui egoísta! — disse ele. — Agora sei por que a Primavera não veio para cá. Vou colocar aquele pobre garotinho no alto da árvore e depois derrubar o muro, e meu jardim será o parquinho das crianças para sempre.

Ele realmente lamentava muito o que havia feito. Assim, desceu a escada, abriu a porta da frente delicadamente e saiu para o jardim. Mas, quando as crianças o viram, tiveram tanto medo que fugiram, e o jardim voltou a ser Inverno. Só o garotinho não correu, pois seus olhos estavam tão tomados de lágrimas que ele não viu o Gigante chegar. E o Gigante aproximou-se por trás dele e o pegou gentilmente na mão, e o colocou no alto da árvore. E nesse instante a árvore abriu todas as suas flores, e os pássaros vieram e cantaram nela, e o garotinho esticou os braços, lançando-os ao redor do pescoço do Gigante, e o beijou. E as outras crianças, quando viram que o Gigante não era mais malvado, voltaram correndo, e com elas veio a Primavera.

— Agora o jardim é seu, pequeninos — disse o Gigante. Pegou um grande machado e derrubou o muro.

E quando as pessoas foram ao mercado, às doze horas, encontraram o Gigante brincando com as crianças no jardim mais bonito que já tinham visto.

Durante todo o dia elas brincaram. À noite, foram se despedir do Gigante.

— Mas onde está seu coleguinha? — perguntou ele. — O garoto que eu coloquei na árvore.

O Gigante amava mais esse menino porque ele o beijara.

— Não sabemos — responderam as crianças. — Ele foi embora.

— Vocês devem dizer a ele para vir aqui amanhã com certeza — disse o Gigante. Mas as crianças disseram que não sabiam onde ele morava e nunca o tinham visto antes; o Gigante ficou muito triste.

Toda tarde, quando as aulas terminavam, as crianças vinham brincar com o Gigante. Mas ninguém nunca mais viu o menino que ele amava. O Gigante era muito gentil com todas

SPENCER BAIRD NICHOLS, 1913

as crianças, porém tinha saudades do seu primeiro amiguinho e sempre falava dele.

— Como eu gostaria de vê-lo! — dizia com frequência.

Os anos se passaram e o Gigante ficou muito velho e frágil. Não conseguia mais brincar, por isso, sentava-se numa enorme poltrona, observava as crianças em suas brincadeiras e admirava o jardim.

— Tenho muitas flores bonitas — dizia ele. — Mas as crianças são as flores mais lindas de todas.

Numa manhã de inverno, ele olhou pela janela enquanto se vestia. Agora, não detestava o Inverno, pois sabia que era apenas a Primavera adormecida e que as flores estavam descansando.

De repente, esfregou os olhos, admirado, e olhou e olhou. Com certeza era uma visão maravilhosa. No canto mais distante do jardim, havia uma árvore coberta de lindas flores brancas. Seus galhos eram todos dourados, e frutas prateadas pendiam deles, e embaixo dela estava o menino que ele havia amado.

Para o andar de baixo correu o Gigante com grande alegria e saiu para o jardim. Correu pela grama e se aproximou da criança. E, quando chegou bem perto, seu rosto ficou vermelho de raiva e ele disse:

— Quem se atreveu a ferir-te? — Pois na palma das mãos da criança havia a marca de dois pregos, e marcas iguais em seus pezinhos. — Quem se atreveu a ferir-te? — gritou o gigante. — Dize-me, que eu hei de pegar minha grande espada e matá-lo.

— Não! — respondeu a criança. — Mas estas são as feridas do Amor.

— Quem és tu? — perguntou o Gigante, e foi tomado por uma estranha reverência, e se ajoelhou diante da criança.

E a criança sorriu para o Gigante e disse:

— Um dia, você me deixou brincar no seu jardim; hoje, virá comigo ao meu jardim, que é o Paraíso.

E, quando as crianças correram naquela tarde, encontraram o Gigante morto debaixo da árvore, todo coberto de flores brancas.

ANNA
MACMANUS
Países Celtas
A TOSA
DA LÃ
ENCANTADA
1904
Em uma história de deuses
antigos, druidas e criaturas
celtas, um bondoso rei vê seu
reino ser aterrorizado por um
rebanho de ovelhas fantasmas,
até receber ajuda de um
misterioso estranho.

ia após dia, o rei tinha ouvido os relatos incoerentes que o povo da montanha e o povo do vale traziam. Vendo o medo que espreitava por trás dos olhos arregalados das pessoas, os do rei se estreitaram ao pensar em como esse pânico que havia se apoderado de seus súditos poderia ser minorado. Não duvidava que houvesse, na verdade, um motivo grave para todo aquele padecimento mental. Ouvira com eles o balido das ovelhas fantasmas ecoando dos picos altos e longínquos das montanhas e, olhando da porta de seu *dún* real, vira os rebanhos brancos como a neve andando para lá e para cá pela relva, onde o povo das montanhas morava nas cavernas envoltas na névoa. Seus druidas buscaram o conhecimento das estrelas em vigílias noturnas e voltaram com o rosto assombrado para revelar a inutilidade de suas pesquisas.

— Não cabe a nós sondar, ó rei, os desígnios dos imortais. A mão de Manannan-Mac-Lir[7] está visível no céu, e esses são seus rebanhos encantados, que só muito raramente aparecem diante dos olhos dos homens no decorrer das eras. Se é para o bem ou para o mal que ele os mostra para nós agora, não sabemos, mas é imprudência interferir nas manifestações dos deuses.

— Ai! Minha gente definha diante dos meus olhos — disse o rei —, e os doentes gemem em seus leitos enquanto o medo pálido abala seus corações. Não há nada a fazer para apaziguar a ira do Deus do Mar? Ou vós conseguis descobrir se a ira dele é contra nós?

— Voltaremos à nossa vigília, ó monarca, e ao amanhecer vos traremos qualquer notícia que nos seja entregue — responderam humildemente os druidas, retirando-se da presença real; estavam cansados das longas vigílias noturnas, mas ansiosos para desvendar o mistério da temível aparição que causara tanta angústia ao povo de Sorcha.

O rei, pensativo, olhou para a multidão ajoelhada, demorando-se mais nos montanheses hirsutos, com seus trajes bárbaros de pele e couro curtido. Os cabelos e barbas desse povo cresciam

7 Deus irlandês do mar. [N. T.]

numa profusão selvagem; no cabo das suas lanças de caça havia vestígios de sangue seco. Começaram a falar depressa, usando palavras rudes e levantando as mãos numa súplica.

— O que foi que vistes e o que temeis? — falou-lhes o rei num tom tranquilizador.

O clamor da resposta veio como o rugido de um rio caudaloso:

— Ouvimos perto de nossas casas, ao anoitecer, nos recantos secretos das colinas, ó rei, o balido de um grande rebanho de ovelhas e, quando seguimos para onde ele levava, fomos pegos em nuvens de névoa, de modo que muitos de nós, escorregando de trilhas estreitas, caíram e se despedaçaram nas rochas lá em baixo. O balido e um som de passos ainda vinham da névoa até nossos ouvidos, como se houvesse uma multidão atrás de nós, e, quando esticamos os braços, a névoa se abriu e subiu como enormes flocos de neve. Agora, o som ecoa em todas as montanhas. Nossa gente está paralisada de horror e não se atreve a caçar os animais selvagens que lhe servem de comida. Nossos rebanhos fugiram para o vale, assim como nós, aterrorizados. A fome nos assola e a doença se apoderou de nossas mulheres e crianças. E os *demnaeoir*, os demônios do ar, gritam no vento ao nosso redor, e os *geinte glindi*, o povo selvagem dos vales, seguem nossos passos por toda parte, até não sabermos para onde ir, e, por puro horror, pedimos aos deuses que nos deem a morte.

— E nós — contaram os moradores do vale — também vivemos à sombra desse grande medo, ó rei, pois nossos olhos estão sempre voltados para as montanhas, enquanto nossos campos ficam sem cultivo e nosso trabalho por terminar, tamanha é a cruel fascinação que nos toma. O lamento da *bean-sidhe*[8] se faz ouvir de um lado a outro do vale, afugentando nosso sono à noite, e os cães se encolhem, trêmulos e arrepiados, quando nossas mulheres os expulsam do canto da lareira para a luz do dia.

O rei gemeu, cansado, balançando-se de um lado para o outro no trono dourado. Seu coração se comovia até pelo mais humilde

8 *Bean sidhe* (irlandês), *ban sith* (gaélico) ou *banshee* (inglês) é uma entidade feminina cujo grito é um presságio de morte. [N. T.]

dos súditos, e seu governo sábio mantivera a paz na terra por muitos anos. Esse desastre não fora causado por ele, tampouco algum daqueles rostos arrasados pelo medo o encarava com os olhos da culpa.

— Quando o próximo dia raiar — disse-lhes num tom terno —, subirei até o alto daquelas montanhas convosco, meus filhos, e, se os deuses forem gentis, talvez Manannan-Mac-Lir me conceda uma audiência. Além disso, meus druidas farão oferendas de expiação: ouro, prata e pedras preciosas, e ainda holocaustos do gado dos meus pastos, para que essa maldição abandone a mim e aos meus.

Beijando a bainha do manto real, os súditos deixaram o salão de audiências, silenciados pela tristeza na voz do rei.

O território de Sorcha ficava numa longa cadeia de montanhas que o protegia a leste, norte e oeste, mas se inclinava rumo ao sul, onde o mar chegava a uma praia de areia branca ao abrigo de grandes falésias. Ali, a casa real postava-se como sentinela. De sua atalaia, via-se o vasto horizonte, de modo que nenhuma frota de navios hostis podia se aproximar da terra sem que alguém a avistasse, nem um único estranho conseguiria atravessar a fronteira mais distante sem que os capitães do exército soubessem, tão atenta e minuciosa era a segurança do território contra invasões estrangeiras. Foi por meio desse zelo extremado para com seu povo e suas terras que o Rei Feredach passou a ser conhecido como O Generoso, e a fama universal coroou seu nome de glórias.

Agora, sua alma adoecia no íntimo ao ver as aflições toldarem seu reino. Ainda estava sentado, depois que o último requerente deixou o salão, meditando sobre o pânico inexplicável que prometia transformar seu país belo e fértil num deserto de solidão e penúria. Quando ele se inclinou para a frente, a barba grisalha cobrindo o peito e os olhos vítreos voltados para baixo, um estranho entrou pela porta ampla, cruzou o salão coberto de juncos e curvou-se numa saudação diante dele.

— Salve, ó Rei Feredach! — disse ele. — Eu gostaria de falar contigo.

O rei ergueu o olhar e viu um homem com um traje belíssimo, colorido como a pele cambiante de uma serpente marinha. Ao redor da cintura, uma serpente dourada se enrolava como cinto, enquanto um manto verde, com os tons reluzentes e inconstantes do mar à luz da lua, cobria seus ombros e arrastava no chão. Seus cabelos eram de um dourado avermelhado e lustroso, e sobre eles havia uma coroa prodigiosa de algas, ainda cintilando com a umidade salgada das profundezas. Seu rosto era jovem, bonito e acolhedor, com olhos claros, de movimentos ágeis. Era mais alto que qualquer homem em Sorcha e trazia na mão um par de imensas tesouras de tosquia, afiadas e brilhantes.

— Quem és tu? — perguntou Feredach. — E como passaste por meus guardas lá embaixo? Ninguém vem à minha presença sem que eles o anunciem.

— Nenhum de teus guardas me viu, ó rei, pois esconderam o rosto do sol e seus ouvidos ficaram surdos aos meus passos. Vim de longe para tirar do teu povo o pânico que se abateu sobre ele.

— Qual é o teu nome?

— Meu nome é apenas o de um andarilho, ó rei; um viajante do mar, vendedor de sedas maravilhosas e curiosidades de muitas terras. Onde quer que se possa encontrar uma raridade, para lá irei; e, tendo ouvido falar de como teu reino está aflito com os sinais da inimizade dos deuses, eu, que não conheço o medo, vim encontrar o rebanho encantado e tosquiar sua lã para que o sofrimento se acabe.

— Será a tua morte — disse o rei —, pois ninguém o consegue encontrar.

— Mas *eu* descobrirei onde o rebanho se esconde — respondeu o estrangeiro do mar — e tu permanecerás aqui no teu trono até eu voltar.

Ao comando daquela voz, o rei ficou sentado, imóvel, e os guardas diante do salão de audiências não pareceram ver nem ouvir nada.

Enquanto o rei esperava, sentado ereto como uma estátua de pedra, a manhã deu lugar ao meio-dia e a tarde dirigiu-se devagar aos braços do pôr do sol. Então, quando os vastos portais do Ocidente se abriram para a passagem do Deus do Dia, o estrangeiro voltou a entrar no salão do palácio ao esplendor da luz minguante. Nos braços ele trazia, numa pilha alta e branca, a lã mais fina e sedosa que já se vira em Sorcha, tão macia, tão longo seu comprimento e tão alva a cor.

Ele deixou os tosões diante do rei.

— A praga afastou-se do teu povo, ó Feredach; os balidos dos rebanhos não o molestarão mais. Os teus vales hão de verdejar outra vez e os javalis voltarão às tuas montanhas. Quanto a mim, vou à Terra de Eirinn, aos teares dos Dé-Danaans[9], no âmago de uma colina isolada, para tecer uma capa invisível com estes tosões para meu filho adotivo, o jovem Campeão de Uladh, Cuchulainn[10]. Tal capa o protegerá das feridas na batalha e das doenças na paz, e nada terá poder sobre ela senão o povo do mar. Esta lã foi tosquiada das Ovelhas de Manannan, que vagam invisíveis por muitas montanhas do mundo; diante dos olhos dos homens, sua aparição é acompanhada por grandes desastres, mas não pela inimizade dos deuses. Despeço-me de ti, ó rei; minha tarefa está terminada.

— Fica, ó sábio estrangeiro! — exclamou Feredach, agarrando a capa verde-mar, mas sua mão se fechou no ar vazio e, em vez de passos, ouviu-se apenas um murmúrio leve e plácido como o das ondas quebrando numa praia de seixos.

— Era Manannan-Mac-Lir em pessoa — disseram os druidas, pálidos de espanto. — Era a Divindade das Águas, pois, quando olhamos da atalaia, vimos uma onda longa, estreita e branca subir a costa até a porta de vosso *dún*, ó rei, e na crista da onda subia e descia uma carruagem prateada, com quatro cavalos brancos de patas velozes atrelados a ela, e na carruagem vinha ele carregando os tosões, e, enquanto forçávamos a vista, a onda branca quebrou no oceano com uma grande quantidade de espuma avermelhada quando o Sol atravessava os Portões de Ouro.

— Louvados sejam os Deuses! — disse Feredach.

— Louvados sejam. E vós também, ó rei! — entoaram os druidas.

9 Referência aos Tuatha Dé Danaan, "povo da deusa Danu" em irlandês médio, povo mágico que teria habitado a Irlanda. [N. T.]

10 Lendário herói irlandês. [N. T.]

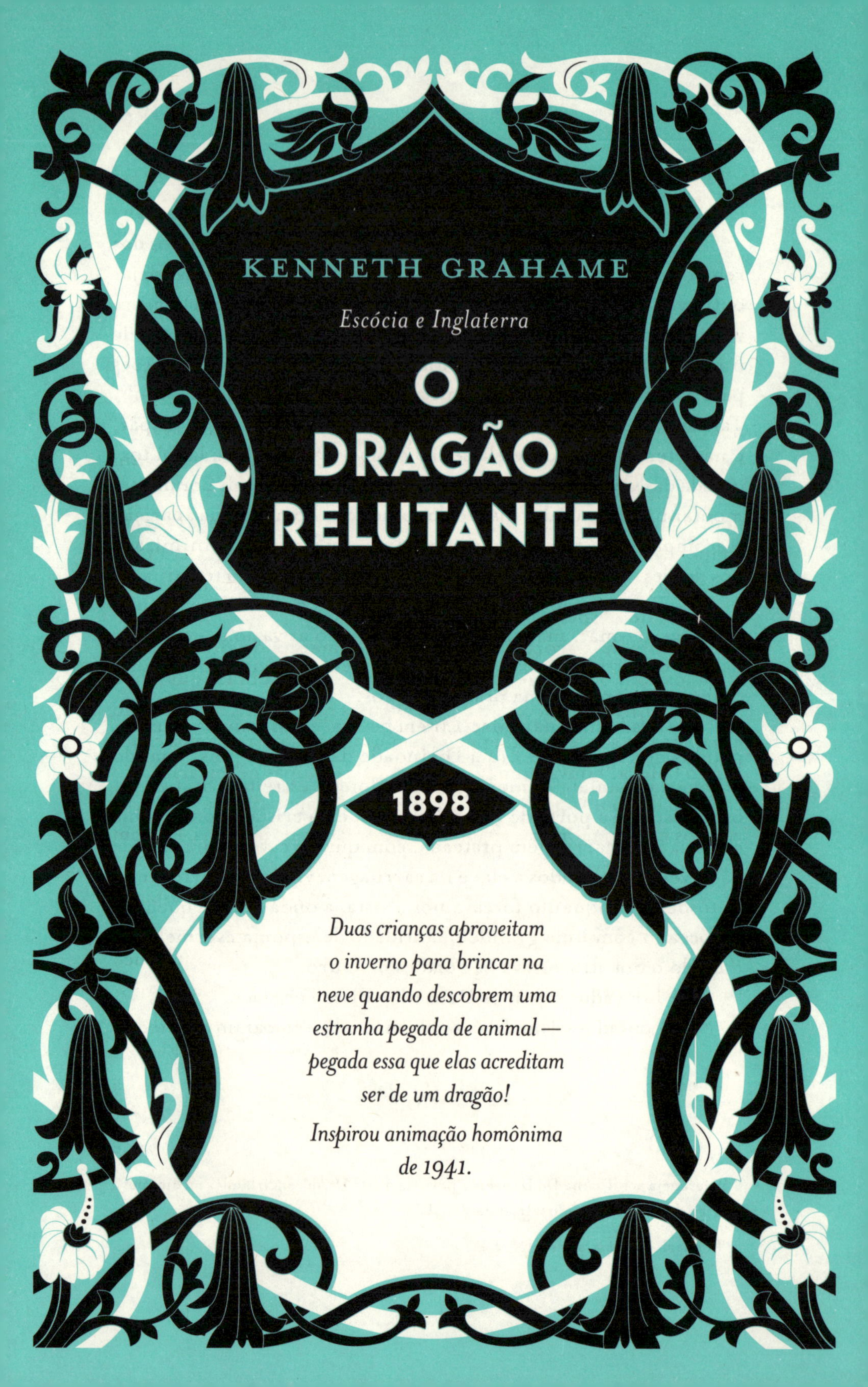
KENNETH GRAHAME
Escócia e Inglaterra
O DRAGÃO RELUTANTE
1898
Duas crianças aproveitam o inverno para brincar na neve quando descobrem uma estranha pegada de animal — pegada essa que elas acreditam ser de um dragão!
Inspirou animação homônima de 1941.

s pegadas na neve têm sido provocadoras infalíveis de sentimentos desde que a neve se tornou uma maravilha branca neste nosso mundo de cor monótona. Em um livro de poesia apresentado a um de nós por uma tia, havia um poema de um tal Wordsworth, no qual elas se destacavam muito — e também tinham uma ilustração só para elas —, mas não admirávamos muito o poema nem o sentimento. Pegadas na areia, porém, eram outro assunto totalmente diferente, e entendíamos o raciocínio de Crusoé[11] com muito mais facilidade do que o de Wordsworth. Empolgação e mistério, curiosidade e suspense — esses eram os únicos sentimentos que os rastros, fossem na areia ou na neve, conseguiam despertar em nós.

Tínhamos acordado cedo naquela manhã de inverno, intrigados com o excesso de luz que enchia a sala. Então, quando a verdade enfim nos ocorreu e percebemos que a festa na neve não era mais um sonho nostálgico, e sim uma sólida certeza nos esperando lá fora, houve uma luta brutal pelas roupas necessárias, e o cadarço das botas parecia uma invenção desajeitada, e abotoar os casacos era uma forma extremamente enfadonha de fechá-los com toda aquela neve sendo desperdiçada à nossa porta.

Quando chegou a hora do jantar, tivemos que ser arrastados para dentro pela nuca. Terminado o curto armistício, o combate foi retomado; mas, naquele momento, Charlotte e eu, um pouco cansados de competições e de mísseis que escorriam trêmulos por dentro das roupas, abandonamos o campo de batalha pisoteado do gramado e fomos explorar os espaços virgens do mundo branco que ficavam um pouco além. Por todos os lados, essa misteriosa roupagem macia, sob a qual nosso mundo conhecido se escondera tão de repente, se estendia intacta. Marcas fracas mostravam onde um ou outro pássaro tinha pousado, mas não havia quase nenhum

11 Robinson Crusoé, personagem principal do romance homônimo de Daniel Defoe.

sinal de outro tráfego, o que tornava esses rastros estranhos ainda mais intrigantes.

Nós os vimos primeiro no canto dos arbustos, e nos debruçamos sobre os rastros por muito tempo, com as mãos nos joelhos. Como sabíamos que éramos caçadores experientes, era irritante encontrar de repente um animal que não conseguimos identificar de imediato.

— Você não conhece? — indagou Charlotte, com certo desdém. — Achei que você conhecesse todos os animais que existem.

Isso me deu determinação, e eu rapidamente recitei uma série de nomes de animais, abrangendo as zonas ártica e tropical, mas sem muita confiança.

— Não — disse Charlotte, refletindo. — Não é nenhum desses. Parece um pouco com um *lagarto*. Você disse iguanodonte? Pode ser isso, talvez. Mas não é britânico, e queremos um bicho verdadeiramente britânico. *Eu* acho que é um dragão!

— Não tem nem a metade do tamanho de um dragão — contestei.

— Bem, todos os dragões nascem pequenos — disse Charlotte —, como tudo no mundo. Talvez seja um dragãozinho que se perdeu. Seria muito bom ter um dragãozinho. Ele pode arranhar e cuspir, mas não pode *fazer* nada de verdade. Vamos seguir os rastros!

E assim partimos pelo amplo mundo coberto de neve, de mãos dadas, com o coração cheio de expectativa — confiantes de que, com alguns rastros borrados na neve, estávamos no caminho certo para capturar um espécime semicrescido de um animal fabuloso.

Corremos atrás do monstro pelo pasto e ao longo da sebe do campo ao lado, depois ele pegou a estrada como qualquer pagador de impostos civilizado e dócil. Ali, seus rastros ficaram misturados e perdidos entre pegadas mais comuns, mas a imaginação e uma ideia fixa vão longe, e tínhamos certeza de que sabíamos a direção que um dragão tomaria naturalmente. As pegadas também continuavam reaparecendo em intervalos — pelo menos Charlotte garantia que sim e, como o dragão era dela, deixei o rastro para ela

MAXFIELD PARRISH, 1901

seguir e trotei ao lado, em paz, sentindo que era uma expedição, de qualquer maneira, e alguma coisa ia sair daquilo.

Charlotte me levou por mais um ou dois campos e por um bosque e uma nova estrada; e comecei a ter certeza de que era apenas seu maldito orgulho que a fazia continuar fingindo que via rastros de dragão em vez de assumir que estava totalmente errada, como uma pessoa razoável. Por fim, ela me arrastou com empolgação por uma abertura em uma sebe de caráter obviamente privativo; o mundo aberto e descampado do pasto e a cerca viva desapareceram, e nos vimos em um jardim bem-cuidado, isolado e sem a menor aparência de ser habitado por dragões. Depois que entramos, eu sabia onde estávamos. Era o jardim do homem do circo, meu amigo, apesar de eu nunca ter entrado ali por uma abertura ilegal, por este lado desconhecido. E ali estava o homem do circo, fumando placidamente seu cachimbo enquanto andava de um lado para o outro do caminho. Fui até ele e perguntei com educação se ele tinha visto um animal nos últimos dias.

— Posso indagar — disse ele, com toda civilidade — que tipo específico de animal vocês estão procurando?

— É um animal parecido com um *lagarto* — expliquei. — Charlotte diz que é um dragão, mas ela não entende muito de animais.

O homem do circo olhou ao redor devagar.

— *Acho* — disse ele — que não vi nenhum dragão por estas partes, nos últimos dias. Mas, se eu encontrar um, saberei que pertence a vocês e vou entregá-lo imediatamente.

— Muito obrigada — disse Charlotte —, mas não se *preocupe* com isso, por favor, porque talvez nem seja um dragão, no fim das contas. Só que eu pensei ter visto umas pequenas pegadas na neve, e nós as seguimos, e elas pareciam vir até aqui, mas talvez tudo seja um engano, mas obrigada mesmo assim.

— Ah, não é preocupação nenhuma — disse o homem do circo, todo animado. — Eu ficaria muito feliz. Mas é claro, como você disse, *pode* ter sido um engano. E está escurecendo, e o bicho

parece ter sumido por enquanto, seja ele o que for. É melhor vocês entrarem para tomar um chá. Estou muito sozinho, e podemos fazer uma fogueira vibrante, e eu tenho o maior Livro de Animais que vocês já viram. Tem todos os bichos do mundo, e todos coloridos; e podemos tentar achar seu animal nele!

Sempre estávamos preparados para um chá a qualquer momento, ainda mais combinado com animais. Também havia marmelada e geleia de damasco, trazidas especialmente para nós; e depois o livro de bichos foi aberto e, como o homem tinha dito, continha todo tipo de animal que já existiu no mundo.

O bater das seis horas fez Charlotte, sempre mais prudente, me cutucar, e saímos com algum esforço da Terra das Feras e nos levantamos relutantes para ir embora.

— Está bem, eu vou com vocês — disse o homem do circo. — Quero fumar mais um cachimbo, e uma caminhada vai me fazer bem. Vocês não precisam falar comigo, se não quiserem.

Nossos espíritos se elevaram de novo ao seu estado habitual. O caminho parecia tão comprido, o mundo externo tão escuro e assustador depois do cômodo aquecido e claro e do livro de bichos coloridos. Mas uma caminhada com um Homem de verdade – ora, isso em si já era um prazer! Saímos apressados, com o Homem no meio. Olhei para ele e me perguntei se chegaria a viver para fumar um cachimbo grande com aquele tipo de majestade descuidada. Mas Charlotte, cuja mente jovem não estava voltada para o tabaco como um possível objetivo, falou alguma coisa do outro lado.

— Agora, então — disse ela —, conte-nos uma história, por favor?

O Homem deu um suspiro pesado e olhou ao redor.

— Eu sabia — resmungou. — Eu *sabia* que ia ter que contar uma história. Ah, por que saí de perto da minha agradável lareira? Bem, eu *vou* contar uma história para vocês. Só me deixem pensar por um minuto.

Ele pensou por um minuto, depois nos contou a seguinte história:

Muito tempo atrás — podem ter sido centenas de anos —, em uma cabana a meio caminho entre este vilarejo e a descida para as falésias acolá, vivia um pastor com sua esposa e seu filhinho. O pastor passava os dias — e, em certas épocas do ano, as noites também — no amplo âmago do oceano nas falésias, acompanhado apenas do sol, das estrelas e das ovelhas, e o mundo da falação amigável de homens e mulheres bem longe dos olhos e dos ouvidos. Mas seu filhinho, quando não estava ajudando o pai, e muitas vezes quando estava, passava muito tempo enterrado em grandes volumes que pegava emprestados com os aristocratas corteses e os párocos interessados da região. E os pais gostavam muito dele e tinham muito orgulho também, embora não deixassem transparecer isso, de modo que ele tinha liberdade para seguir seu caminho e ler o quanto quisesse; e, em vez de frequentemente levar um tapa na lateral da cabeça, como poderia muito bem ter acontecido com ele, os pais o tratavam mais ou menos como igual e achavam, de um jeito sensato, que era uma divisão muito justa do trabalho que eles fornecessem o conhecimento prático e, ele, a parte do aprendizado pelos livros. Eles sabiam que o aprendizado pelos livros muitas vezes era útil em momentos de dificuldade, apesar do que os vizinhos diziam. O Menino se interessava principalmente por história natural e contos de fadas e os lia na ordem em que apareciam, um atrás do outro, sem fazer nenhuma distinção; e seu progresso na leitura parecia muito sensato.

Certa noite, o pastor, que tinha passado algumas noites atormentado e preocupado e sem seu equilíbrio mental habitual, voltou para casa todo trêmulo e, ao se sentar à mesa onde a esposa e o filho estavam em paz, ela com suas costuras, ele seguindo as aventuras do Gigante sem Coração no Corpo, exclamou com muita agitação:

— Já chega, Maria! Nunca mais vou lá nas falésias, nunca, nunca mais!

— Não diga isso — disse a esposa, que era uma mulher *muito sensata*. — Mas nos conte tudo primeiro, o que quer que tenha lhe

dado essa tremedeira, e assim eu e você e o filho aqui, entre nós, vamos conseguir resolver tudo!

— Começou algumas noites atrás — disse o pastor. — Você conhece aquela caverna lá. Nunca gostei dela, por algum motivo, e as ovelhas também nunca gostaram. E, quando as ovelhas não gostam de uma coisa, geralmente há um motivo para isso. Bem, há algum tempo ouço barulhos fracos vindos da caverna: ruídos como suspiros pesados, com rosnados misturados; e às vezes um ronco bem distante, um ronco *real*, mas de algum jeito não era um ronco *honesto*, como você e eu em algumas noites, você sabe!

— *Eu* sei — observou o Menino, baixinho.

— Claro que eu fiquei terrivelmente assustado — continuou o pastor —, mas por algum motivo não consegui ficar longe. E, hoje à noite, antes de descer, dei uma volta na caverna, em silêncio. E lá, ó, Senhor!, lá eu o vi finalmente, claro como estou vendo vocês!

— Viu *quem?* — indagou a esposa, começando a compartilhar o pavor nervoso do marido.

— *Ele*, ora, estou lhes dizendo! — explicou o pastor. — Ele estava com metade para fora da caverna e parecia apreciar o frescor do entardecer de um jeito poético. Era grande como quatro cavalos de carroça e todo coberto com escamas brilhosas: escamas em azul-profundo no topo, desbotando até um tipo suave de verde abaixo. Quando ele respirou, houve aquele tipo de tremulação nas narinas que a gente vê nas ruas de calcário em um dia quente e sem vento no verão. Ele estava com o queixo apoiado nas patas, e eu diria que ele estava meditando sobre as coisas. Ah, sim, um animal do tipo pacífico e não furioso nem mal-educado nem fazendo alguma coisa que não fosse certa e adequada. Admito tudo isso. E, mesmo assim, o que devo fazer? *Escamas,* sabe, e garras, e um rabo com certeza, apesar de eu não ter visto esse lado dele. Não estou *acostumado* a eles, não tenho *domínio* sobre eles, e isso é um fato!

O Menino, que aparentemente estava absorto no livro durante o relato do pai, fechou o volume, bocejou, juntou as mãos atrás da cabeça e disse, sonolento:

— Tudo bem, pai. Não se preocupe. É só um dragão.

— Só um dragão? — gritou o pai. — O que você quer dizer, sentado aí, você e seus dragões? *Só* um dragão, veja só! E o que *você* sabe sobre isso?

— Porque é, e porque eu sei *mesmo* — respondeu o Menino, baixinho. — Olhe aqui, pai, você sabe que cada um de nós tem sua especialidade. *Você* entende de ovelhas e do clima e de coisas; *eu* entendo de dragões. Eu sempre falei, você sabe, que aquela caverna lá era uma caverna de dragão. Sempre falei que devia ter pertencido a um dragão em algum momento e devia pertencer a um dragão agora, se as regras servem para alguma coisa. Bem, agora você me diz que ela *tem* um dragão, e está *tudo* bem. Não estou nem um pouco mais surpreso do que quando você me disse que *não tinha* um dragão lá. As regras sempre estão certas, se esperarmos em silêncio. Agora, por favor, deixe tudo isso por minha conta. Vou até lá amanhã de manhã — não, de manhã não posso, tenho muitas coisas para fazer —, bem, talvez à noitinha, se eu estiver livre, vou até lá para conversar com ele, e você vai ver que vai dar tudo certo. Só, por favor, não se preocupe em ir lá comigo. Você não os entende nem um pouco, e eles são muito sensíveis, você sabe!

— Ele está certo, pai — disse a mãe sensata. — Como ele diz, dragões são a especialidade dele, não a nossa. Ele tem um conhecimento maravilhoso sobre os animais dos livros, como todo mundo sabe. E, para dizer a verdade, não estou feliz aqui comigo, pensando naquele pobre animal deitado lá sozinho, sem um jantar quentinho nem ninguém com quem trocar notícias; e talvez possamos fazer alguma coisa por ele; e, se ele não for respeitável, nosso Menino vai descobrir isso rapidamente. Ele tem um jeito agradável que faz todo mundo lhe contar tudo.

No dia seguinte, depois de tomar o chá, o Menino caminhou pela trilha de calcário que levava ao pico das falésias; e lá, com toda certeza, encontrou o dragão, estirado preguiçosamente no gramado em frente à caverna. A vista daquele ponto era magnífica. À direita e à esquerda, as léguas descobertas e cheias de

salgueiros das falésias; adiante, o vale, com suas fazendas apinhadas, o tracejado branco das estradas passando por pomares e hectares bem cultivados e, bem distante, um indício de antigas cidades cinzentas no horizonte. Uma brisa fria brincava na superfície do gramado, e as curvas prateadas de uma grande lua estavam aparecendo sobre juníperos distantes. Não por acaso, o dragão parecia estar com um humor pacífico e satisfeito; na verdade, quando o Menino se aproximou, deu para ouvir o animal ronronando com uma regularidade feliz.

— Ora, vivendo e aprendendo! — disse ele para si mesmo. — Nenhum dos meus livros jamais me disse que os dragões ronronam!

— Olá, dragão! — disse o Menino, baixinho, quando chegou perto dele.

O dragão, ao ouvir os passos se aproximando, deu início a um esforço educado para se levantar. Mas, quando viu que era um Menino, juntou as sobrancelhas de um jeito sério.

— Não me bata — disse ele —, nem jogue pedras, nem água, nem nada. Não vou aceitar isso, já vou avisando!

— Não vou bater em você — disse o Menino, cansado, se jogando no gramado ao lado do animal —, e pare, pelo bem de todos, de dizer "não". Ouço tanto isso, e é monótono, e me deixa cansado. Eu só vim para perguntar como você estava e essas coisas; mas, se eu estiver atrapalhando, posso ir embora com facilidade. Tenho muitos amigos, e ninguém pode dizer que tenho o hábito de aparecer onde não sou desejado!

— Não, não, não fique zangado — disse o dragão, apressado. — A verdade é que estou tão feliz aqui quanto o dia é longo; sempre com uma ocupação, querido companheiro, sempre com uma ocupação! E, mesmo assim, cá entre nós, às vezes é um tédio.

O Menino arrancou um talo de grama e mastigou.

— Vai ficar aqui por muito tempo? — perguntou ele educadamente.

— Não sei dizer, no momento — respondeu o dragão. — Parece um lugar bonito o suficiente, mas só estou aqui há pouco tempo, e

é importante olhar ao redor e refletir e considerar antes de se assentar. É uma coisa muito séria, se assentar. Além do mais, agora vou lhe contar uma coisa! Você nunca ia adivinhar se tentasse! A questão é que eu sou um maldito indigente preguiçoso!

— Você me surpreende — disse o Menino de um jeito civilizado.

— É a triste verdade — continuou o dragão, se ajeitando entre as patas e evidentemente encantado de ter encontrado um ouvinte, por fim —, e eu acho que foi assim que vim parar aqui. Sabe, todos os outros companheiros eram tão ativos e *sinceros* e esse tipo de coisa — sempre enlouquecendo, brigando, explorando as areias do deserto, andando pelos litorais, perseguindo cavaleiros por toda parte, devorando donzelas e seguindo em frente em geral —, enquanto eu gostava de ter refeições regulares e depois apoiar as costas em uma rocha e tirar uma soneca e acordar e pensar nas coisas que estavam acontecendo e como continuavam acontecendo do mesmo jeito, sabe! Então, quando isso aconteceu, fui pego, e com razão.

— Quando *o que* aconteceu? — perguntou o Menino.

— Isso é exatamente o que eu não sei — disse o dragão. — Acredito que a terra tenha espirrado ou tremido ou a parte de baixo caiu. De qualquer maneira, houve um tremor e um rugido e um alvoroço, e eu me vi a quilômetros no subsolo e amassado de um jeito apertado. Bem, felizmente meus desejos são poucos, e de alguma forma eu tinha paz e tranquilidade e não me pediam sempre para ir *fazer* alguma coisa. E eu tenho uma mente tão ativa; sempre ocupada, garanto! Mas o tempo passou, e havia uma certa mesmice na vida, e eu finalmente comecei a pensar que seria divertido subir e ver o que vocês, outros companheiros, estavam fazendo. E assim eu arranhei e cavei, e trabalhei de um jeito e de outro e acabei saindo nessa caverna aqui. E eu gosto do país, e da vista, e das pessoas — o que já vi delas — e, no geral, me sinto inclinado a me assentar aqui.

— Sua mente está sempre ocupada com o quê? — perguntou o Menino. — É isso que eu quero saber.

O dragão ficou levemente corado e desviou o olhar. Logo em seguida, disse, tímido:

— Você já tentou, só por diversão, fazer poesia... versos, sabe?

— Claro que sim — disse o Menino. — Muita. E algumas são muito boas, tenho certeza, só que ninguém aqui se importa com elas. Minha mãe é muito gentil e tudo quando leio para ela, e meu pai também, a propósito. Mas, de alguma forma, eles não parecem...

— Exatamente! — gritou o dragão. — Esse é exatamente o meu caso. Eles não parecem, e você não pode discutir com eles sobre isso. Bem, você tem cultura, tem mesmo, deu para perceber logo que o vi, e eu ia gostar da sua opinião sincera sobre algumas coisas que fiz levianamente, quando estava lá embaixo. Estou muito satisfeito de ter conhecido você e espero que os outros vizinhos sejam igualmente agradáveis. Apareceu um cavalheiro mais velho muito simpático ontem à noite mesmo, mas pareceu não querer se intrometer.

— Foi meu pai — disse o Menino —, e ele é um cavalheiro mais velho simpático, e vou apresentar vocês dois um dia, se você quiser.

— Vocês dois não podem vir aqui amanhã e jantar ou alguma coisa assim? — perguntou o dragão, ansioso. — Só, é claro, se não tiverem nada melhor para fazer — acrescentou, educado.

— Muitíssimo obrigado — disse o Menino —, mas não vamos a lugar nenhum sem minha mãe e, para dizer a verdade, acho que ela não ia aprovar você. Sabe, não tem nenhum jeito de superar o fato difícil de que você é um dragão, tem? E, quando você fala em se assentar e sobre os vizinhos e tal, não consigo evitar de achar que você não percebe bem sua posição. Você é um inimigo da raça humana, sabe?

— Não tenho nenhum inimigo no mundo — disse o dragão, animado. — Para começar, sou preguiçoso demais para fazê-los. E, se eu leio minha poesia para outros camaradas, estou sempre disposto a ouvir a deles!

— Ai, ai! — gritou o Menino. — Eu queria que você tentasse entender a situação. Quando as outras pessoas o descobrirem, vão

vir atrás de você com lanças e espadas e todo tipo de coisa. Você vai ter que ser exterminado, de acordo com a opinião deles! Você é um flagelo e uma peste e um monstro pernicioso!

— Não há nem uma palavra de verdade nisso — disse o dragão, balançando a cabeça de um jeito solene. — Meu caráter aguenta a mais minuciosa investigação. E, agora, tem um sonetinho em que eu estava trabalhando quando você apareceu...

— Ah, se você *não vai* ser sensato — gritou o Menino, se levantando —, vou para casa. Não, eu não posso parar para ouvir sonetos; minha mãe está me esperando. Procuro você amanhã, em algum momento do dia, e por favor, tente entender que você é um flagelo pestilento, senão vai se meter em uma encrenca terrível. Boa noite!

O Menino achou fácil acalmar a mente dos pais em relação ao seu novo amigo. Eles sempre tinham deixado essa parte para ele e aceitaram sua palavra sem um murmúrio. O pastor foi formalmente apresentado, e eles trocaram muitos elogios e fizeram muitas perguntas gentis. A esposa, no entanto, apesar de expressar sua disposição para fazer tudo que pudesse — consertar coisas, arrumar a caverna ou cozinhar alguma coisinha, enquanto o dragão despejava seus sonetos e esquecia de fazer as refeições, como os machos *costumam* fazer —, não foi levada para conhecê-lo formalmente. O fato de ele ser um dragão e "eles não saberem quem ele era" parecia ser mais importante para ela. No entanto, não fez nenhuma objeção ao filho passar os fins de tarde com o dragão tranquilamente, contanto que ele estivesse em casa às nove horas; e eles tiveram muitas noites agradáveis, sentados no gramado, enquanto o dragão contava histórias de tempos muito, muito antigos, quando os dragões eram abundantes e o mundo era um lugar mais cheio de vida do que hoje, e a vida era cheia de emoções e encontros e surpresas.

Mas o que o Menino temia logo aconteceu. O dragão mais humilde e tímido do mundo, sendo grande como quatro cavalos de carroça e coberto de escamas azuis, não consegue ficar totalmente

longe dos olhos do público. E assim, na taverna noturna do vilarejo, o fato de que um dragão de verdade estava remoendo pensamentos na caverna das falésias naturalmente virou assunto das conversas. Embora os aldeões estivessem extremamente amedrontados, também estavam bem orgulhosos. Era uma honra ter seu próprio dragão, e isso era considerado uma pena no chapéu do vilarejo. Mesmo assim, todos concordaram que não podiam permitir que esse tipo de coisa continuasse. O animal apavorante tinha que ser exterminado, o campo tinha que ser libertado dessa peste, desse terror, desse flagelo destruidor. O fato de nem um galinheiro ter sido afetado pela chegada do dragão não tinha nada a ver com isso. Ele era um dragão e não podia negar isso e, se escolhesse não se comportar como tal, isso era problema dele. Mas, apesar de muita conversa valente, nenhum herói estava disposto a pegar a espada e a lança e libertar o vilarejo sofredor e conquistar a fama eterna; e toda noite a discussão acalorada sempre terminava em nada. Enquanto isso, o dragão, um boêmio feliz, relaxava na turfa, apreciava os poentes, contava histórias antediluvianas para o Menino e refinava seus antigos versos enquanto meditava sobre os novos.

Um dia, o Menino, ao entrar no vilarejo, encontrou tudo com uma aparência festiva que não estava no calendário. Tapetes e tecidos com cores alegres estavam pendurados nas janelas, os sinos da igreja ressoavam ruidosos, a ruazinha estava salpicada de flores e a população toda tropeçava uns nos outros nos dois lados, tagarelando, empurrando e mandando se afastarem. O Menino viu um amigo da idade dele na multidão e o cumprimentou.

— O que houve? — gritou ele. — São os atores, os ursos, um circo ou o quê?

— Está tudo bem — cumprimentou o amigo em resposta. — Ele está vindo.

— *Quem* está vindo? — o Menino quis saber, se enfiando na multidão.

— Ora, São Jorge, é claro — respondeu o amigo. — Ele ouviu falar do nosso dragão e está vindo com o objetivo de matar a

fera assassina e nos libertar desse jugo terrível. Ai, ai! Será uma luta empolgante!

Essa era uma notícia e tanto! O Menino sentiu que devia ter certeza disso e se esquivou por entre as pernas dos velhos de bom caráter, maltratando todos eles o tempo todo pelo hábito deselegante de empurrar. Quando chegou à fileira da frente, esperou, sem fôlego, pela chegada.

Logo em seguida, na ponta distante da fila, veio o som de aclamações. Depois, o passo cadenciado de um grande cavalo de guerra fez seu coração acelerar, e ele se viu aclamando com os outros, porque, no meio dos gritos de boas-vindas, dos clamores agudos das mulheres, do levantamento de bebês e dos acenos de lenços, São Jorge seguia lentamente pela rua. O coração do Menino parou, e ele respirou com soluços, pois a beleza e a graciosidade do herói estavam muito além de tudo que ele já tinha visto. A armadura estriada era incrustada de ouro, o capacete de plumas vinha pendurado no laço da sela e o cabelo emoldurava um rosto gracioso e delicado, que parecia inexpressivo até você captar a austeridade nos olhos. Ele puxou as rédeas na frente da pequena pousada, e os aldeões se amontoaram ao redor, com cumprimentos e agradecimentos e declarações loquazes de seus erros e queixas e opressões. O Menino ouviu a voz grave e delicada do Santo, garantindo a todos que tudo ia ficar bem agora e que ele ficaria ao lado deles e faria justiça e os livraria de seu inimigo; depois, desceu do cavalo e passou pela porta, e a multidão o seguiu. Mas o Menino disparou colina acima o mais rápido que conseguiu com as pernas presas ao chão.

— Está acontecendo, dragão! — gritou assim que chegou ao campo de visão do animal. — Ele está vindo! Ele chegou! Você vai ter que se recompor e finalmente *fazer* alguma coisa!

O dragão estava lambendo as escamas e passando nelas um pedaço de flanela que a mãe do Menino tinha lhe emprestado, até brilhar com um turquesa incrível.

— Não seja *violento*, Menino — disse ele sem olhar ao redor. — Sente-se e recupere o fôlego, e tente se lembrar que o sujeito

comanda o verbo, e assim talvez você se sinta bem o suficiente para me dizer *quem* está vindo.

— Isso mesmo, fique calmo — disse o Menino. — Espero que fique tão calmo quando eu lhe der as notícias. É só São Jorge que está vindo, só isso; ele entrou no vilarejo meia hora atrás. Claro que você pode lambê-lo, um camarada grandão como você! Mas achei melhor alertar, porque ele vai aparecer logo, e ele tem a lança mais comprida e com mais aparência de malvada que você já viu! — E o Menino se levantou e começou a pular em puro deleite com a perspectiva da batalha.

— Ó, pobre, pobre de mim — gemeu o dragão —, isso é péssimo. Não vou vê-lo, e isso é óbvio. Não quero conhecer o indivíduo de jeito nenhum. Tenho certeza de que ele não é bonzinho. Você precisa mandá-lo embora de uma vez, por favor. Diga que ele pode escrever, se quiser, mas não posso dar uma entrevista para ele. Não quero me encontrar com ninguém, no momento.

— Ora, dragão, dragão — disse o Menino, implorando —, não seja perverso e teimoso. Você *tem* que lutar contra ele em algum momento, sabe, porque ele é São Jorge e você é o dragão. Melhor superar isso, depois podemos continuar com os sonetos. E você precisa pensar um pouco nas outras pessoas, também. Se é chato aqui em cima para você, pense em como tem sido chato para mim!

— Meu querido homenzinho — disse o dragão de um jeito solene —, apenas compreenda, de uma vez por todas, que eu não sei lutar e não vou lutar. Nunca lutei na vida e não vou começar agora, só para lhe dar uma festa romana. Nos velhos tempos, eu sempre deixava os outros camaradas — os camaradas *mais fogosos* — fazerem toda a parte da luta, e sem dúvida é por isso que tenho o prazer de estar aqui agora.

— Mas, se você não lutar, ele vai cortar sua cabeça! — Ofegou o Menino, arrasado com a perspectiva de perder a luta e o amigo.

— Ah, acho que não — disse o dragão com seu jeito preguiçoso. — Você vai conseguir organizar alguma coisa. Tenho toda confiança em você, porque você é um belo *administrador*. É só correr

lá embaixo, lá tem um sujeito adorável, e acertar tudo. Deixo tudo nas suas mãos.

O Menino voltou para o vilarejo em estado de grande melancolia. Para começar, não ia haver nenhuma briga; depois, seu querido e honrado amigo, o dragão, não tinha se portado de um jeito heroico como ele gostaria; e, por fim, se o dragão tinha ou não um coração heroico não fazia diferença, porque São Jorge sem dúvida ia cortar fora a cabeça dele.

— Organizar as coisas. Até parece! — resmungou com amargura para si mesmo. — O dragão trata a coisa toda como se fosse um convite para um chá e jogos de croqué.

Os aldeões estavam voltando para casa quando ele passou pela rua, todos muito animados e discutindo alegres a esplêndida luta que estava destinada a acontecer. O Menino seguiu até a pousada e passou pela câmara principal, onde São Jorge agora estava sentado sozinho, refletindo sobre as chances da luta e as tristes histórias de pilhagens e ofensas que tinham sido despejadas em seus ouvidos solidários.

— Posso entrar, São Jorge? — disse o Menino, educadamente, parado à porta. — Quero falar com você sobre essa pequena questão do dragão, se não estiver cansado do assunto a esta altura.

— Sim, entre, Menino — disse o Santo com delicadeza. — Outra história de angústia e ofensa, temo. Foi de um parente gentil, então, que o tirano o despojou? Ou uma irmã ou irmão afetuoso? Bem, você logo terá sua vingança.

— Nada desse tipo — disse o Menino. — Há um mal-entendido em algum lugar, e eu quero corrigi-lo. O fato é que esse é um *bom* dragão.

— Exatamente — disse São Jorge, sorrindo com prazer —, eu entendo muito bem. Um bom *dragão.* Acredite se quiser, não lamento nem um pouco o fato de ele ser um adversário digno do meu aço, e não um espécime débil de sua tribo nociva.

— Mas ele *não* é de uma tribo nociva — gritou o Menino, angustiado. — Ora, ora, como são *burros* os homens quando colocam

uma ideia na cabeça! Estou lhe dizendo que ele é um *bom* dragão e meu amigo, e ele me conta as histórias mais lindas que você já ouviu, sobre os velhos tempos e quando ele era pequeno. E é muito gentil com minha mãe, e ela faria qualquer coisa por ele. E meu pai também gosta dele, embora não goste muito de arte e poesia e sempre durma quando o dragão começa a falar sobre estilo. Mas o fato é que ninguém consegue resistir a gostar dele quando o conhece. Ele é tão envolvente e tão confiável e simples quanto uma criança!

— Sente-se e aproxime sua cadeira — disse São Jorge. — Eu gosto de camaradas que defendem os amigos e tenho certeza de que o dragão tem boas qualidades, já que é seu amigo. Mas essa não é a questão. Passei a noite toda ouvindo, com tristeza e angústia inenarráveis, histórias de assassinatos, roubos e ofensas; com firulas de mais, talvez, nem sempre convincentes, mas formando, em geral, uma lista muito séria de crimes. A história nos ensina que os maiores canalhas muitas vezes têm todas as virtudes domésticas; e sinto dizer que seu amigo culto, apesar das qualidades que conquistaram (e com razão) o seu respeito, tem de ser imediatamente exterminado.

— Ah, você acreditou em todas as lorotas que esses camaradas andaram contando — disse o Menino, impaciente. — Ora, nossos aldeões são os maiores contadores de história de todo o país. Isso é fato conhecido. Você é forasteiro por aqui, senão já teria ouvido falar nisso. Tudo que eles querem é uma *luta.* Eles são horrivelmente insistentes quando se trata de provocar brigas — são diversões para eles. Cachorros, touros, dragões: qualquer coisa, desde que haja uma briga. Ora, eles estão com um pobre texugo inocente no estábulo aqui atrás, neste momento. Iam se divertir um pouco com ele hoje, mas agora decidiram guardá-lo até o *seu* assunto terminar. E não duvido que tenham falado que você é um herói e que está destinado a vencer em nome da retidão e da justiça e por aí vai; mas deixe-me contar que acabei de descer a rua e eles estavam apostando livremente seis contra quatro no dragão!

— Seis contra quatro no dragão! — murmurou São Jorge, triste, apoiando a bochecha na mão. — Este é um mundo cruel, e às vezes começo a pensar que toda a maldade dele não está completamente engarrafada dentro dos dragões. Mesmo assim, será que essa fera ardilosa não o enganou quanto à sua personalidade real, para que você fizesse um bom relatório sobre ele que servisse como disfarce para seus feitos malignos? Além disso, será que não pode haver, neste exato momento, uma princesa desafortunada presa naquela caverna soturna?

No instante em que falou, São Jorge se arrependeu do que disse, porque o Menino pareceu genuinamente angustiado.

— Eu garanto, São Jorge — disse com sinceridade —, que não há nada desse tipo na caverna. O dragão é um verdadeiro cavalheiro, cada centímetro dele, e posso dizer que ninguém ficaria mais chocado e triste do que ele, se ouvisse você falar desse... desse jeito *descuidado* de assuntos sobre os quais ele tem visões muito fortes!

— Bem, talvez eu tenha sido crédulo demais — disse São Jorge. — Talvez eu tenha errado no julgamento do animal. Mas o que devemos fazer? Aqui estamos, o dragão e eu, quase cara a cara, cada um supostamente sedento pelo sangue um do outro. Não vejo nenhuma saída, entende? O que você sugere? Você não pode dar um jeito nas coisas?

— Foi exatamente isso que o dragão disse — respondeu o Menino, um pouco irritado. — Sério, o modo como vocês dois parecem deixar tudo nas minhas mãos... Acho que você não poderia ser convencido a ir embora em silêncio, não é?

— Impossível, infelizmente — disse o Santo. — É contra as regras. *Você* sabe disso tão bem quanto eu.

— Bem, então, olhe aqui — disse o Menino —, ainda está cedo. Você se importa de subir lá comigo e ver o dragão e conversar para resolver tudo? Não é longe, e todos os meus amigos são muito bem-vindos.

— Bem, isso é *irregular* — disse São Jorge, se levantando —, mas realmente parece a coisa mais sensata a se fazer. Você está

assumindo muitos problemas pelo bem do seu amigo — acrescentou, simpático, quando os dois passaram juntos pela porta. — Mas anime-se! Talvez não haja nenhuma luta, no fim das contas.

— Ah, mas eu espero que haja! — respondeu o camaradinha, ansioso.

— Trouxe um amigo para vê-lo, dragão — disse bem alto o Menino.

O dragão acordou com um sobressalto.

— Eu estava só... hum... pensando nas coisas — disse ele com simplicidade. — Muito prazer em conhecê-lo, senhor. Que belo clima temos hoje!

— Esse é São Jorge — disse o Menino em poucas palavras. — São Jorge, deixe-me apresentá-lo ao dragão. Subimos até aqui para conversar tranquilamente sobre a situação, dragão, e agora, pelo amor de Deus, permita-nos ter um pouco de bom senso para chegarmos a um acordo prático e negociável, já que estou cansado de visões e teorias sobre a vida e as tendências pessoais e todas essas coisas. Talvez eu possa acrescentar que minha mãe está me esperando.

— Muito prazer em conhecê-lo, São Jorge — começou o dragão, um pouco nervoso —, porque ouvi dizer que você é um grande viajante, e eu sempre fui muito caseiro. Mas posso lhe mostrar muitas antiguidades, muitas características interessantes do nosso campo, se você passar por aqui a qualquer momento...

— Acho — disse São Jorge, com seu jeito franco e agradável — que é melhor aceitarmos o conselho do nosso jovem amigo aqui e tentarmos chegar a um entendimento, negociar um acordo, sobre esse nosso probleminha. Você não acha que, no fim das contas, o plano mais simples seria apenas lutar, de acordo com as regras, e deixar o melhor vencer? Eles estão apostando em você lá no vilarejo, posso lhe dizer, mas não me importo com isso!

— Ah, sim, *por favor, faça isso,* dragão — disse o Menino, encantado —, pois vai nos livrar de muito incômodo!

— Meu jovem amigo, cale a boca — disse o dragão de um jeito severo. — Acredite em mim, São Jorge — continuou ele —, não há ninguém no mundo a quem eu faria um favor mais rápido do que a você e a esse jovem cavalheiro aqui. Mas a coisa toda é sem sentido e convencional e uma tacanhice popular. Não há absolutamente nada por que lutar, do início ao fim. E, de qualquer maneira, não vou fazer isso, então estamos decididos!

— Mas e se eu obrigar você? — disse São Jorge, um pouco incomodado.

— Você não pode fazer isso — retrucou o dragão, triunfante. — Eu simplesmente entraria na minha caverna e me recolheria por um tempo no buraco de onde vim. Você logo enjoaria de ficar sentado do lado de fora e me esperar para sair e lutar. E, assim que você realmente fosse embora, bem, eu sairia feliz de novo, pois lhe digo com sinceridade: eu gosto deste lugar e vou ficar aqui!

São Jorge olhou por um tempo para a bela paisagem ao redor.

— Mas este seria um lindo lugar para uma luta — começou de novo de um jeito persuasivo. — Essas lindas falésias ondulantes e descobertas seriam a arena... e eu na minha armadura dourada me destacando em contraste contra suas grandes espirais azuis escamadas! Pense em como isso daria um belo quadro!

— Agora você está tentando me pegar pelas minhas sensibilidades artísticas — disse o dragão. — Mas não vai funcionar. Não que isso não daria um belo quadro, como você diz — acrescentou, vacilando um pouco.

— Parece que estamos nos aproximando cada vez mais de um *acordo* — comentou o Menino. — Você precisa ver, dragão, que tem que haver algum tipo de luta, porque você não vai querer descer de novo para aquele velho buraco sujo e ficar lá até Deus sabe quando.

— Pode ser organizado — disse São Jorge, pensativo. — É claro que eu *preciso* espetar minha lança em você, mas não pretendo machucá-lo muito. Você é tão grande que deve ter uns pontos *extras* em algum lugar. Aqui, por exemplo, logo atrás da sua pata dianteira. Não vai machucar muito, bem aqui!

— Agora você está me fazendo cócegas, Jorge — disse o dragão com timidez. — Não, esse ponto não serve de jeito nenhum. Mesmo que não machucasse, e tenho certeza de que machucaria muito, ia me fazer rir, e isso ia estragar tudo.

— Vamos tentar outro ponto, então — disse São Jorge, paciente. — Sob o seu pescoço, por exemplo, todas essas dobras de pele grossa, se eu espetasse a lança aqui, você nunca ia saber que eu tinha acertado!

— É, mas tem certeza de que consegue acertar o ponto certo? — perguntou o dragão, ansioso.

— Claro que tenho — disse São Jorge, confiante. — Deixe essa parte comigo!

— Só estou perguntando porque eu *tenho* que deixar essa parte com você — respondeu o dragão, meio impaciente. — Você sem dúvida lamentaria profundamente qualquer erro que pudesse cometer na pressa do momento; mas não vai lamentar nem metade do que eu vou lamentar! No entanto, suponho que temos que confiar em alguém quando passamos pela vida, e seu plano parece, no geral, tão bom quanto qualquer outro.

— Olhe aqui, dragão — interrompeu o Menino, um pouco zeloso pelo amigo, que parecia estar ficando com a pior parte da barganha: — Não estou entendendo onde você entra! Aparentemente, precisa haver uma luta e você deve ser derrotado; e o que eu quero saber é: o que *você* vai tirar disso?

— São Jorge — disse o dragão —, diga a ele, por favor, o que vai acontecer depois que eu for subjugado no combate mortal?

— Bem, de acordo com as regras, suponho que eu devo carregá-lo em triunfo até o mercado lá embaixo ou algo assim — disse São Jorge.

— Exatamente — disse o dragão. — E depois...

— E depois haverá gritos e discursos e coisas — continuou São Jorge. — E eu devo explicar que você foi convertido e viu os erros que cometeu e assim por diante.

— Isso — disse o dragão. — E depois...?

— Ah, e depois... — disse São Jorge — ora, depois haverá o banquete habitual, suponho.

— Exatamente — comentou o dragão. — E é aí que *eu* entro. Olhe — continuou, se dirigindo ao Menino —, estou entediado até a morte, aqui em cima, e ninguém gosta de mim de verdade. Vou entrar na Sociedade, vou sim, com a gentil ajuda do nosso amigo aqui, que está se metendo em muita confusão por minha causa; e você vai descobrir que tenho todas as qualidades para me tornar benquisto para as pessoas que fazem recepções. Então, agora que tudo está resolvido, e se vocês não se importam, sou um cara à moda antiga, não quero expulsá-los, mas...

— Lembre-se que você vai ter que fazer a sua parte na luta, dragão! — disse São Jorge enquanto entendia a insinuação e se levantava para ir embora. — Estou falando de se debater com violência e soltar fogo pelas narinas e por aí vai!

— Posso me *debater* muito bem — respondeu o dragão, confiante. — Quanto a soltar fogo pelas narinas, é surpreendente como é fácil perder a prática, mas vou fazer o melhor possível. Boa noite!

Eles estavam descendo a colina e tinham quase chegado ao vilarejo de novo, quando São Jorge parou de repente.

— Eu *sabia* que tinha me esquecido de alguma coisa — disse ele. — Tem que haver uma princesa. Apavorada e acorrentada a uma rocha, esse tipo de coisa. Menino, você não consegue arrumar uma princesa?

O Menino estava no meio de um belo bocejo.

— Estou morto de cansaço — lamentou — e *não consigo* arrumar uma princesa nem mais nada a esta hora da noite. E minha mãe está acordada me esperando, e *pare* de me pedir para arrumar mais coisas até amanhã!

Na manhã seguinte, as pessoas começaram a subir até as falésias bem cedo, usando roupas de domingo e carregando cestos com gargalos de garrafas aparecendo, todos querendo garantir bons lugares para ver o combate. Não era exatamente um assunto

simples, pois claro que era bem possível que o dragão vencesse e, nesse caso, até os que tinham apostado dinheiro nele sentiam que dificilmente podiam esperar que ele lidasse com os apoiadores de maneira diferente do resto. Os lugares eram escolhidos, portanto, com circunspecção e com uma vista para um recuo rápido em caso de emergência; e a fileira da frente era principalmente composta de meninos que tinham fugido do controle dos pais e agora se espalhavam e rolavam no gramado, apesar das ameaças e dos alertas estridentes lançados a eles por mães ansiosas mais atrás.

O Menino tinha garantido um bom lugar na frente, perto da caverna, e se sentia ansioso como um diretor de palco em noite de estreia. Será que era possível confiar no dragão? Ele podia mudar de ideia e estragar toda a apresentação; ou, vendo que a situação tinha sido planejada com tanta pressa, sem nem um ensaio, podia estar nervoso demais para aparecer. O Menino semicerrou os olhos para a caverna, mas não havia nenhum sinal de vida nem de ocupação. Será que o dragão tinha fugido sob a luz do luar?

As partes mais altas do terreno agora estavam pretas com tantos espectadores e, neste momento, um som de torcida e um aceno de lenços demonstravam que alguma coisa estava visível para eles que o Menino, tão próximo do lado do dragão como estava, ainda não conseguia ver. Mais um minuto e as penas vermelhas de São Jorge chegaram ao topo da colina, enquanto o Santo cavalgava lentamente no grande espaço horizontal que se estendia até a boca macabra da caverna. Parecia muito galante e bonito, em seu alto cavalo de guerra, a armadura dourada cintilando ao sol, a grande lança ereta, com o pequeno pendão branco com uma cruz vermelha tremulando na ponta. Ele puxou as rédeas e ficou imóvel. As fileiras de espectadores começaram a recuar um pouco, nervosas; e até os meninos na frente pararam de puxar os cabelos e socar uns aos outros e se inclinaram para a frente, cheios de expectativa.

— Agora, então, dragão! — murmurou o Menino, impaciente, inquieto no lugar onde estava sentado. Ele não precisava ter se angustiado, se ao menos soubesse. As possibilidades dramáticas

da coisa toda tinham empolgado imensamente o dragão, e ele estava acordado havia uma hora, se preparando para sua primeira aparição pública com tanta exuberância que parecia que os anos tinham andado para trás e ele tivesse voltado a ser um dragãozinho, brincando com as irmãs no chão da caverna da mãe, no jogo santos-e-dragões, no qual o dragão sempre vencia.

Um murmúrio baixo, misturado com bufadas, agora se fazia ouvir, aumentando até um rugido crescente que pareceu ocupar toda a planície. Uma nuvem de fumaça obscureceu a boca da caverna e, saindo do meio da névoa, o próprio dragão, reluzindo, azul-marinho, magnífico, se empinou esplendidamente para a frente; e todos disseram "Oo-oo-oo!" como se ele fosse um foguete poderoso! As escamas cintilavam, o rabo comprido cheio de esporões batia nas laterais, as garras rasgavam a turfa e a faziam voar pelas suas costas, e a fumaça e o fogo saíam em jatos incessantes de suas narinas raivosas.

— Ah, que beleza, dragão! — gritou o Menino, empolgado. — Não achei que ele tinha essa personalidade! — acrescentou para si mesmo.

São Jorge baixou a lança, inclinou a cabeça, bateu com os calcanhares nas laterais do cavalo e se aproximou esbravejando sobre a turfa. O dragão atacou com um rugido e um grito agudo, uma grande combinação azul rodopiante de espirais e bufadas e maxilar batendo e esporões e fogo.

— Errou! — gritou a multidão. Houve um entrelaçamento momentâneo de armadura dourada e espirais verde-azuladas e rabo com esporões, e então o grande cavalo, atacando pelo lado, carregou o santo, com a lança balançando alto, quase até a boca da caverna.

O dragão se sentou e vociferou de um jeito cruel, enquanto São Jorge, com alguma dificuldade, puxava o cavalo para a posição.

Fim do Primeiro Round!, pensou o Menino. *Eles administraram tudo muito bem! Mas espero que o Santo não se empolgue. Posso confiar no dragão. Que belo ator ele é!*

São Jorge finalmente tinha conseguido fazer seu cavalo ficar firme e estava olhando ao redor enquanto secava a sobrancelha. Ao

ver o Menino, ele sorriu e fez um sinal com a cabeça, mostrando três dedos por um instante.

— Tudo parece estar planejado — disse o Menino para si mesmo. — O Terceiro Round será o final, evidentemente. Queria que durasse um pouco mais. O que esse velho e tolo dragão está aprontando, agora?

O dragão estava usando o intervalo para fazer uma apresentação de movimentos furiosos para a multidão. Movimentos furiosos, preciso explicar, consiste em correr ao redor em um círculo largo e provocar ondas de movimento por toda a sua coluna, desde as orelhas pontudas até o esporão na ponta do rabo comprido. Quando você é coberto de escamas azuis, o efeito é especialmente agradável; e o Menino se lembrou do desejo do dragão, expressado há pouco tempo, de se tornar um sucesso social.

São Jorge agora estava segurando as rédeas e começou a ir para a frente, baixando a ponta da lança e se ajeitando com firmeza na sela.

— Está na hora! — gritaram todos, animados; e o dragão, parando os movimentos furiosos, se sentou e começou a saltar de um lado para o outro com grandes pulos desajeitados, berrando como um Índio Vermelho. Isso naturalmente desconcertou o cavalo, que desviou com violência. O Santo só conseguiu se salvar porque agarrou a crina; e, quando eles passaram correndo, o dragão deu um golpe malicioso no rabo do cavalo, que fez o pobre animal galopar alucinado pelas falésias, de modo que o palavreado do Santo, que tinha perdido o estribo, felizmente não foi ouvido pelo público geral.

O Segundo Round provocou evidências audíveis de sentimentos amigáveis pelo dragão. Os espectadores não demoraram a apreciar um combatente que se portava tão bem e claramente queria demonstrar um bom espírito esportivo; e muitas frases de estímulo chegaram aos ouvidos do nosso amigo enquanto ele se pavoneava de um lado para o outro, o peito inflado e o rabo levantado, apreciando muito sua nova popularidade.

São Jorge tinha saltado do cavalo e estava apertando o cinturão e dizendo ao cavalo, com um fluxo oriental de imagens, exatamente o que pensava dele e de suas relações e sua conduta na ocasião atual; e o Menino foi até o lado do Santo e segurou sua lança.

— Foi uma bela luta, São Jorge! — disse ele com um suspiro. — Você não pode fazê-la durar um pouco mais?

— Bem, acho melhor não — respondeu o Santo. — A questão é que seu amigo simplório está ficando vaidoso, e agora eles começaram a aplaudi-lo, e ele vai se esquecer do nosso acordo e ficar se fazendo de bobo, e não tem como saber onde isso vai parar. Vou acabar com ele nesse round.

Ele subiu na sela e pegou a lança da mão do Menino.

— Mas não tenha medo — acrescentou com delicadeza. — Marquei meu ponto com exatidão, e ele com certeza vai me dar toda a ajuda que estiver ao alcance, porque ele sabe que é a única chance de ele ser convidado para o banquete! — São Jorge encurtou a lança, deixando a ponta embaixo do braço; e, em vez de galopar, como antes, trotou rapidamente em direção ao dragão, que se agachou quando ele se aproximou, batendo o rabo até estalar no ar como um chicote. O Santo mudou de direção quando se aproximou do oponente e o circulou com cautela, mantendo o olhar no ponto extra; enquanto isso, o dragão, adotando uma tática semelhante, andava com cuidado ao redor do mesmo círculo, simulando um ataque ocasional com a cabeça. E assim os dois rodearam em busca de uma abertura, enquanto os espectadores ficavam em silêncio, sem fôlego.

Embora o round tivesse durado alguns minutos, o fim foi tão rápido que tudo que o Menino viu foi um movimento relâmpago do braço do Santo, depois um redemoinho de esporões, garras, rabo e pedaços de turfa voando. A poeira baixou, os espectadores

berraram e correram, comemorando, e o Menino entendeu que o dragão tinha sido derrotado, estava preso à terra pela lança, enquanto São Jorge tinha desmontado do cavalo e montado no dragão.

Tudo parecia tão genuíno que o Menino se aproximou sem fôlego, esperando que o querido velho dragão não estivesse machucado de verdade. Quando ele se aproximou, o dragão ergueu uma pálpebra enorme, piscou solenemente e desabou de novo. Ele estava preso à terra pelo pescoço, mas o Santo o atingira no ponto extra escolhido, e nem pareceu fazer cócegas.

— Mas você não tem que cortar a cabeça dele, mestre? — perguntou alguém na multidão que aplaudia. Ele tinha apostado no dragão, e naturalmente se sentia um pouco triste.

— Bem, não *hoje*, acredito — respondeu São Jorge de um jeito simpático. — Sabe, isso pode ser feito a *qualquer* momento. Não temos nenhuma pressa. Acho que todos vamos descer para o vilarejo primeiro para uma refeição leve, e depois eu vou ter uma bela conversa com ele, e vocês vão ver que ele será um dragão muito diferente!

Com a palavra mágica *refeição leve*, a multidão toda se formou em procissão e esperou em silêncio pelo sinal para partir. O momento de falar e comemorar e apostar tinha acabado, e o momento de agir tinha chegado. São Jorge, puxando a lança com as duas mãos, soltou o dragão, que se levantou e se sacudiu e passou os olhos nos esporões e nas escamas e nas coisas, para ver se estava tudo em ordem. O Santo montou no cavalo e conduziu a procissão, o dragão seguindo manso na companhia do Menino, enquanto os espectadores sedentos mantinham uma distância segura atrás.

Houve uma grande comoção quando eles chegaram ao vilarejo e se enfileiraram em frente à pousada. Depois da refeição leve, São Jorge fez um discurso, no qual informou ao público que ele tinha eliminado o flagelo medonho, com muitos problemas e inconveniências para si mesmo, e agora eles não deviam andar por aí resmungando e inventando que tinham queixas, porque não tinham. E que eles não deviam gostar tanto de lutas, porque na próxima vez eles poderiam ter que lutar sozinhos, e seria

totalmente diferente. E havia um certo texugo nos estábulos da pousada que devia ser libertado imediatamente e que ele mesmo ia ver isso acontecer. Depois, disse que o dragão tinha pensado nas coisas e visto que havia dois lados em toda questão e que ele não ia mais fazer aquilo e, se eles fossem bons, talvez ele ficasse e se estabelecesse ali. E assim eles deviam ser amigos, sem preconceitos, e não deviam sair por aí falando que sabiam tudo, porque não sabiam nem de longe. E alertou sobre o pecado de exagerar e de inventar histórias e imaginar que outras pessoas iam acreditar só porque eram histórias plausíveis e muito exageradas. Depois ele se sentou, em meio à comemoração contrita, e o dragão cutucou o Menino nas costelas e sussurrou que não podia ter feito melhor. E todos saíram para se preparar para o banquete.

Banquetes sempre eram coisas agradáveis, consistindo, principalmente, de comer e beber; mas a parte especialmente boa de um banquete é que ele acontece depois que alguma coisa acaba e não há mais nada com que se preocupar e o amanhã parece muito distante. São Jorge ficou feliz porque tinha acontecido uma luta e ele não teve que matar ninguém, pois realmente não gostava de matar, embora geralmente tivesse que fazer isso. O dragão ficou feliz porque tinha acontecido uma luta e, além de não ter se machucado, ele tinha ganhado popularidade e uma certa posição na sociedade. O Menino ficou feliz porque tinha acontecido uma luta e, apesar de tudo, seus dois amigos estavam em ótimas condições. E todos os outros ficaram felizes porque tinha acontecido uma luta e — bem, eles não precisavam de mais nenhum motivo para a felicidade. O dragão se esforçou para dizer a coisa certa para todos e aproveitou a vida e a alma da noite, enquanto o Santo e o Menino, observando, sentiam que estavam apenas comparecendo a um banquete no qual a honra e a glória eram todas do dragão. Mas não se importavam com isso, sendo bons camaradas, e o dragão não estava nem um pouco orgulhoso nem descuidado. Pelo contrário, a cada dez minutos, mais ou menos, ele se inclinava sobre o Menino e dizia, impressionado:

— Olhe aqui! Você *vai* me levar para casa depois, não é? — E o Menino sempre fazia que sim com a cabeça, embora tivesse prometido à mãe que não ia ficar na rua até tarde.

O banquete finalmente acabou, os convidados se retiraram com muitos boas-noites e congratulações e convites, e o dragão, que viu o último deles deixar o local, saiu para as ruas seguido do Menino, secou a sobrancelha, suspirou, se sentou na rua e olhou para as estrelas.

— Que bela noite! — murmurou ele. — Que belas estrelas! Que belo lugar! Acho que vou ficar parado aqui. Não estou com vontade de subir nenhuma colina bestial. O Menino prometeu me levar para casa. Acho bom o Menino fazer isso, então! Não há nenhuma responsabilidade da minha parte. A responsabilidade é toda do Menino! — E seu queixo afundou no peito largo, e ele cochilou em paz.

— Ah, *levante-se,* dragão! — gritou o Menino, queixoso. — Você *sabe* que minha mãe está me esperando até agora, e eu estou muito cansado, e você me fez prometer que ia levá-lo para casa, e eu não sabia o que isso significava, senão não teria concordado! — E o Menino se sentou na rua ao lado do dragão adormecido e chorou.

A porta atrás deles se abriu, um feixe de luz iluminou a rua, e São Jorge, que tinha saído para uma caminhada no ar fresco da noite, viu os dois sentados ali: o grande dragão imóvel e o Menino choroso.

— O que aconteceu, Menino? — indagou com delicadeza, se aproximando.

— Ah, é esse dragão *porco* dormindo! — soluçou o Menino. — Primeiro ele me faz prometer levá-lo para casa, depois diz que é melhor eu fazer isso e vai dormir! Era melhor tentar levar um *palheiro* para casa! E estou tão cansado, e minha mãe... — E desabou de novo.

— Não se preocupe — disse São Jorge. — Vou apoiá-lo, e *nós dois* vamos levá-lo para casa. Acorde, dragão! — disse ele de um jeito enfático, sacudindo o animal pelo cotovelo.

O dragão olhou para cima, sonolento.

— Que noite, Jorge! — murmurou ele. — Que...

— Olhe bem, dragão — disse o Santo com firmeza. — Esse camaradinha aqui está esperando para levá-lo para casa, e você *sabe* que ele devia estar na cama nas últimas duas horas, e o que mãe dele vai dizer *eu* não sei, mas qualquer um que não fosse um porco egoísta o teria *obrigado* a ir para a cama há muito tempo...

— E ele *vai* para a cama! — gritou o dragão, se levantando. — Pobre camaradinha, imagine só estar acordado até esta hora! É uma pena, é isso que é, e eu não acho, São Jorge, que você foi atencioso, mas venha logo e não vamos mais discutir nem enrolar. Me dê a mão, Menino. Obrigado, Jorge, um braço para subir a colina é tudo que eu queria!

E assim partiram colina acima, com os braços entrelaçados, o Santo, o Dragão e o Menino. As luzes no pequeno vilarejo começaram a se apagar; mas havia estrelas, e uma lua tardia, conforme eles subiam juntos até as falésias. E, quando fizeram a última curva e desapareceram de vista, trechos de uma antiga canção foram carregados pela brisa noturna. Não tenho certeza de qual deles estava cantando, mas *acho* que era o Dragão!

— Chegamos ao seu portão — disse o homem abruptamente, apoiando a mão ali. — Boa noite. Entrem logo, senão vocês vão ouvir!

Podia ser mesmo o nosso portão? Sim, ali estava ele, com toda certeza, com as marcas familiares na barra inferior feitas pelos nossos pés quando nos balançávamos nele.

— Ah, mas espere um minuto! — gritou Charlotte. — Quero saber muitas coisas. O dragão realmente ficou morando lá? E...?

— Não há mais nada dessa história — disse o homem com delicadeza e firmeza. — Pelo menos, não hoje à noite. Agora vão! Adeus!

— Será que é tudo verdadeiro? — indagou Charlotte, enquanto corríamos pelo caminho de entrada. — Pareceu muito sem sentido, em algumas partes!

— Talvez seja verdade por isso mesmo — respondi, encorajando-a.

Charlotte disparou para dentro como um coelho, saindo do frio e da escuridão; mas eu me demorei um pouco no ar imóvel e gelado, olhando para o mundo branco e silencioso lá fora, antes de trocá-lo pela terra da luz do fogo e das almofadas e das risadas. Era o dia do ensaio do coro, e a época de cantar estava chegando, e um membro atrasado estava passando pela rua em direção à sua casa, cantando:

Então São Jorge
fez uma reverência
no estábulo tão escuro,
derrotou o dragão
tão temeroso e sinistro.
Tã-ão sinistro
e tã-ão feroz
que agora podemos falar
Nosso despertar será em paz
no Dia de Nata-al!

O cantor sumiu ao longe, e a canção sumiu. Mas eu me perguntei, com a mão no trinco da porta, se era essa canção, ou alguma coisa parecida, que o dragão cantava enquanto cambaleava contente colina acima.

EDMUND LEAMY
Irlanda
O GATINHO BRANCO
1890
O gigante Trencoss sequestra a Princesa Eileen e pretende fazer dela sua noiva — mas não se o gatinho branco puder evitar.
A descrição das joias no palácio foram retiradas de “The Voyage of Maildun”, uma tradução dos antigos romances celtas.

Há muito, muito tempo, em um vale bem distante, o gigante Trencoss morava em um grande castelo, cercado de árvores sempre verdes. O castelo tinha cem portas, e cada uma delas era guardada por um sabujo enorme e peludo, com língua de fogo e unhas de ferro, que rasgavam em pedaços qualquer um que fosse ao castelo sem a permissão do gigante. Trencoss havia declarado guerra ao Rei das Torrentes e, tendo matado o rei, destruído seu povo e queimado seu castelo, levara embora sua única filha, a Princesa Eileen, para o castelo no vale. Ali, deu a ela lindos aposentos e designou cem anões, vestidos de seda azul e amarela, para servir-lhe, e harpistas para tocarem música suave para ela, e lhe deu um sem-número de diamantes, mais brilhantes que o sol; mas não permitia que ela saísse do castelo e lhe disse que, se desse um passo para além daquelas portas, os sabujos, com línguas de fogo e unhas de ferro, a rasgariam em pedaços.

Uma semana depois de sua chegada, estourou uma guerra entre o gigante e o rei das ilhas e, antes de sair para a batalha, o gigante mandou chamar a princesa e avisou que, quando voltasse, a tomaria por esposa. Quando a princesa ouviu isso, começou a chorar, pois preferia morrer a se casar com o gigante que havia matado seu pai.

— Chorar só vai estragar seus olhos brilhantes, minha princesinha — disse Trencoss —, e você vai ter que se casar comigo, goste disso ou não.

Então ele a mandou voltar para o quarto e ordenou que os anões lhe dessem tudo o que ela quisesse enquanto ele estivesse fora, e que os harpistas tocassem as músicas mais belas. Quando a princesa chegou ao quarto, chorou como se seu coração fosse explodir. O longo dia passou devagar e a noite chegou, mas Eileen não conseguiu dormir e, na luz cinzenta da manhã, ela se levantou, abriu a janela e olhou para todas as direções, para ver se havia alguma chance de fugir. Mas a janela era muito alta, e lá embaixo estavam os sabujos famintos e sempre vigilantes. Com o coração

pesado, ela estava prestes a fechar a janela quando pensou ter visto os galhos da árvore perto dela se moverem. Olhou outra vez e viu um gatinho branco rastejando por um dos galhos.

— Miau! — Fez o gato.

— Pobre gatinho — disse a princesa. — Venha aqui, gatinho.

— Afaste-se da janela — respondeu o gato —, que eu vou.

A princesa se afastou e o gato pulou para dentro do quarto. A princesa pegou o gatinho no colo e o acariciou com a mão, e o gato arqueou as costas e começou a ronronar.

— De onde você vem e qual é o seu nome? — perguntou a princesa.

— Não importa de onde eu venho, nem qual é o meu nome — disse o gato. — Sou seu amigo e vim para ajudá-la.

— Nunca quis tanto ajuda — disse a princesa.

— Eu sei — concordou o gato. — Agora, me escute. Quando o gigante voltar da batalha e pedir que se case com ele, diga sim.

— Mas eu nunca me casarei com ele — respondeu a princesa.

— Faça o que estou lhe dizendo — insistiu o gato. — Quando o gigante pedir que se case com ele, diga que sim, desde que os anões arrumem para você três bolas do orvalho encantado que cobre os arbustos numa manhã enevoada, do tamanho destas — disse o gato, enfiando a pata dianteira direita em sua orelha, de onde tirou três bolas, uma amarela, uma vermelha e uma preta.

— São muito pequenas — falou a princesa. — Não muito maiores que ervilhas, e os anões não vão demorar para cumprir a tarefa.

— Nada disso — rebateu o gato. — Eles levarão um mês e um dia para fazer uma bola, então levarão três meses e três dias até que as bolas todas sejam feitas; mas o gigante, assim como você, pensará que elas podem ser feitas em poucos dias e prometerá de bom grado fazer o que você pede. Logo descobrirá que se enganou, mas manterá sua palavra, e não a pressionará para que se case com ele até que as bolas sejam confeccionadas.

— Quando o gigante vai voltar? — perguntou Eileen.

— Ele chegará amanhã à tarde — disse o gato.

— Você vai ficar comigo até lá? — Quis saber a princesa. — Estou muito só.

— Não posso ficar. Tenho que ir embora para o meu palácio na ilha na qual nenhum homem jamais pôs os pés e aonde homem algum, exceto um, deve ir.

— E onde é essa ilha? — perguntou a princesa. — E quem é esse homem?

— A ilha é nos mares mais distantes, onde nenhuma embarcação jamais navegou; o homem você verá antes que se passem muitos dias; e, se tudo correr bem, um dia ele matará o gigante Trencoss e libertará você de seu poder.

— Ah! — exclamou a princesa. — Isso nunca vai acontecer, pois nenhuma arma pode ferir os cem sabujos que guardam o castelo, e nenhuma espada pode matar o gigante Trencoss.

— Há uma espada que o matará — disse o gato —, mas agora tenho que ir. Lembre-se do que deve dizer ao gigante quando ele voltar para casa, e todas as manhãs observe a árvore em que me encontrou e, se vir nos galhos alguém de quem goste mais que de si mesma — o gato deu uma piscadela para a princesa —, jogue as três bolas para ele e deixe o resto comigo. Mas tenha o cuidado de não dizer uma palavra sobre isso a ele, pois, se o fizer, tudo estará perdido.

— Eu voltarei a ver você? — perguntou a princesa.

— O tempo dirá. — E, sem nem dizer adeus, o gato pulou pela janela para a árvore e, num segundo, sumiu de vista.

A tarde seguinte chegou, e o gigante Trencoss voltou da batalha. Eileen soube de sua chegada pelo latido furioso dos sabujos, e o seu coração ficou pesado, pois sabia que em alguns instantes seria chamada à presença dele. De fato, ele mal entrara no castelo quando mandou chamá-la e ordenou que se preparasse para o casamento. A princesa tentou parecer alegre enquanto respondia:

— Estarei pronta assim que você quiser, mas, antes, tem que me prometer uma coisa.

— Peça o que quiser, princesinha — disse Trencoss.

— Muito bem — começou Eileen —, antes de me casar com você, deve ordenar aos anões que façam três bolas do tamanho destas com o orvalho encantado que cobre os arbustos em uma manhã enevoada de verão.

— É só isso? — disse Trencoss, rindo. — Darei a ordem aos anões imediatamente, e amanhã, a esta hora, as bolas estarão feitas, e nosso casamento acontecerá à noite.

— E você vai me deixar sozinha até lá?

— Sim — respondeu Trencoss.

— Promete por sua honra de gigante?

— Por minha honra de gigante.

A princesa voltou para seus aposentos, e o gigante reuniu todos os seus anões e ordenou que saíssem no raiar do dia, juntassem todo o orvalho encantado que cobria os arbustos e fizessem três bolas — uma amarela, uma vermelha e uma azul. Na manhã seguinte, e na seguinte, e na seguinte, os anões saíram para os campos e procuraram por toda a sebe, mas só conseguiram juntar orvalho encantado suficiente para fazer um fio do tamanho do cílio de uma garotinha; e assim, tiveram que sair manhã após manhã, e o gigante se enfurecia e ameaçava, mas era em vão. Ele estava muito zangado com a princesa e irritado consigo mesmo, por ela ser tão mais esperta que ele e, mais do que isso, porque via agora que o casamento não ia acontecer tão depressa quanto ele esperava.

Quando o gatinho branco saiu do castelo, correu o mais rápido que pôde, montanha acima e vale abaixo, sem nunca parar, até que chegou ao Príncipe do Rio De Prata. O príncipe estava sozinho, muito triste e pesaroso, pois pensava na Princesa Eileen e se perguntava onde ela podia estar.

— Miau. — Fez o gato enquanto saltava suavemente para dentro do quarto; mas o príncipe não lhe deu atenção. — Miau. — Repetiu mais uma vez, porém, o príncipe não prestou atenção. — Miau. — Fez o gato pela terceira vez e pulou no joelho do príncipe.

— De onde você vem e o que quer? — perguntou o príncipe.

— Venho de onde você gostaria de estar — disse o gato.

— E onde é isso?

— Ah, onde é isso, de fato! Como se eu não soubesse no que está pensando e em quem está pensando — disse o gato. — Seria muito melhor você tentar salvá-la.

— Eu daria a minha vida mil vezes por ela — respondeu o príncipe.

— Por quem? — O gato piscou. — Eu não citei nome algum, vossa alteza.

— Você sabe muito bem quem ela é, se sabia no que eu estava pensando. Mas sabe onde ela está?

— Ela está em perigo — disse o gato. — Está no castelo do gigante Trencoss, no vale além das montanhas.

— Irei para lá imediatamente — declarou o príncipe —, desafiarei o gigante para uma batalha e o matarei.

— Falar é fácil. Nenhuma espada feita por mãos humanas pode matá-lo, e, mesmo que você pudesse, aqueles cem sabujos, com línguas de fogo e unhas de ferro, o rasgariam em pedaços.

— Então o que devo fazer? — perguntou o príncipe.

— Eu lhe direi. Vá à floresta que cerca o castelo do gigante e suba na árvore alta que fica mais perto da janela voltada para o pôr do sol, sacuda os galhos e veja o que verá. Estenda seu chapéu com as plumas prateadas e três bolas, uma amarela, uma vermelha e uma azul, serão jogadas nele. Volte aqui o mais rápido que puder, mas não diga uma palavra, pois, se disser uma palavra que seja, os sabujos o ouvirão, e você será feito em pedaços.

Bem, o príncipe partiu de imediato e, depois de uma jornada de dois dias, chegou à floresta ao redor do castelo, subiu na árvore mais próxima da janela com vista para o pôr do sol e sacudiu os galhos. Assim que o fez, a janela se abriu e ele viu a Princesa Eileen, mais linda do que nunca. Ele ia chamar seu nome, mas ela pôs os dedos nos lábios, e ele se lembrou do que o gato lhe dissera, que ele não devia dizer nem uma palavra. Em silêncio, ele estendeu o chapéu com as plumas prateadas, e a princesa jogou dentro dele as três bolas, uma de cada vez, e, mandando um beijo para ele,

fechou a janela. Ainda bem que fez isso, porque, naquele exato momento, ouviu a voz do gigante, que estava voltando da caçada.

O príncipe esperou até que o gigante tivesse entrado no castelo antes de descer da árvore. Ele partiu o mais rápido que pôde. Seguiu montanha acima e vale abaixo, sem nunca parar até chegar ao seu palácio, onde o gatinho branco estava à sua espera.

— Trouxe as três bolas? — perguntou ele.

— Trouxe.

— Então, me siga.

Eles caminharam até deixarem o palácio muito para trás e chegaram à beira-mar.

— Agora — disse o gato —, puxe um fio da bola vermelha, segure-o na mão direita, jogue a bola na água, e veja o que verá.

O príncipe fez como o gato mandou, e a bola flutuou para o mar, se desenrolando, e prosseguiu até sumir de vista.

— Puxe agora — disse o gato.

O príncipe puxou e, quando o fez, viu de longe alguma coisa no mar, brilhante como prata. O brilho chegou mais e mais perto, e ele viu que era um pequeno barco prateado. Por fim, tocou a margem.

— Agora — disse o gato —, entre nesse barco e ele o levará ao palácio na ilha onde nenhum homem jamais pisou... a ilha nos mares desconhecidos que nunca foram navegados por embarcações feitas por mãos humanas. Nesse palácio há uma espada com um punho de diamante, e somente por essa espada o gigante Trencoss pode ser morto. Há também uma centena de bolos, e apenas se os comerem os sabujos morrerão. Mas preste atenção ao que lhe digo: se você comer ou beber até chegar ao palácio do gatinho na ilha dos mares desconhecidos, esquecerá a Princesa Eileen.

— Mais fácil eu me esquecer de mim — respondeu o príncipe enquanto entrava no barco prateado, que flutuou para longe tão depressa que em pouco tempo não podia mais ser visto da terra.

O dia passou e a noite caiu, as estrelas brilhavam sobre as águas, mas o barco não parava. Seguiu em frente por dois dias e

duas noites inteiros e, na terceira manhã, o príncipe avistou uma ilha ao longe, e ficou muito feliz, pois pensou que esse era o fim da sua jornada e estava quase morrendo de sede e de fome. Mas o dia passou e a ilha ainda estava à sua frente.

Finalmente, no dia seguinte, ele viu, à primeira luz da manhã, que estava bem perto da ilha, e que as árvores carregadas de frutas de todos os tipos se curvavam sobre a água. O barco navegou ao redor da ilha várias vezes, chegando mais perto a cada volta, até que, enfim, os galhos baixos quase o tocavam. A visão das frutas ao alcance de sua mão fez o príncipe sentir mais fome e mais sede que antes e, esquecendo sua promessa ao gatinho — não comer nada até que tivesse entrado no palácio nos mares desconhecidos —, ele pegou um dos galhos e, num instante, estava na árvore, comendo a fruta deliciosa.

Enquanto ele comia, o barco voltou para o mar e logo não estava mais à vista, mas o príncipe, tendo comido, se esqueceu completamente dele e, pior ainda, esqueceu tudo sobre a princesa no castelo do gigante. Quando tinha comido o suficiente, ele desceu da árvore e, dando as costas para o mar, caminhou direto à frente. Não tinha ido longe quando ouviu uma música e logo depois viu algumas moças tocando harpas prateadas vindo na sua direção. Quando o viram, elas pararam de tocar e gritaram:

— Bem-vindo! Bem-vindo! Príncipe do Rio de Prata, bem-vindo à ilha de frutas e flores. Nosso rei e nossa rainha o viram se aproximando pelo mar e nos mandaram para levá-lo ao palácio.

O príncipe foi com elas e, nos portões do palácio, o rei, a rainha e a filha deles, Kathleen, o receberam e lhe deram as boas-vindas. Ele mal viu o rei e a rainha, pois seus olhos estavam fixos na Princesa Kathleen, que era mais bonita que uma flor. Ele pensou que nunca tinha visto ninguém tão linda, porque, claro, havia se esquecido completamente da pobre Eileen, se consumindo em sofrimento em sua prisão no castelo no vale solitário. Quando o rei e a rainha deram as boas-vindas ao príncipe, um grande banquete foi servido, e todos os senhores e damas da corte se sentaram à

mesa, e o príncipe se sentou entre a rainha e a Princesa Kathleen, e muito antes de o banquete terminar, ele estava completamente apaixonado por ela. Quando o banquete enfim acabou, a rainha mandou prepararem o salão de baile e, assim que a noite caiu, o baile começou e durou até que surgiu a estrela da manhã. O príncipe dançou a noite inteira com a princesa, se apaixonando mais e mais a cada minuto. Entre bailes às noites e banquetes durante os dias, semanas se passaram.

Todo esse tempo, no castelo do gigante, a pobre Eileen contava as horas e, todo esse tempo, os anões estavam enovelando as bolas, e uma bola e meia já estavam enroladas. Por fim, o príncipe pediu ao rei e à rainha a mão da filha deles, e eles ficaram muito felizes em dizer sim, e marcaram a data do casamento. Mas uma noite, na véspera do dia em que o casamento aconteceria, o príncipe estava em seu quarto, se preparando para um baile, quando sentiu alguma coisa se esfregando na perna e, olhando para baixo, viu ninguém menos que o gatinho branco. Ao vê-lo, o príncipe se lembrou de tudo, e ficou muito triste e arrependido ao pensar em Eileen vigiando, esperando e contando os dias até que ele voltasse para salvá-la. Mas ele estava muito afeiçoado à Princesa Kathleen, de modo que não sabia o que fazer.

— Você não pode fazer nada esta noite — disse o gato, pois sabia o que o príncipe estava pensando —, mas, quando amanhecer, vá até o mar e não olhe para a direita nem para a esquerda, não deixe que nenhum ser vivo toque em você, pois, se isso acontecer, nunca sairá da ilha. Jogue a segunda bola na água, como fez com a primeira, e quando o barco chegar, entre de uma vez. Então, você poderá olhar para trás, e veja o que verá e saberá quem ama mais, a Princesa Eileen ou a Princesa Kathleen, e assim poderá ir ou ficar.

O príncipe não dormiu nem um instante naquela noite e, ao primeiro sinal da manhã, se esgueirou para fora do palácio. Quando chegou ao mar, jogou a outra bola e, quando ela tinha flutuado até sumir de vista, ele viu o barquinho brilhando no horizonte, como uma estrela que acabara de surgir. O príncipe mal tinha passado

CORINNE TURNER, 1911

pelas portas do palácio quando deram por sua falta, e o rei, a rainha e a princesa e todos os senhores e damas da corte saíram à sua procura, pegando o caminho mais rápido para o mar. Enquanto as moças com harpas prateadas tocavam a música mais doce, a princesa, cuja voz era ainda mais doce do que qualquer música, chamava o príncipe pelo nome, e seu coração ficou tão comovido que ele estava prestes a olhar para trás quando se lembrou de que o gato lhe dissera para não fazer isso até que estivesse no barco.

Assim que o barco tocou a costa, a princesa esticou a mão e quase pegou o braço do príncipe, mas ele entrou a tempo de se salvar, e o barco se afastou como uma onda recuando. Um grito alto fez o príncipe olhar para trás de repente e, ao fazer isso, ele não viu sinal do rei, da rainha, da princesa, dos senhores e das damas, mas apenas grandes serpentes verdes, com olhos e línguas vermelhas, que soltavam fogo e veneno enquanto se retorciam em centenas de espirais horríveis.

O príncipe, tendo escapado da ilha encantada, velejou para longe por três dias e três noites, e toda noite ele esperava que a manhã seguinte lhe mostrasse a ilha que estava procurando. Ele estava faminto e começando a se desesperar quando, na quarta manhã, viu ao longe uma ilha que, aos primeiros raios de sol, brilhava como fogo. Ao se aproximar, ele viu que estava cercada de árvores, todas tão carregadas de frutinhas vermelhas que mal se podia ver uma folha. Logo o barco estava a uma distância tão curta da ilha que seria possível arremessar uma pedra, e começou a navegar ao redor dela várias e várias vezes, até que estivesse bem debaixo dos galhos pesados. O cheiro das frutas era tão doce que aguçou a fome do príncipe e ele desejou pegá-las, mas, lembrando-se do que havia lhe acontecido na ilha encantada, teve medo de tocá-las. No entanto, o barco continuou navegando ao redor da ilha e, por fim, um vento forte soprou do mar e agitou os galhos, e as frutinhas doces e brilhantes caíram no barco até que ele estivesse cheio delas, e caíram nas mãos do príncipe, que ergueu algumas e olhou para elas e, enquanto olhava, o desejo de comer

ficou mais forte, e ele disse a si mesmo que não haveria mal algum em provar uma; mas, quando provou, o sabor era tão delicioso que ele a engoliu e, claro, imediatamente esqueceu tudo sobre Eileen, e o barco se afastou dele e o deixou de pé na água.

Ele se arrastou para a ilha e, depois de ter comido frutinhas bastantes, saiu para ver o que estava a sua frente, e não demorou muito para ouvir um grande barulho. Uma enorme bola de ferro derrubou uma árvore na sua frente e, antes que o príncipe soubesse onde estava, uma centena de gigantes veio correndo atrás da bola. Quando viram o príncipe, os gigantes se voltaram para ele, e um o pegou na mão e o ergueu para que pudesse vê-lo. O príncipe estava quase morrendo esmagado e, ao perceber isso, o gigante o pôs no chão de novo.

— Quem é você, homenzinho? — perguntou o gigante.

— Eu sou um príncipe.

— Ah, você é um príncipe, é? — disse o gigante. — E para que você serve?

O príncipe não sabia, porque ninguém nunca lhe fizera aquela pergunta.

— Eu sei para o que ele serve — disse uma giganta idosa, com um olho na testa e outro no queixo. — Eu sei para o que ele serve. Ele serve para comer.

Quando ouviram isso, os gigantes riram tão alto que o príncipe quase morreu de medo.

— Ora — disse um deles —, ele não renderia nem uma bocada.

— Ah, deixem comigo — disse a giganta. — Vou engordá-lo e, quando estiver cozido e decorado, será uma ótima guloseima para o rei.

Com isso, os gigantes entregaram o príncipe nas mãos da velha giganta. Ela o levou consigo para casa, para a cozinha, e o alimentou com açúcar, temperos e tudo do bom e do melhor, para que ele fosse uma doce iguaria para o rei dos gigantes quando ele voltasse para a ilha. O pobre príncipe não comia nada no início, mas a giganta o segurava sobre o fogo até que seu pé queimasse, e

então ele disse a si mesmo que era melhor comer a ser queimado vivo.

Bem, um dia após outro se passou, e o príncipe ficava mais e mais triste, pensando que logo seria cozido e decorado para o rei. Porém, por mais triste que estivesse, o príncipe não sentia nem metade da tristeza da Princesa Eileen no castelo do gigante, vigiando e esperando que o príncipe voltasse para salvá-la.

E os anões tinham enovelado duas bolas, e estavam enovelando a terceira.

Por fim, o príncipe ouviu da giganta que o rei dos gigantes voltaria no dia seguinte, e ela disse para ele:

— Como esta é a última noite que você tem para viver, diga-me se quiser alguma coisa, pois seu desejo será realizado.

— Eu não quero nada — disse o príncipe, cujo coração estava morto dentro do peito.

— Bem, eu já volto — falou a giganta e saiu.

O príncipe se sentou num canto, pensando e pensando, até que escutou, perto do ouvido, um som como um "purr, purr!". Ele olhou ao redor e, ali na sua frente, estava o gatinho branco.

— Eu não devia vir até você — disse o gato —, mas, na verdade, não é por você que estou aqui. Eu venho pelo bem da Princesa Eileen. Claro, você se esqueceu completamente dela, e, claro, ela está sempre pensando em você. É sempre assim...

"O amante que feriu pode ter esquecido,
Quem não esquece é o que foi ferido."

O príncipe corou de vergonha quando ouviu o nome da princesa.

— Você tem mesmo do que se envergonhar — disse o gato. — Mas me escute agora, e lembre-se disto, se não seguir minhas instruções desta vez, nunca mais vai me ver, e nunca botará os olhos na Princesa Eileen. Quando a velha giganta voltar, diga a ela que quer ir até o mar pela manhã, para vê-lo uma última vez. Quando chegar ao mar, você saberá o que fazer. Tenho que ir agora, ouço a giganta se aproximando. — E o gato pulou pela janela e desapareceu.

— Bem — disse a giganta ao entrar —, tem alguma coisa que você queira?

— É verdade que tenho mesmo que morrer amanhã? — perguntou o príncipe.

— Sim.

— Então eu gostaria de ir até o mar, vê-lo pela última vez.

— Você pode fazer isso se acordar cedo.

— Estarei de pé ao primeiro sinal da luz da manhã — disse o príncipe.

— Muito bem — concordou a giganta e, desejando "boa noite", foi embora.

O príncipe achou que a noite nunca acabaria, mas por fim ela desbotou diante da luz cinzenta do amanhecer, e ele correu até o mar. Lançou a terceira bola e não demorou muito para ver o pequeno barco vindo em sua direção, mais rápido que o vento. Entrou no barco no instante em que ele tocou a margem. Mais rápido que o vento, o barco o carregou para o mar e, antes que ele tivesse tempo de olhar para trás, a ilha da giganta era como uma mancha vermelha borrada ao longe. O dia passou e a noite caiu, as estrelas iluminaram a água, e o barco navegava, e assim que o sol se ergueu sobre o mar, ele empurrou sua proa prateada nas areias douradas de uma ilha mais verde que as folhas no verão. O príncipe pulou para fora, seguiu em frente até que entrou em um vale agradável, no fim do qual viu um palácio branco como neve.

Quando se aproximava da porta central, ela se abriu para ele. Ao entrar no átrio, passou por várias salas sem encontrar ninguém; mas, quando chegou aos aposentos principais, se viu em uma sala circular, na qual havia centenas de colunas, todas de mármore, e em todas elas, menos em uma, que ficava no meio da sala, havia um gatinho branco com olhos pretos.

Dispostos por toda a parede, de um batente da porta ao outro, havia três fileiras de joias preciosas. A primeira era de broches de ouro e prata, com os alfinetes presos à parede e as cabeças para fora; a segunda era de colares de ouro e prata; e a terceira

era uma fileira de espadas incríveis, com punhos de ouro e prata. E sobre muitas mesas havia todo tipo de comida, e chifres cheios de cerveja com espuma.

Enquanto o príncipe olhava ao redor, os gatos ficavam pulando de uma coluna para outra, mas, vendo que nenhum deles pulava para a coluna no centro da sala, ele começou a se perguntar por quê, quando, de repente, e antes que pudesse entender como, bem ali diante dele, na coluna central, estava o gatinho branco.

— Não me reconhece?

— Sim — respondeu o príncipe.

— Ah, mas você não sabe quem eu sou. Este é o palácio do Gatinho Branco, e eu sou o Rei dos Gatos. Mas você deve estar com fome, e o banquete está servido.

Bem, quando o banquete terminou, o rei dos gatos ordenou que trouxessem a espada que mataria o gigante Trencoss e os cem bolos para os cem cães de guarda.

Os gatos trouxeram a espada e os bolos e os puseram diante do rei.

— Agora — disse o rei —, pegue isso. Você não tem tempo a perder. Amanhã os anões terminarão de enovelar a última bola, e amanhã o gigante vai reivindicar a princesa como sua noiva. Você tem que ir logo, mas, antes de ir, leve este presente meu para a sua garota.

E o rei deu a ele o mais lindo broche entre todos os que estavam na parede do palácio.

O rei e o príncipe, seguidos pelos gatos, foram até a costa e, quando o príncipe entrou no barco, todos os gatos miaram três vezes para dar sorte, e o príncipe acenou com seu chapéu três vezes, e o barco acelerou sobre as águas por toda a noite, tão brilhante e rápido quanto uma estrela cadente. Ao primeiro sinal da manhã, ele tocou a areia. O príncipe pulou para fora e seguiu em frente, montanha acima e vale abaixo, até chegar ao castelo do gigante. Quando os sabujos o viram, latiram furiosamente e se lançaram em sua direção para rasgá-lo em pedaços. O príncipe jogou os

bolos para eles e, à medida que cada sabujo engolia seu bolo, caía morto. Então o príncipe bateu no escudo três vezes com a espada que tinha trazido do palácio do gatinho branco.

Quando o gigante ouviu aquele som, gritou:

— Quem vem me desafiar no dia do meu casamento?

Os anões saíram para ver e, ao voltarem, disseram a ele que era um príncipe que o estava desafiando para uma batalha.

O gigante, espumando de raiva, pegou sua clava de ferro mais pesada e saiu correndo para a luta. A batalha durou o dia inteiro e, quando o sol se pôs, o gigante disse:

— Já lutamos muito por hoje. Podemos retomar amanhã quando o sol nascer.

— De jeito nenhum — disse o príncipe. — É agora ou nunca; vencer ou morrer.

— Então, tome isto — gritou o gigante, mirando um golpe com toda a força na cabeça do príncipe.

Mas o príncipe, disparando à frente como um raio de luz, enterrou sua espada no coração do gigante e, com um grunhido, ele caiu sobre os corpos dos sabujos envenenados.

Quando os anões viram o gigante morto, começaram a chorar e a arrancar os cabelos. Mas o príncipe lhes disse que não havia o que temer e os mandou dizer à Princesa Eileen que ele queria falar com ela. Mas a princesa tinha assistido à batalha da janela e, quando viu o gigante cair, correu para fora para cumprimentar o príncipe, e naquela mesma noite, ele, ela, todos os anões e harpistas se foram para o Palácio do Rio de Prata, ao qual chegaram na manhã seguinte, e até hoje nunca houve um casamento mais alegre que o casamento do Príncipe do Rio de Prata e da Princesa Eileen. E, embora ela tivesse diamantes e pérolas de sobra, a única joia que usou no dia do casamento foi o broche que o príncipe levara para ela do Palácio do Gatinho Branco, nos mares distantes.

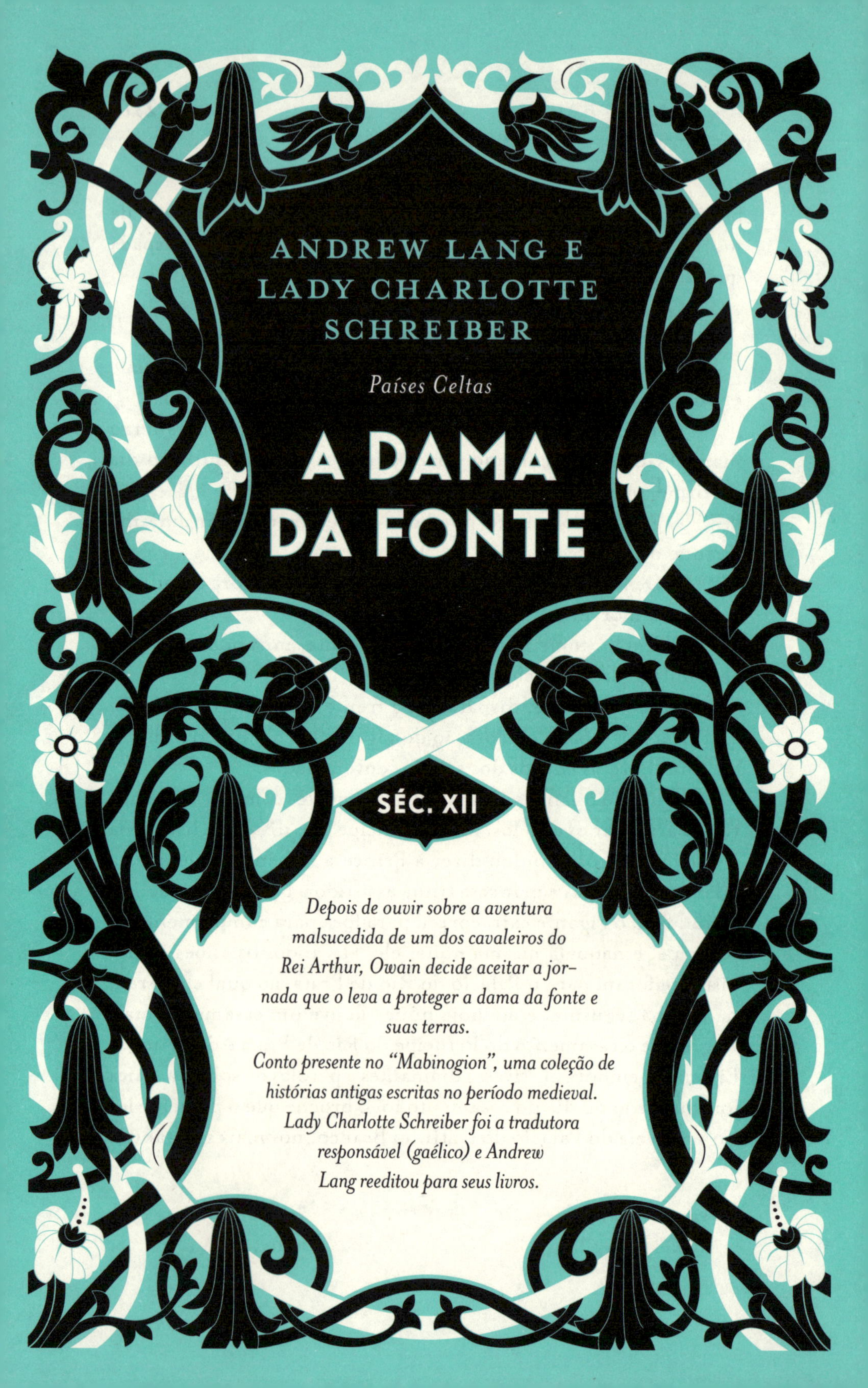
ANDREW LANG E
LADY CHARLOTTE
SCHREIBER
Países Celtas
A DAMA
DA FONTE
SÉC. XII
Depois de ouvir sobre a aventura
malsucedida de um dos cavaleiros do
Rei Arthur, Owain decide aceitar a jor-
nada que o leva a proteger a dama da fonte e
suas terras.
Conto presente no "Mabinogion", uma coleção de
histórias antigas escritas no período medieval.
Lady Charlotte Schreiber foi a tradutora
responsável (gaélico) e Andrew
Lang reeditou para seus livros.

o centro de um grande salão no castelo de Caerleon-upon-Usk, o Rei Arthur estava em um assento de junco verde, sobre o qual havia uma manta de seda rubra e também uma almofada de cetim vermelho embaixo de seu cotovelo. Ao lado dele, estavam seus cavaleiros Owain, Kynon e Kai e, no lado oposto, próximas da janela, estavam a rainha Guenevere e suas aias, bordando tecidos brancos com estranhas peças de ouro.

— Estou cansado — disse Arthur —, e até minha refeição ser servida, pretendo dormir. Podem contar histórias uns para os outros, e Kai trará, da cozinha, um garrafão de vinho e um pouco de carne para que comam.

Depois de comerem e beberem, Kynon, o mais velho entre eles, começou sua história.

— Eu era filho único e meus pais me tratavam muito bem, mas eu não estava contente por ficar com eles em casa, pois acreditava que não havia nenhum feito no mundo que fosse o suficiente para mim. Nenhum deles conseguiu me deter, e depois de viver muitas aventuras em minha terra, dei adeus a meus pais e parti para ver o mundo. Subi montanhas, cruzei desertos, atravessei rios, até chegar a um lindo vale cheio de árvores, com um caminho contornando um riacho. Percorri aquele caminho o dia todo e, à noite, cheguei a um castelo na frente do qual havia dois jovens vestidos de amarelo, ambos segurando arcos de marfim, com flechas feitas com ossos de baleia, decoradas com penas de pavão. Eles levavam adagas douradas com cabos de ossos de baleia, penduradas na cintura.

"Perto daqueles jovens, havia um homem muito bem-vestido, que se virou e seguiu comigo em direção ao castelo, onde todos os habitantes estavam reunidos no salão. Em uma janela, vi duas dúzias de donzelas, e a menos bela delas era mais bela do que Guenevere no ápice de sua beleza. Algumas pegaram meu cavalo, outras pegaram minha armadura e a limparam, juntamente com minha espada e lança, até tudo ficar brilhando feito prata. Então,

Wonder Stories from the Mabinogion

The Lady and the Fountain

ARTISTA DESCONHECIDO, 1908

eu me lavei, vesti um colete e um gibão que elas me deram, e eu e o homem que entrou comigo nos sentamos a uma mesa de pratarias, sobre a qual havia o banquete mais impressionante que já vi.

"Durante todo esse tempo, o homem e as donzelas não disseram nem uma palavra, mas, quando nosso jantar estava quase terminando e minha fome tinha sido aplacada, o homem começou a perguntar quem eu era. Quando eu disse meu nome, o nome de meu pai e por que estava ali, pois de fato tinha me cansado de vencer todos os homens onde eu vivia e procurava alguém que, por acaso, pudesse me desafiar, o homem sorriu e respondeu:

"'Se eu não receasse perturbar-te muito, mostraria a ti o que procuras.' As palavras dele me encheram de pesar e de medo de mim mesmo, o que o homem notou, e ele acrescentou: 'Se tu de fato procuras o que afirmas procurar, e se realmente desejas

mostrar teu valor, sem te gabares dizendo que ninguém pode ser melhor, tenho algo a mostrar. Mas dorme no castelo hoje e, pela manhã, procura acordar cedo e seguir estrada acima pelo vale, até que encontres uma mata. Na mata, há um caminho aberto à direita; percorre esse caminho até chegar a um espaço de grama com um monte no meio. No topo do monte há um homem negro[12], maior do que dois brancos; ele tem um olho no meio da testa e só um pé. Leva consigo uma barra de ferro, que dois homens brancos não conseguiriam erguer. Ao redor dele, mil animais pastam, todos diferentes uns dos outros, pois ele é o guardião daquela mata, e é ele quem dirá a ti por qual caminho seguir para que encontres a aventura que procuras.'

"Assim disse o homem, e aquela noite me pareceu longa e, antes do amanhecer, eu me levantei e vesti minha armadura, montei no cavalo e cavalguei até chegar ao local sobre o qual ele tinha me falado. Havia um homem negro sobre o monte, como ele dissera, e, na verdade, ele era mais poderoso do que eu imaginava, de todas as formas possíveis. Quanto à barra de ferro, Kai, teria sido difícil para quatro de nossos guerreiros erguerem-na. Ele esperou que eu falasse, e perguntei que poder ele tinha sobre as feras que vagavam tão perto dele.

"'Mostrarei a ti, homenzinho', disse ele, e, com a barra, acertou um veado na cabeça até este zurrar. E, quando zurrou, os animais chegaram correndo, numerosos como as estrelas no céu, e mal consegui me manter entre eles. Havia serpentes ali também,

12 Aqui, o autor (desconhecido) não fala sobre a etnia do gigante, e sim sobre sua cor, sendo referido mais tarde como "*Black Master of the Beasts*". No período vitoriano, época em que Lady Charlotte Guest traduziu este conto diretamente do gaélico, a palavra usada para se referir à etnia ainda seria "*negro*" (lê-se *nigro* em inglês) e sua escolha foi usar "*black*". Em alguns casos, ainda no período vitoriano, a palavra "*negro*" não era usada apenas para afrodescendentes, mas também para indígenas.

Os celtas tiveram contato com a África a partir do século III a.C., agindo como apoio para o Reino Ptolemaico no Egito. Portanto, os povos celtas possivelmente conheciam a cultura africana, embora as civilizações tenham permanecido distantes. [N. E.]

além de dragões, e feras de formas estranhas, com chifres em lugares onde nunca tinha visto chifres antes. E o homem negro apenas olhou para eles e fez um gesto para que fossem se alimentar. E todos se curvaram diante dele, como vassalos diante de seu senhor.

"'Agora, homenzinho, eu respondi à tua pergunta e mostrei meu poder a ti', disse ele. 'Gostaria de saber mais alguma coisa?'. Então, perguntei a ele qual seria o caminho, mas ele ficou irado e, pensei, poderia ter me atacado; no entanto, por fim, quando disse a ele quem eu era, sua raiva desapareceu.

"'Segue por aquele caminho', disse ele, 'que leva ao início de uma senda gramada e, subindo mata adentro, chegarás ao topo. Lá, encontrarás um espaço aberto, e, no meio dele, uma árvore alta. Embaixo da árvore, há uma fonte, e, perto da fonte, uma laje de mármore; na laje, uma bacia de prata com uma corrente de prata. Enfia a bacia na fonte, joga água na laje e tu ouvirás um ronco forte de trovão, até o céu e a terra parecerem estar tremendo com o barulho. Após o trovão, virá o granizo, tão forte, que tu mal conseguirás sobreviver a ele, pois as pedras são grandes e pesadas. E então o sol aparecerá de novo, mas todas as folhas da árvore estarão caídas no chão. Em seguida, virá um bando de pássaros que pousarão na árvore, e nunca ouvirás um canto tão doce quanto o deles. E assim que ouvires o canto deles, no ponto mais doce, ouvirás um murmúrio e reclamações em sua direção pelo vale, e verás um cavaleiro com roupas de veludo preto montado em um cavalo preto, segurando uma lança com um galhardete, e ele baterá com as esporas nas ancas do cavalo para lutar contra ti. Se te virares para fugir, ele te impedirá. E se ficares onde estiveres, ele te derrubará do cavalo. E, se não tiveres problema nessa aventura, não terás durante o resto de tua vida.'

"Eu me despedi do homem negro e tomei o rumo em direção ao topo da mata, e ali encontrei tudo como ele tinha dito. Fui até a árvore embaixo da qual ficava a fonte e, enchendo a bacia de prata com água, eu a virei sobre a laje de mármore. Naquele momento, veio o trovão, mais alto do que eu esperava ouvir, e, depois

KYNON MEETS WITH THE BLACK MASTER OF THE BEASTS

HENRY J. FORD, 1910

S. WILLIAMS, 1887

do trovão, veio a chuva, mas mais pesada, bem mais pesada do que eu esperava, pois posso jurar, Kai, aquele granizo era capaz de atravessar pele e carne até chegar ao osso. Virei a anca do meu cavalo em direção à chuva e, agarrado a seu pescoço, segurei meu escudo de modo a poder cobrir a cabeça dele e a minha. Quando o granizo terminou, olhei para a árvore e não vi nenhuma folha ainda presa, e o céu estava azul, com o sol brilhando, enquanto, nos galhos, havia aves de todos os tipos, cantando da forma mais doce, como eu nunca tinha ouvido, de uma forma que não ouvi desde então.

"Então, Kai, fiquei ouvindo os pássaros, quando uma voz aos murmúrios se aproximou de mim, dizendo:

"'Ó, cavaleiro, o que te trouxe aqui? Que mal fiz a ti, o que te levaste a fazer tanto comigo, pois, em todas as minhas terras, nem homem, nem fera atingidos por essa tempestade conseguiu escapar vivo.' Então, do vale, apareceu o cavaleiro em cima do cavalo negro, segurando a lança com o galhardete preto. Nós partimos para o ataque, e apesar de eu lutar da melhor maneira, ele logo me superou, e fui jogado ao chão, enquanto o cavaleiro agarrou as rédeas de meu cavalo e partiu com ele, me deixando onde eu estava, sem sequer tirar minha armadura.

"Infelizmente, eu desci o monte de novo, e, quando cheguei à senda onde o homem negro estava, juro, Kai, foi surpreendente o fato de eu não ter derretido ali, tamanha foi minha vergonha. Naquela noite, dormi no castelo onde já tinha estado e tomei banho, ganhei um banquete, e ninguém me perguntou como eu tinha passado. Na manhã seguinte, quando acordei, encontrei um cavalo selado para mim e, usando a armadura, voltei para minha corte. O cavalo ainda está no estábulo, e eu não abriria mão dele por nenhum na Inglaterra.

"Mas, sinceramente, Kai, nenhum homem já confessou uma aventura que tenha sido fracassada, e, de fato, é estranho que eu não conheça nenhum outro homem que saiba do homem negro, do cavaleiro e da tempestade."

— Não seria bom — disse Owain — partir para descobrir o local?

— Posso garantir — respondeu Kai —, muitas vezes pronuncias com a tua língua aquilo que não farias de fato.

— Na verdade — disse a rainha Guenevere, que havia ouvido a história —, seria melhor que tu fosses enforcado, Kai, a usar tal discurso com um homem como Owain.

— Eu não quis dizer nada, senhora — respondeu Kai. — Teus elogios a Owain não são maiores do que os meus. — E enquanto ele falava, Arthur despertou e perguntou se não tinha dormido um pouco.

HENRY J. FORD, 1910

— Sim, senhor — respondeu Owain —, tu dormiste.

— Está na hora de irmos comer?

— Está, senhor — respondeu Owain.

Então, tocou o sino para que eles se lavassem, e, depois disso, o rei e seu grupo se sentaram para comer. Quando terminaram, Owain os deixou e aprontou seu cavalo e suas armas.

Com os primeiros raios de sol, ele partiu e atravessou desertos e montanhas, além de rios, e aconteceu com ele tudo o que tinha acontecido com Kynon, até ele parar sob a árvore sem folhas ouvindo o canto dos pássaros. Então, ele ouviu a voz e, ao se virar, viu o cavaleiro galopando para encontrá-lo. Eles lutaram intensamente até suas lanças se quebrarem, e então empunharam as espadas, e um golpe de Owain atravessou o capacete do cavaleiro, atingindo seu crânio.

Sentindo-se ferido de morte, o cavaleiro fugiu, e Owain o perseguiu até eles chegarem a um castelo esplêndido. Ali, o cavaleiro atravessou a ponte que passava por cima do fosso e adentrou o portão, mas, uma vez do lado de dentro, a ponte levadiça foi erguida e atingiu o cavalo de Owain no meio, de modo que metade dele ficou para dentro e a outra metade, para fora, e Owain não conseguia apear e não soube o que fazer.

Enquanto ele estava naquela situação difícil, uma portinhola no portão do castelo se abriu, e ele conseguiu ver um caminho à sua frente, com casas altas. Uma donzela com cabelos loiros espiou pela portinhola e gesticulou para que Owain abrisse o portão.

— Céus! — exclamou Owain. — Não consigo abri-lo daqui, assim como não consegues me libertar.

— Bem — disse ela —, farei o melhor que puder para libertar-te, se fizeres o que mando. Pega este anel e coloca-o com a pedra dentro da tua mão, fechando teus dedos com força, pelo tempo que for possível escondê-lo, pois será o tempo que ele te esconderá. Quando os homens de dentro se reunirem, virão procurar-te para acabar com a tua vida, e ficarão muito decepcionados por não te encontrarem. Ficarei no bloco de montar no cavalo mais

à frente, e tu poderás me ver apesar de eu não conseguir ver-te. Por isso, aproxima-te e apoia tua mão no meu ombro e me segue aonde quer que eu vá.

Com isso, ela se afastou de Owain, e quando os homens saíram do castelo para procurá-lo e não o encontraram, ficaram muito incomodados e voltaram para o castelo.

Owain foi até a donzela e pousou a mão em seu ombro, e ela o levou a uma sala ampla, pintada com cores fortes e decorada com imagens douradas. Ali, deu comida e bebida para ele, além de água para se lavar e roupas para vestir, e ele se deitou em uma cama macia, com cobertores para cobri-lo, e dormiu satisfeito.

No meio da noite, acordou ouvindo um grito, saltou da cama, vestiu-se e foi ao corredor, onde a donzela estava parada.

— O que houve? — perguntou ele, e ela respondeu que o cavaleiro dono do castelo estava morto e que estavam levando o corpo dele para a igreja. Owain nunca tinha visto multidões tão vastas, e, acompanhando a locomoção do cavaleiro morto, estava a moça mais linda do mundo, cujo choro era mais alto do que o grito dos homens ou o toque da trombeta. E Owain olhou para ela e se apaixonou.

— Quem é ela? — perguntou ele à donzela.

— Ela é a minha senhora, a condessa da fonte, esposa daquele que tu mataste ontem.

— De fato — disse Owain —, ela é a mulher que amo.

— Ela não vai te amar nem um pouco — disse a senhora.

Ela deixou Owain e, depois de um tempo, entrou nos aposentos de sua senhora e falou com ela, mas a condessa não respondeu nada.

— O que ocorre, senhora? — perguntou ela.

— Por que ficaste longe de mim em meu pesar, Luned? — perguntou a condessa, e, por sua vez, a donzela perguntou:

— É bom para ti sofrer tanto pelos mortos, ou por algo que se foi?

— Não existe homem no mundo como ele — respondeu a condessa, com o rosto cada vez mais vermelho de raiva. — Eu poderia banir-te por tuas palavras.

— Não te enfureças, senhora — disse Luned —, mas aqui está meu conselho. Tu sabes bem que, sozinha, não conseguirás manter tuas terras. Por isso, busca alguém para ajudar-te.

— E como posso fazer isso? — perguntou a condessa.

— Eu te direi — respondeu Luned. — A menos que consigas defender a fonte, tudo será perdido, e não há ninguém além de um cavaleiro da corte de Arthur capaz de fazer isso. Partirei para procurá-lo, e ai de mim se eu voltar sem um guerreiro que possa guardar a fonte tão bem quanto aquele que a guardava antes.

— Vá, então — disse a condessa —, transforma o que prometes em realidade.

Assim, Luned partiu, montada em um palafrém branco, fingindo que seguia para a corte do Rei Arthur, mas, em vez de fazer isso, escondeu-se pelo número de dias que demoraria para ir e voltar, para depois sair de seu esconderijo e ir até a condessa.

— Quais notícias trazes da corte? — perguntou sua senhora ao cumprimentar Luned de modo caloroso.

— As melhores possíveis — respondeu a criada —, pois alcancei o objetivo de minha missão. Quando queres que eu apresente o cavaleiro que trouxe comigo?

— Amanhã ao meio-dia — disse a condessa —, e reunirei todas as pessoas do reino.

Assim, no dia seguinte, ao meio-dia, Owain vestiu a cota de malha e, por cima dela, um belo manto, e, nos pés, calçou sapatos de couro com fivelas de ouro. E acompanhou Luned até a sala de sua senhora.

A condessa ficou feliz ao vê-los, mas olhou com atenção para Owain e disse:

— Luned, esse cavaleiro não aparenta ser um viajante.

— Qual é o problema nisso, senhora? — respondeu Luned.

— Estou convencida — disse a condessa — de que esse homem e nenhum outro arrancou a alma do corpo do meu senhor.

— Se não tivesse sido mais forte do que o teu senhor — respondeu a donzela —, ele não teria conseguido tirar a vida dele, e para isso e para tudo o que se passou, não existe solução.

— Deixem-me sozinha — disse a condessa —, preciso de aconselhamento.

E eles saíram.

Na manhã seguinte, a condessa reuniu seus súditos no pátio do castelo e disse a eles que agora que seu marido havia morrido, não havia ninguém para defender suas terras.

— Então, escolham como deve ser — disse ela. — Ou um de vocês me aceita como esposa ou me dão seu consentimento para que eu escolha um novo senhor, para que minhas terras não fiquem desprotegidas.

Quando ela disse isso, os principais homens da região se reuniram para deliberar e, depois de algum tempo, o líder se dirigiu a ela dizendo que eles haviam decidido que seria melhor, pela paz e segurança de todos, que ela escolhesse um marido para si. Então, Owain foi chamado e aceitou com alegria a mão que ela oferecia, e eles se casaram, e os homens do condado se submeteram a ele.

A partir daquele dia, Owain defendeu a fonte como o conde anterior havia feito, e todos os cavaleiros que apareceram foram derrotados por ele, e seus pertences eram divididos entre seus homens. Dessa maneira, três anos se passaram, e não havia homem no mundo mais amado do que Owain.

Ao final dos três anos, Gwalchmai, o cavaleiro, esteve com Arthur e notou que o rei estava muito triste.

— Meu senhor, aconteceu alguma coisa? — perguntou ele.

— Ah, Gwalchmai, me entristece a questão com Owain, a quem perdi nesses três anos, e se passar um quarto ano sem ele, não conseguirei mais viver. E estou certo de que a história contada por Kynon, filho de Clydno, fez com que eu o perdesse. Partirei com os homens de minha região para vingá-lo se ele estiver morto,

para libertá-lo se ele estiver preso, para trazê-lo de volta se ele estiver vivo.

Então, Arthur e seus três mil homens partiram em busca de Owain, levando Kynon como guia. Quando Arthur chegou ao castelo, os jovens estavam atirando no mesmo local, e o mesmo homem de amarelo estava ali perto, e assim que viu Arthur, ele o cumprimentou e o convidou a entrar, e, juntos, foram para dentro. O castelo era tão amplo que a presença dos três mil homens era como se eles fossem apenas vinte.

Quando o dia nasceu, Arthur partiu com Kynon como guia e chegou ao homem negro primeiro e, depois, ao topo do monte, com a fonte, a bacia e a árvore.

— Meu senhor — disse Kai —, deixa-me despejar a água na laje e receber a primeira aventura que pode vir.

— Podes fazer isso — respondeu Arthur, e Kai despejou a água.

Imediatamente, tudo aconteceu como antes; o trovão e a chuva de granizo que mataram muitos dos homens de Arthur; o canto dos pássaros e o surgimento do cavaleiro negro. E Kai o encontrou e lutou com ele, sendo derrotado. O cavaleiro partiu, e Arthur e seus homens montaram acampamento ali.

Pela manhã, Kai mais uma vez pediu para encontrar o cavaleiro e tentar vencê-lo, o que Arthur permitiu. Mas, novamente, ele ficou sem cavalo, e a lança do cavaleiro negro atravessou seu capacete e rasgou a pele, chegando ao osso, e, humilhado, ele voltou ao acampamento.

Depois disso, cada um dos cavaleiros lutou, mas nenhum se sagrou vitorioso, e, por fim, restaram apenas Arthur e Gwalchmai.

— Ah, permite-me lutar com ele, meu senhor — pediu Gwalchmai, ao ver Arthur pegar suas armas.

— Bem, luta, então — respondeu Arthur, e Gwalchmai jogou uma capa sobre si e seu cavalo, de modo que ninguém o reconhecesse. Durante todo aquele dia, eles lutaram, e nenhum deles conseguiu sair vencedor, por isso continuaram no dia seguinte. No terceiro dia, o combate foi tão intenso que os dois caíram ao

mesmo tempo ao chão, e continuaram lutando de pé, e, por fim, o cavaleiro negro golpeou o inimigo na cabeça com tanta força que fez seu capacete cair.

— Não sabia que eras tu, Gwalchmai — disse o cavaleiro negro. — Pega minha espada e minhas armas.

— Não — respondeu Gwalchmai. — Owain, tu és o vencedor, pega minha espada. — Mas Owain não aceitou.

— Deem-me suas espadas — disse Arthur atrás deles —, pois nenhum de vocês venceu o outro. — E Owain se virou e abraçou Arthur.

No dia seguinte, Arthur teria dado ordens para que seus homens se aprontassem para voltar de onde tinham saído, mas Owain o impediu.

— Meu senhor — disse ele —, durante os três anos que fiquei longe de ti, preparei um banquete para ti, sabendo bem que tu virias me procurar. Por isso, peço que permaneçam um tempo comigo, tu e teus homens.

Eles cavalgaram até o castelo da condessa da fonte e passaram três meses descansando e comendo. E quando chegou o momento de partirem, Arthur rogou à condessa que permitisse que Owain fosse com ele para a Inglaterra pelo período de três meses. Com o coração apertado, ela deu permissão, e Owain ficou tão feliz por estar de novo com seus velhos companheiros que três anos, e não três meses, se passaram como um sonho.

Um dia, Owain se sentou para comer no castelo de Caerleon-upon-Usk, quando uma donzela montada em um cavalo castanho entrou no salão e, indo diretamente ao local onde Owain estava, se inclinou e tirou o anel da mão dele.

— Assim devem ser tratados traidores e homens sem fé — disse ela e, virando o cavalo, saiu do salão.

Com aquelas palavras, Owain se lembrou de tudo o que tinha esquecido e foi, pesaroso e envergonhado, para seus aposentos, preparando-se para partir. Ao amanhecer, ele partiu, mas não voltou ao castelo, pois seu coração estava pesado; só vagou pela floresta

HENRY J. FORD, 1910

até seu corpo ficar fraco e magro e os cabelos, compridos. As feras selvagens eram suas amigas, e ele dormia ao lado delas, mas, ao final, desejava ver o rosto de um homem de novo, e desceu por um vale, adormecendo perto de um lago na terra da condessa viúva.

No momento em que a condessa dava um passeio, acompanhada por suas aias, elas viram um homem deitado perto do lago e ficaram horrorizadas, pois ele estava tão imóvel que parecia estar morto. Mas, quando elas superaram o medo, aproximaram-se dele, o tocaram e viram que ele estava vivo. A condessa foi depressa para o castelo, trouxe de lá uma garrafa cheia de unguento precioso e a entregou a uma de suas aias.

— Pega aquele cavalo que está pastando — disse ela — e uma muda de roupas masculinas, coloca-os perto do homem e despeja um pouco desse unguento perto do coração dele. Se houver vida dentro dele, ele será trazido de volta. Mas, se ele se mexer, esconde-te nos arbustos próximos, e vê o que ele faz.

A donzela pegou a garrafa e fez o que sua senhora mandou. Em pouco tempo, o homem começou a mexer os braços e, lentamente, ficou de pé. Passo a passo, ele pegou as roupas de cima do cavalo, as vestiu e montou no animal com dificuldade. Quando estava acomodado, a donzela apareceu e o cumprimentou, e ele ficou feliz quando a viu e perguntou qual era aquele castelo à sua frente.

— Pertence a uma condessa viúva — respondeu a donzela. — O marido deixou dois condados para ela, mas é tudo o que resta de suas amplas propriedades, pois foram tirados de seu poder por um jovem conde, porque ela não aceitou se casar com ele.

— Que pena — respondeu Owain, mas não disse mais nada, pois estava fraco demais para falar. A donzela o levou até o castelo, acendeu a lareira e levou comida para ele. E ali ele permaneceu e recebeu cuidados por três meses, até se tornar mais belo do que nunca.

Ao meio-dia, certo dia, Owain ouviu o som de armas do lado de fora do castelo e perguntou à mulher do que se tratava.

— É o conde sobre o qual falei — respondeu ela —, que chegou com um grupo grande para levar minha senhora.

— Pede a ela que me empreste um cavalo e uma armadura — disse Owain, e a donzela obedeceu, mas a condessa riu de modo amargurado e disse:

— Não emprestarei, mas darei a ele, e serão um cavalo, uma armadura e armas como ele nunca viu, apesar de eu não saber se serão úteis. Mas talvez impeça que caiam nas mãos de meus inimigos.

O cavalo foi levado e Owain seguiu com dois escudeiros atrás, e eles viram o grande acampamento mais à frente.

— Onde está o conde? — perguntou ele, e os escudeiros responderam:

— No grupo onde há quatro estandartes amarelos.

— Esperem por mim na entrada do castelo — disse Owain, gritando um desafio ao conde, que foi até ele. A luta foi intensa, mas Owain derrubou o inimigo e o levou à frente do castelo e ao salão.

— Eis a recompensa de teu abençoado bálsamo — disse ele ao colocar o conde ajoelhado à frente dela, fazendo-o jurar que restauraria tudo o que tinha tomado dela.

Depois disso, ele partiu e foi para os desertos e, enquanto passava pela mata, ouviu um grito alto. Afastando os arbustos, ele viu um leão de pé em um grande monte, e, ao lado dele, uma rocha. Perto da rocha havia um leão tentando alcançar o monte, e sempre que ele se mexia, uma serpente aparecia na rocha para impedi-lo. Owain desembainhou a espada, cortou a cabeça da serpente e seguiu seu caminho, e o leão o acompanhou, andando perto dele, como se fosse um cão de guarda. E ele era muito mais útil do que um cão de guarda, pois, à noite, levou lenha na boca para acender uma fogueira e matou um cervo grande para o jantar.

Owain acendeu o fogo, arrancou o couro do cervo e deu o restante para o leão jantar. Enquanto esperava a carne assar, ouviu um suspiro profundo ali perto e perguntou:

— Quem é?

— Sou Luned — respondeu uma voz vinda de uma caverna tão escondida pelos arbustos e pelas plantas penduradas que Owain não a tinha visto.

— E o que fazes aqui? — gritou ele.

— Estou presa nesta caverna pelo cavaleiro que se casou com a condessa e a deixou, pois os escudeiros falaram mal dele, e porque eu disse a eles que nenhum homem se equiparava a ele, eles me arrastaram para cá e disseram que eu morreria a menos que ele viesse me libertar até determinado dia, e o prazo é até depois de amanhã. O nome dele é Owain, filho de Urien, mas não tenho ninguém que possa enviar para informar a ele sobre o perigo que corro, tampouco tenho certeza de que ele me libertaria.

Owain manteve-se calado, mas deu à mulher um pouco de sua carne e pediu que ela se animasse. Então, acompanhado pelo leão, ele partiu em direção a um grande castelo do outro lado da planície, e os homens se aproximaram, pegaram seu cavalo e levaram até uma manjedoura, e o leão foi atrás e se deitou na palha. Todos dentro do castelo foram hospitaleiros e gentis, mas tão pesarosos que era de se pensar que a morte os espreitava. Por fim, depois de comerem e beberem, Owain pediu ao conde que contasse o motivo da tristeza.

— Ontem — respondeu o conde —, meus dois filhos foram capturados, enquanto estavam caçando, por um monstro que habita essas montanhas, que afirma que não os soltará a menos que eu entregue minha filha para que seja sua esposa.

— Isso nunca acontecerá — disse Owain —, mas como é esse monstro?

— Na forma, ele é um homem, mas, na estatura, é um gigante — respondeu o conde —, e prefiro que ele mate meus filhos a ter que entregar minha filha.

Logo cedo, na manhã seguinte, os moradores do castelo foram despertados por um grito alto, e descobriram que o gigante tinha chegado com os dois jovens. Rapidamente, Owain vestiu a armadura e foi encontrar o gigante, acompanhado pelo leão. E quando a fera viu os golpes que o gigante dava em seu senhor,

S. WILLIAMS, 1887

voou no pescoço dele, e o monstro teve grande dificuldade para arrancá-lo dali.

— Realmente — disse o gigante —, eu não teria dificuldade em lutar contigo, não fosse esse leão.

Quando ouviu isso, Owain se envergonhou por não conseguir derrotar o gigante com sua própria espada e pegou o leão, o trancou em uma das torres do castelo e voltou para a luta. Mas, pelo som dos golpes, o leão soube que o combate estava indo mal para Owain, por isso subiu até chegar ao topo da torre, onde havia uma porta para o telhado, e, da torre, ele pulou nas paredes, e, das paredes, para o chão. Então, rugindo alto, ele saltou no gigante, que caiu morto devido ao golpe de sua pata.

Naquele momento, a escuridão do castelo se transformou em júbilo, e o conde implorou que Owain ficasse com ele até conseguir

ALFRED FREDERICKS, 1881

fazer um banquete, mas o cavaleiro disse que tinha outro trabalho a fazer, e voltou ao local onde havia deixado Luned, seguido pelo leão. Ao chegar, ele viu uma grande fogueira acesa e dois jovens levando a mulher para jogá-la no fogo.

— Parem! — gritou ele, partindo para cima deles. — Do que a acusam?

— Ela disse que nenhuma homem no mundo se equipara a Owain — disseram eles —, e nós a colocamos em uma caverna, concordando que ninguém poderia salvá-la, exceto o próprio Owain, e que, se ele não viesse até uma certa data, ela morreria. E agora o tempo já passou, e não houve sinal dele.

— Na verdade, ele é um bom cavaleiro e, se tivesse tomado conhecimento de que a mulher estava em perigo, teria vindo salvá-la — disse Owain —, mas aceitem-me no lugar dele, eu peço.

— Aceitaremos — responderam eles, e a luta começou.

Os jovens lutaram bem e pressionaram Owain, e quando o leão viu aquilo, foi ajudar seu senhor. Mas os jovens fizeram um sinal para que a luta parasse e disseram:

— Chefe, combinamos que lutaríamos apenas entre nós, e é mais difícil lutar com tua fera do que contigo.

Então, Owain fechou o leão na caverna onde a mulher estava presa e bloqueou a saída com pedras. Mas a luta com o gigante o havia desgastado, e os jovens lutaram bem, e o pressionaram ainda mais do que antes. E quando o leão viu aquilo, deu um rugido alto, derrubou as pedras e partiu para cima dos jovens para estraçalhá-los. E assim, Luned foi libertada, enfim.

A donzela voltou com Owain para as terras da dama da fonte. E ele levou a dama consigo para a corte de Arthur, onde eles viveram felizes até morrerem.

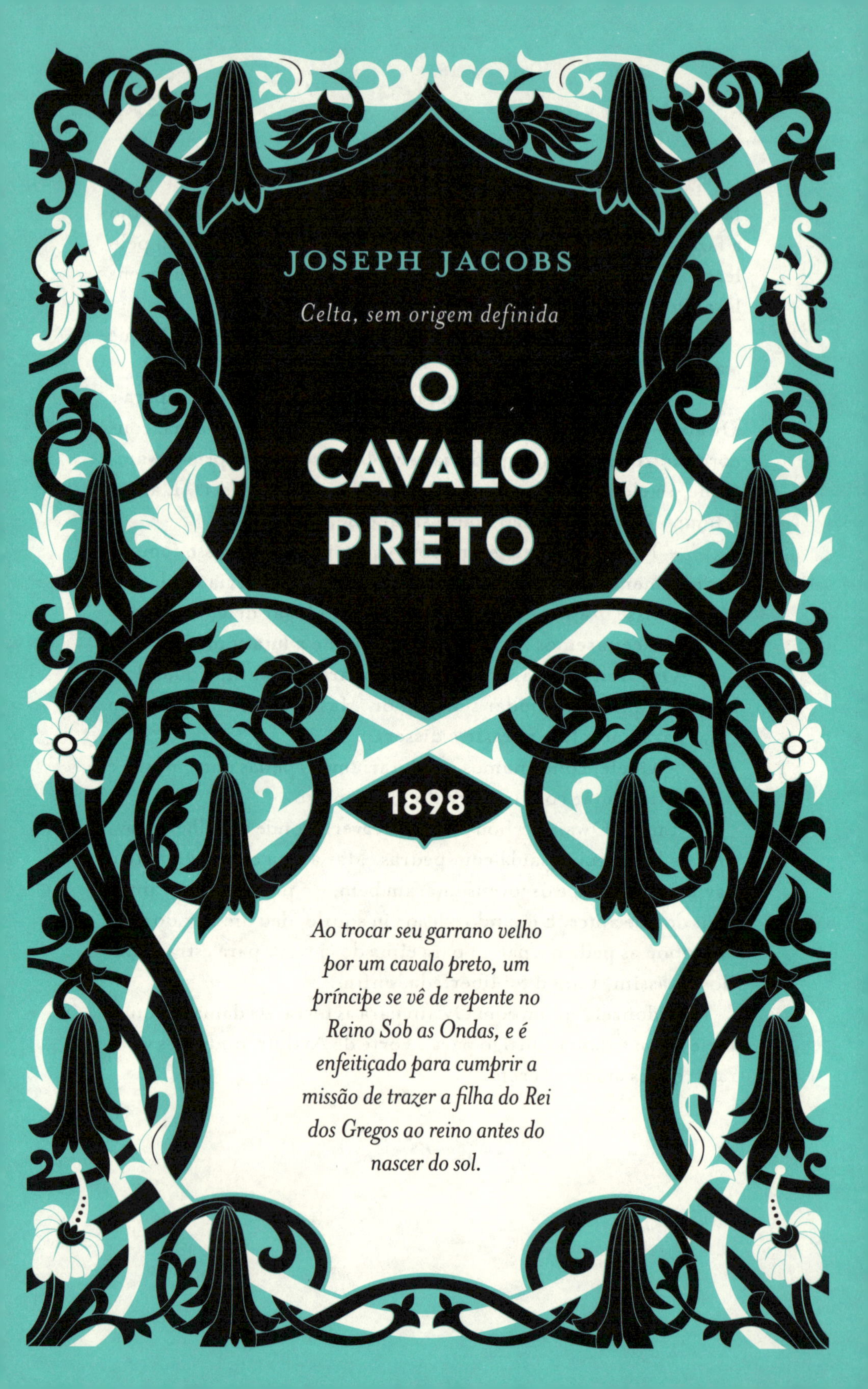
JOSEPH JACOBS
Celta, sem origem definida
O CAVALO PRETO
1898
Ao trocar seu garrano velho por um cavalo preto, um príncipe se vê de repente no Reino Sob as Ondas, e é enfeitiçado para cumprir a missão de trazer a filha do Rei dos Gregos ao reino antes do nascer do sol.

ra uma vez um rei que teve três filhos. Quando o soberano morreu, os filhos mais velhos não deram nem sombra da herança para o caçula, a não ser um garrano velho, branco e manco.

— Se não ganho nada além disso — disse ele —, parece que é melhor aceitá-lo.

Foi andando com ele diante de si, ora a pé, ora cavalgando-o. Quando já havia cavalgado por um bom tempo, pensou que o garrano precisaria comer um pouco, por isso apeou à terra, e o que viu surgir do oeste em direção a ele, senão um cavaleiro a cavalgar imponente e muitíssimo bem?

— Saudações, meu rapaz — disse ele.

— Salve, filho do rei — respondeu o outro.

— Quais são as novas? — perguntou o filho do rei.

— Ganhei isto — respondeu o rapaz que chegava. — Venho, depois de partir meu coração, montado neste cavalo que mais parece um asno; mas você trocaria o garrano branco e manco por ele?

— Não — disse o príncipe —, seria mau negócio para mim.

— Não precisa temer — disse o homem que chegava. — Digo apenas que ele pode ser mais útil a você do que a mim. Ele tem um valor: não há um único lugar em que você possa pensar nos quatro cantos da roda do mundo aonde o cavalo preto não possa levá-lo.

Então o filho do rei ficou com o cavalo preto e deu o garrano branco e manco.

Quando montou, onde poderia pensar em estar, senão no Reino Sob as Ondas? Ele foi e, antes de o sol nascer no dia seguinte, estava lá. O que encontrou ao chegar, senão o filho do Rei do Reino Sob as Ondas, que convocara a corte? O povo do reino se reuniu para ver se havia alguém que se incumbisse de buscar a filha do Rei dos Gregos[13] para ser a esposa do príncipe. Ninguém

13 Durante o século III a.C houve a invasão gaulesa dos Bálcãs, na qual os gauleses (povos de idioma gaélico, nativos da atual Inglaterra e Escócia, previamente conheci-

se ofereceu, e quem deveria se apresentar senão o cavaleiro do cavalo preto?

— Você, cavaleiro do cavalo preto — disse o príncipe —, eu o ponho sob cruzes e feitiços para que traga a filha do Rei dos Gregos aqui antes de o sol nascer amanhã.

Ele saiu, pegou o cavalo preto, apoiou o cotovelo na crina dele e soltou um suspiro.

— O suspiro do filho de um rei sob feitiços! — disse o cavalo. — Mas não se aflija: faremos a tarefa que foi posta diante de você.

E assim partiram.

— Agora — disse o cavalo —, quando nos aproximarmos da grande cidade dos gregos, você notará que as quatro patas de um cavalo nunca estiveram na cidade. A filha do rei me verá do alto do castelo, olhando pela janela, e não ficará contente se não der uma volta montada em mim. Diga que ela pode fazer isso, mas o cavalo não aceitará outro homem senão você cavalgando nele à frente de uma mulher.

Aproximaram-se da grande cidade, e ele mostrou sua habilidade de equitação. A princesa estava olhando pela janela e notou o cavalo; a equitação a agradou, e ela saiu exatamente na hora em que o cavalo chegou.

— Deixe-me dar uma volta no cavalo — disse ela.

— Pode fazer isso — respondeu ele —, mas o cavalo não permitirá que ninguém além de mim monte nele à frente de uma mulher.

— Tenho meu próprio cavaleiro — disse a princesa.

— Se é assim, ponha-o na frente — respondeu ele.

dos como celtas), invadiram a Grécia e territórios adjacentes. Pausânias, um geógrafo grego, descreveu a terra de origem dos gauleses como a mais remota da Europa, banhada por um grande mar que não era navegável nas suas extremidades, com criaturas diferentes das criaturas dos outros mares. Baseando-se no fato de que os barcos eram mais primitivos e o tempo necessário para a navegação era longo entre as terras celtas e gregas, supõe-se que este conto, que se trata de reinos submarinos, baseie-se nesta época e na troca de experiências e cultura entre os dois povos. [N. E.]

Antes mesmo que o cavaleiro montasse, quando tentou se levantar, o cavalo ergueu as patas e deu-lhe um coice.

— Venha você, então, e monte à minha frente — disse ela. — Não vou deixar de cavalgar.

O rapaz montou o cavalo, a princesa foi atrás dele e, antes que ela se desse conta, estava mais perto do céu que da terra. Ele estava no Reino Sob as Ondas com ela antes de o sol nascer.

— Você veio — disse o Príncipe do Reino Sob as Ondas.

— Eu vim — respondeu ele.

— Muito bem, meu herói — disse o príncipe. — Você é filho de um rei, mas eu sou filho do sucesso. De todo modo, agora não teremos demora nem descuido, e sim casamento.

— Vá com calma — disse a princesa. — Seu casamento não será tão rápido quanto imagina. Até eu pegar o cálice de prata que minha avó usou em seu casamento, e que minha mãe usou também, não me casarei, pois preciso usá-lo em meu próprio casamento.

— Você, cavaleiro do cavalo preto — disse o Príncipe do Reino Sob as Ondas —, eu o ponho sob feitiços e cruzes, a menos que a taça de prata esteja aqui antes de o sol nascer amanhã.

Ele saiu, pegou o cavalo preto, apoiou o cotovelo na crina dele e soltou um suspiro.

— O suspiro do filho de um rei sob feitiços! — disse o cavalo. — Monte e conseguirá o cálice de prata. O povo do reino está reunido em torno do rei esta noite, pois ele sente falta da filha, e, quando você chegar ao palácio, entre e me deixe de fora; a taça estará com eles, circulando de mão em mão. Entre e sente-se no meio deles. Não diga nada e aja como uma das pessoas do lugar. Mas, quando o copo chegar até você, esconda-o embaixo do seu braço, saia e traga-o até mim, e partiremos.

Lá foram eles, e chegaram à Grécia, e ele entrou no palácio e fez o que o cavalo preto dizia. Pegou o cálice, saiu e montou, e antes de o sol nascer estava no Reino Sob as Ondas.

— Você veio — disse o Príncipe do Reino Sob as Ondas.

— Eu vim — respondeu ele.

— É melhor nos casarmos agora — disse o príncipe à princesa grega.

— Sem pressa nem afobação — disse ela. — Não me casarei até receber o anel de prata que minha avó e minha mãe usaram quando se casaram.

— Você, cavaleiro do cavalo preto — disse o Príncipe do Reino Sob as Ondas —, cuide disso. Teremos esse anel aqui amanhã ao nascer do sol.

O rapaz foi até o cavalo preto, apoiou o cotovelo na crina dele e contou o caso.

— Nunca houve diante de mim problema mais difícil do que esse que agora está à minha frente — disse o cavalo —, mas não há como evitá-lo. Monte em mim. Há uma montanha de neve, uma montanha de gelo e uma montanha de fogo entre nós e a conquista desse anel. Será bem difícil ultrapassá-las.

Assim, partiram como sempre e, a cerca de um quilômetro e meio da montanha de neve, estavam enfraquecidos de tanto frio. Ao se aproximarem, ele bateu no cavalo preto e, com o salto que deu, o cavalo foi parar no alto da montanha de neve; no salto seguinte, estava no alto da montanha de gelo; no terceiro salto, atravessou a montanha de fogo. Depois de passar pelas montanhas, o rapaz ficou agarrado ao pescoço do cavalo, como se estivesse prestes a cair. Ele foi em frente até uma cidade lá embaixo.

— Desça — disse o cavalo preto — e vá até uma ferraria; faça um cravo de ferro para cada ponta de osso em mim.

Ele desceu como o cavalo queria, mandou fazer os cravos e com eles voltou.

— Espete-os em mim — disse o cavalo —, todos os cravos em todas as pontas de osso que eu tiver.

Assim ele fez; espetou os cravos no cavalo.

— Há um lago aqui — disse o cavalo — com seis quilômetros de comprimento e seis de largura, e, quando eu entrar na água, o lago pegará fogo e arderá. Se você vir o Lago de Fogo se apagar antes de o sol nascer, espere por mim; se não, siga seu caminho.

JOHN D. BATTEN, 1902

Lá se foi o cavalo preto para o lago, e o lago se tornou fogo. Por muito tempo ele andou em torno do lago, batendo as palmas das mãos e rugindo. O dia chegou e o lago não se apagou.

Mas, na hora em que o sol estava surgindo da água, o lago se apagou.

E o cavalo preto se ergueu no meio da água com um único cravo no corpo, e o anel na ponta dele.

Ele chegou à margem e desabou ao lado do lago.

Então veio o cavaleiro. Pegou o anel e arrastou o cavalo até a encosta de uma colina. Abaixou-se para protegê-lo, com os braços em volta dele, e, à medida que o sol se erguia, ele ficava cada vez melhor, até o meio-dia, quando se levantou.

— Monte — disse o cavalo —, e vamos embora.

Ele montou no cavalo preto e os dois partiram.

Alcançou as montanhas, fez o cavalo pular na montanha do fogo e chegou ao topo. Da montanha de fogo ele saltou para a montanha de gelo, e da montanha de gelo para a montanha de neve. Deixou as montanhas para trás e pela manhã estava no reino no fundo do mar.

— Você veio — disse o príncipe.

— Eu vim — respondeu ele.

— É verdade — disse o Príncipe do Reino Sob as Ondas. — O filho de um rei é você, mas o filho do sucesso sou eu. Não teremos mais erros e atrasos, mas um casamento desta vez.

— Vá devagar — disse a Princesa dos Gregos. — Seu casamento ainda não está tão próximo quanto você pensa. Até que construa um castelo, não me casarei com você. Nem no castelo de seu pai nem no de sua mãe hei de morar; faça para mim um castelo ao qual o castelo de seu pai não se equipare.

— Você, cavaleiro do cavalo preto, faça isso — disse o Príncipe do Reino Sob as Ondas — antes do próximo nascer do sol.

O rapaz foi até o cavalo, apoiou o cotovelo no pescoço dele e suspirou, pensando que aquele castelo nunca poderia ser feito.

— Nunca houve uma curva no meu caminho mais fácil de passar do que essa — disse o cavalo preto.

Mal olhou à sua volta e o rapaz viu tudo o que se passava, tantos artífices e tantos pedreiros trabalhando que o castelo estava pronto antes do nascer do sol.

Ele chamou o Príncipe do Reino Sob as Ondas e este viu o castelo. Tentou arrancar um dos olhos, imaginando ter uma visão falsa.

— Filho do Rei do Reino Sob as Ondas — disse o cavaleiro do cavalo preto —, não pense que essa é uma falsa visão; a visão é verdadeira.

— É verdade — respondeu o príncipe. — Você é filho do sucesso, mas eu também sou. Agora não haverá mais erros nem atrasos, e sim um casamento.

·The·Black·Horse·

JOHN D. BATTEN, 1902

— Não — disse ela. — É chegada a hora. Não devemos ir ver o castelo? Há tempo suficiente para o casamento antes de a noite chegar.

Foram até o castelo, e o castelo não tinha nenhum senão.

— Eu vejo um senão — disse o príncipe. — Pelo menos um defeito a ser corrigido. Um poço a ser feito lá dentro, para que não se precise ir muito longe buscar água quando houver um banquete ou casamento no castelo.

— Isso não há de demorar — disse o cavaleiro do cavalo preto.

O poço foi feito, e tinha sete braças de profundidade e duas ou três de largura. Eles o viram a caminho do casamento.

— Está muito bem-feito — disse ela —, a não ser por um pequeno defeito acolá.

— Onde está? — perguntou o Príncipe do Reino Sob as Ondas.

— Ali — respondeu ela.

Ele se inclinou para olhar. Ela deu um passo atrás, pôs as duas mãos nas costas dele e o atirou dentro do poço.

— Queda-te aí — mandou ela. — Se vou me casar, não será contigo. O homem que empreendeu cada façanha concluída, se ele desejar, é com quem me casarei.

E lá se foi a princesa com o cavaleiro do cavalinho preto para o casamento.

E ao final de três anos depois disso, ele se lembrou pela primeira vez do cavalo preto e de onde o deixou.

Levantou-se e saiu, e lamentou muito sua negligência para com o cavalo preto. Ele o encontrou exatamente onde o havia deixado.

— Boa sorte para você, cavalheiro — disse o cavalo. — Parece que encontrou uma coisa de que gosta mais do que de mim.

— Não encontrei, nem encontrarei, mas me aconteceu de esquecê-lo — disse ele.

— Não me importo — disse o cavalo —, não fará diferença. Levante sua espada e corte minha cabeça.

— A sorte não permitirá que eu faça uma coisa dessas — respondeu ele.

— Faça isso agora mesmo, ou serei eu a cortar sua cabeça — insistiu o cavalo.

Então o rapaz desembainhou a espada e cortou a cabeça do cavalo; depois, ergueu as mãos e soltou um grito doloroso.

E o que ouviu atrás de si?

— Saudações, meu cunhado.

Olhou para trás e lá estava o homem mais belo no qual já pusera os olhos.

— O que o fez chorar pelo cavalo preto? — perguntou ele.

— É que neste mundo nunca nasceu, nem de homem nem de animal, uma criatura que eu apreciasse mais — disse o jovem.

— Você me aceitaria no lugar dele? — perguntou o estranho.

— Se eu pudesse pensar que você é o cavalo, aceitaria; mas, se não, preferiria o cavalo.

— Pois eu sou o cavalo preto — disse o homem. — Se não fosse, como você poderia ter conseguido todas as coisas que saiu a procurar na casa de meu pai? Desde que fui enfeitiçado, a muitos homens acorri antes de você me encontrar. Diziam todos as mesmas palavras: não podiam ficar comigo, nem cuidar de mim, e nunca ficaram comigo por mais que um dia. Mas, quando nos encontramos, você esteve comigo até o tempo se esgotar e os feitiços chegarem ao fim. E agora deve ir para casa comigo, e faremos um casamento na casa de meu pai!

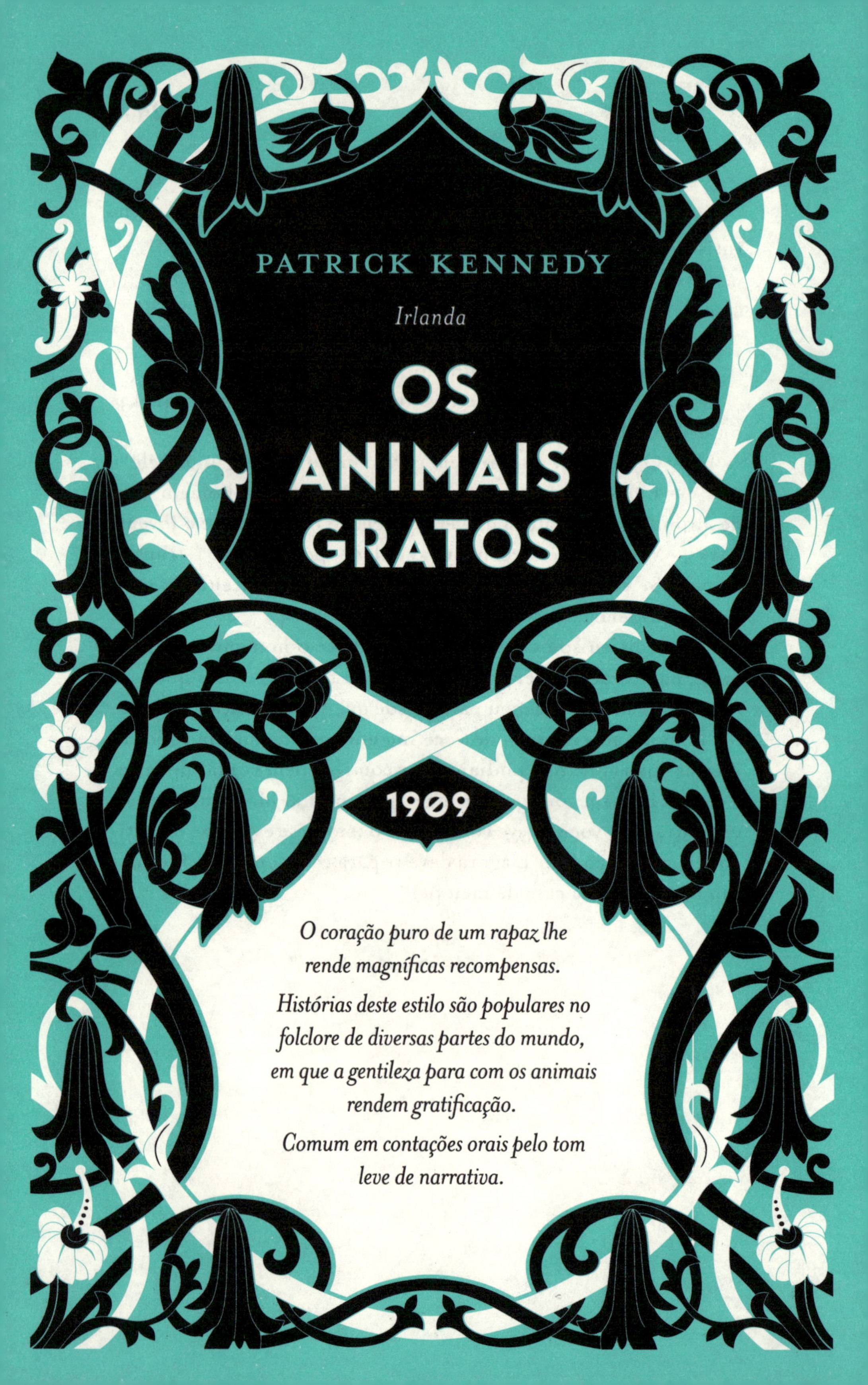
PATRICK KENNEDY
Irlanda
OS ANIMAIS GRATOS
1909
O coração puro de um rapaz lhe rende magníficas recompensas.
Histórias deste estilo são populares no folclore de diversas partes do mundo, em que a gentileza para com os animais rendem gratificação.
Comum em contações orais pelo tom leve de narrativa.

erta vez um rapaz estava a caminho de uma feira com cinco xelins no bolso. No caminho, viu alguns garotinhos batendo num pobre rato que tinham acabado de capturar.

— Ora, meninos — disse ele —, não sejam tão cruéis. Vendam-me esse rato por seis centavos e vão comprar alguns doces.

Os garotinhos lhe deram o rato, e ele soltou o pobre animal. O rapaz não tinha se afastado muito quando encontrou um novo grupo de meninos torturando uma pobre doninha.

Bem, ele a comprou por um xelim e a soltou. A terceira criatura que salvou, de um bando de rapazes cruéis, foi um burro, mas teve que dar meia coroa para libertá-lo.

— Agora — disse o pobre burro —, bem que podia me levar com você. Serei útil, acho, pois quando você estiver cansado, pode subir nas minhas costas.

— Com todo prazer — respondeu Jack, que era o nome do rapaz.

O dia estava muito quente, e ele se sentou debaixo de uma árvore para aproveitar a sombra. Assim que o fez, caiu no sono, mas logo foi despertado por um gigante com ar de malvado e seus dois criados.

— Como ousa deixar seu burro invadir meu campo — gritou o gigante — e fazer tanto estrago?

— Eu não tinha ideia de que ele houvesse feito algo assim.

— Não tinha ideia? Então vou lhe dar uma ideia. Traga aquele baú — ordenou o gigante a um dos seus criados.

Num piscar de olhos, eles amarraram os pés e as mãos do coitado do rapaz com uma corda grossa, jogaram-no no baú e o lançaram no rio. Então todos foram embora, menos o pobre burro, até que apareceram ninguém menos que a doninha e o rato, e lhe perguntaram qual era o problema. Então o burro lhes contou sua história.

— Ah — disse a doninha —, deve ser o mesmo rapaz que salvou o rato e eu. Ele tinha um retalho marrom na manga do casaco?

— É esse mesmo.

— Então, venha — chamou a doninha. — Vamos tentar tirá-lo do rio.

— Com certeza — disseram os outros.

Então a doninha subiu nas costas do burro, e o rato entrou em sua orelha, e eles se foram. Não tinham ido longe quando viram o baú, que havia ficado preso entre os arbustos junto de uma pequena ilha.

A doninha e o rato entraram e roeram a corda até libertar seu mestre.

Bem, todos estavam muito felizes e conversavam sobre o gigante e seus homens quando a doninha viu nada menos que um ovo, com a casca nas cores mais adoráveis, caído nas águas rasas. Não demorou para que ela o pescasse, e Jack o revirou nas mãos, o admirando.

— Ah, meus queridos amigos — disse ele para o burro, o rato e a doninha —, quem dera eu pudesse agradecer a vocês como eu gostaria. Como eu queria ter uma bela casa e uma terra para onde pudesse levá-los para viver em paz e abundância.

As palavras mal tinham saído de sua boca quando ele e os animais se viram de pé nos degraus de um grande castelo, com o mais belo gramado já visto na frente. Não havia ninguém dentro nem fora do castelo para tirá-los dele, então eles entraram, e ali viveram felizes como reis.

Um dia, Jack estava parado no seu portão quando três mercadores passaram com suas mercadorias ensacadas nos lombos de cavalos e mulas.

— Que visão abençoada! — gritaram eles. — O que isso significa? Não havia castelo nem gramado aqui na última vez em que passamos.

— É verdade — respondeu Jack —, mas vocês não devem ser prejudicados por isso. Tragam seus animais para o pátio nos fundos e deem a eles uma boa refeição e, se tiverem tempo, fiquem e jantem comigo.

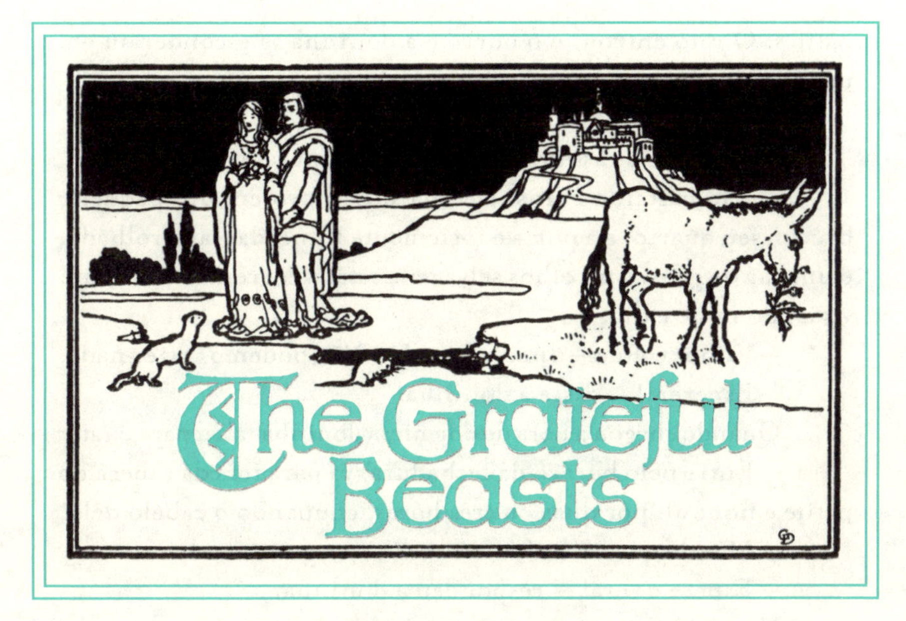

GEORGE DENHAM, 1909

Eles ficaram muito felizes em aceitar; mas, depois do jantar, Jack foi tolo o bastante para mostrar a eles seu ovo colorido e lhes dizer que bastava desejar alguma coisa com o ovo nas mãos que seu pedido era realizado. E provou o que dizia. Então, um de seus convidados pôs um pozinho na taça de vinho de Jack e, quando ele acordou, se viu novamente na ilha, com seu casaco remendado e os três amigos à sua frente, todos parecendo muito tristes.

— Ah, Mestre — disse a doninha —, você nunca será sábio o bastante para as pessoas trapaceiras deste mundo.

— Onde aqueles ladrões disseram que moravam e como se chamavam? — Jack coçou a cabeça e, depois de um tempo, conseguiu se lembrar.

— Venha, burro — disse a doninha —, vamos correr. Não seria seguro o mestre ir conosco; mas, se tivermos sorte, traremos o ovo de volta.

Então a doninha subiu nas costas do burro e o rato entrou em sua orelha, e eles partiram até chegarem à casa do líder dos

patifes. O rato entrou, e o burro e a doninha se esconderam em um bosque ali perto.

O rato logo voltou para junto deles.

— Bem, quais as novidades? — perguntaram.

— São bastante ruins; ele guardou o ovo em um pequeno baú em seu quarto, e a porta é fortemente trancada e aferrolhada, e um par de gatos com olhos selvagens estão acorrentados ao baú, vigiando noite e dia.

— Vamos voltar — disse o burro. — Não podemos fazer nada.

— Esperem! — disse a doninha.

Quando chegou a hora de dormir, a doninha falou para o rato:

— Entre pelo buraco da fechadura, vá para trás da cabeça do patife e fique ali por duas ou três horas, chupando o cabelo dele.

— Mas de que vai adiantar isso? — perguntou o burro.

— Espere e verá! — respondeu a doninha.

Na manhã seguinte, o mercador ficou furioso ao ver o estado do seu cabelo.

— Mas eu estarei pronto para você esta noite, seu rato maldito! — disse ele.

Então, na noite seguinte, ele soltou os gatos e os fez se sentar ao lado de sua cama e vigiar.

Enquanto ele pegava no sono, a doninha e o rato estavam do outro lado da porta, a roendo até abrirem um buraco na parte de baixo. O rato entrou, e não demorou muito para trazer o ovo em segurança.

Logo eles estavam de volta à estrada; o rato na orelha do burro, a doninha nas suas costas, e o ovo na boca da doninha.

Quando chegaram ao rio e estavam nadando, o burro começou a zurrar.

— Ió, ió — gritou ele. — Há alguém igual a mim no mundo? Estou carregando o rato, a doninha e o incrível ovo encantado que pode fazer qualquer coisa. Por que não me agradecem?

Mas o rato estava dormindo e a doninha não ousava abrir a boca por medo de deixar o ovo cair.

— Vou derrubar todos vocês, seu bando de ingratos, se não me agradecerem — gritou o burro, e a pobre doninha se esqueceu do ovo e berrou:

— Oh, não, não!

Então o ovo caiu na parte mais funda do rio.

— Veja o que você fez — disse a doninha, e pode ter certeza que o burro pareceu muito idiota.

— Ah, o que vamos fazer? — gemeu ele.

— Vamos manter a calma e a esperança — disse a doninha. Então, olhando para a água profunda, chamou: — Escutem, todos vocês, sapos e peixes! Há um grande bando de garças e cegonhas vindo buscar todos vocês e engoli-los. Depressa! Depressa!

— Ah, e o que podemos fazer? — gritaram eles, subindo à superfície.

— Juntem as pedras do fundo e as tragam para nós, que vamos construir um grande muro na margem para protegê-los.

Então os peixes e sapos se puseram a trabalhar como loucos, depressa e com vigor, levando para cima todas as pedras e seixos que encontraram no fundo do rio.

Por fim, um grande sapo veio com o ovo na boca, e quando a doninha o pegou, subiu numa árvore e gritou:

— É suficiente; o bando tomou um enorme susto com nosso muro, e estão todos fugindo.

Os pobrezinhos ficaram muito aliviados.

Pode ter certeza de que Jack pulou de alegria ao rever seus amigos e o ovo. Eles logo voltaram ao seu castelo e, quando Jack começou a se sentir sozinho, não foi difícil encontrar uma linda moça para se casar com ele; o casal e os três gratos animais foram muito felizes.

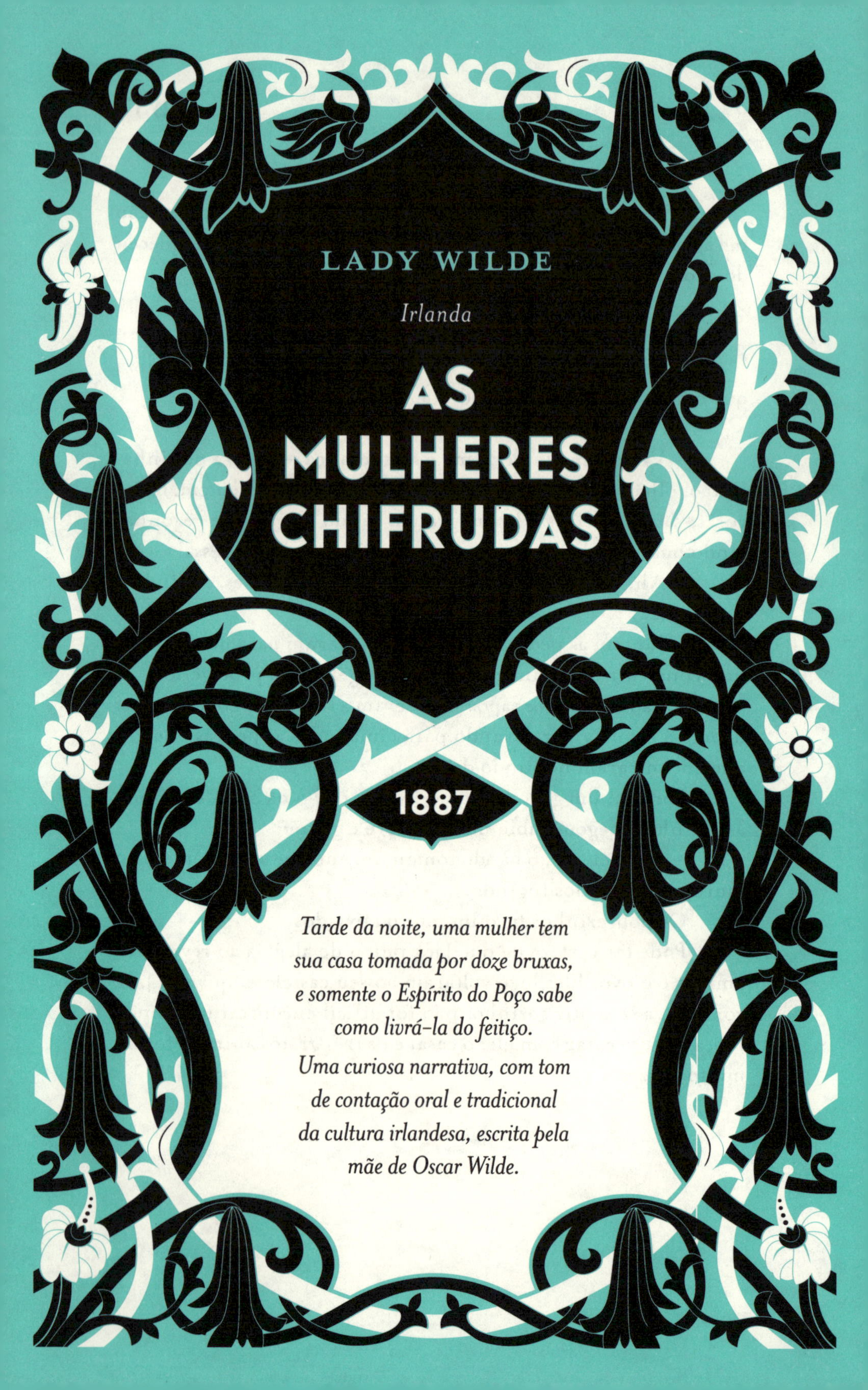
LADY WILDE
Irlanda
AS MULHERES CHIFRUDAS
1887
Tarde da noite, uma mulher tem
sua casa tomada por doze bruxas,
e somente o Espírito do Poço sabe
como livrá-la do feitiço.
Uma curiosa narrativa, com tom
de contação oral e tradicional
da cultura irlandesa, escrita pela
mãe de Oscar Wilde.

ma mulher rica estava sentada tarde da noite cardando e preparando lã enquanto toda a família e os empregados dormiam. De repente, ouviu-se uma batida à porta e uma voz chamou:

— Abra! Abra!

— Quem está aí? — perguntou a mulher da casa.

— Sou a Bruxa de um Chifre Só — foi a resposta.

A senhora, imaginando que uma de suas vizinhas tivesse vindo pedir auxílio, abriu a porta, e uma mulher entrou, trazendo na mão um par de cardadores de lã e ostentando um chifre na testa, como se tivesse crescido ali. Sentou-se junto ao fogo em silêncio e começou a cardar a lã com uma pressa violenta. De repente, ela parou e disse em voz alta:

— Onde estão as mulheres? Vão demorar muito?

Então houve uma segunda batida na porta e uma voz chamou como antes:

— Abra! Abra!

A senhora sentiu-se compelida a se levantar pessoalmente e atender à porta, e imediatamente uma segunda bruxa entrou, com dois chifres na testa e na mão uma roda de fiar lã.

— Dê-me um lugar — disse ela. — Sou a Bruxa dos Dois Chifres. — E começou a fiar, tão rápida quanto um raio.

E assim as batidas continuaram, e os chamados foram ouvidos e as bruxas entraram, até que houvesse pelo menos doze mulheres sentadas ao redor do fogo — a primeira com um chifre, a última com doze.

E elas cardaram o fio e giraram suas rodas de fiar, e torceram e teceram.

Todas cantavam juntas uma rima antiga, mas não disseram uma palavra à dona da casa. Estranhas de ouvir e assustadoras de olhar, eram essas doze mulheres, com seus chifres e rodas; e a senhora sentiu-se próxima da morte, e tentou se levantar para pedir socorro, mas não conseguiu se mexer, nem emitir uma palavra ou grito, pois o feitiço das bruxas tomara conta dela.

Então, uma delas a chamou em irlandês e disse:

— Levanta-te, mulher, e faz um bolo para nós.

Então a senhora procurou uma vasilha para trazer água do poço, para misturar a massa e fazer o bolo, mas não encontrou nenhuma.

E elas disseram:

— Pega uma peneira e traz água nela.

E ela pegou a peneira e foi ao poço, mas a água vazou da peneira, e ela não conseguiu pegar nada para o bolo, e sentou-se junto do poço e chorou.

Então uma voz surgiu junto dela e disse:

— Pega argila amarela e musgo, junta-os e cobre a peneira com a mistura para que retenha água.

Foi o que ela fez, e a peneira reteve a água para o bolo; e a voz disse ainda:

— Volta e, quando chegares ao canto norte da casa, grita três vezes em voz alta, dizendo: "A montanha das mulheres fenianas[14] e o céu acima dela estão em chamas".

E assim ela o fez.

Quando as bruxas ouviram o brado, um grito alto e terrível saiu de seus lábios, e elas se levantaram com lamentos e berros estridentes, e fugiram para o monte Slievenamon, onde ficava sua morada principal. Mas o Espírito do Poço ordenou que a dona da casa entrasse e preparasse seu lar contra os encantamentos das bruxas, se elas voltassem.

Primeiro, para romper os feitiços, ela borrifou a água em que lavara os pés do filho (a água suja) na frente da soleira da porta; segundo, pegou o bolo que as bruxas haviam feito na sua ausência, a massa misturada com o sangue tirado da família adormecida, e partiu o bolo em pedaços, e colocou um pedaço na boca de cada adormecido, e eles se restabeleceram; pegou o pano que elas tinham tecido e o colocou meio dentro e meio fora do baú com o cadeado; por fim, trancou a porta com uma grande trave presa nos batentes, para que as bruxas não pudessem entrar, e, tendo feito essas coisas, esperou.

14 A Irmandade Feniana foi uma organização interessada em fazer da Irlanda uma república democrática independente do Reino Unido no século XIX. O nome foi inspirado pelo Fianna, grupo de guerreiros liderados pelo herói mítico Fionn mac Cumhaill. [N. T.]

Não demorou muito para que as bruxas voltassem. Ficaram furiosas e exigiram vingança.

— Abra! Abra! — gritaram. — Abra, água suja!

— Não posso — disse a água suja. — Estou espalhada pelo chão, e meu caminho vai até o lago.

— Abram, abram, madeira e árvores e travas! — gritaram para a porta.

— Não posso — disse a porta —, pois a trava está presa nos batentes e não tenho poder para me mexer.

— Abra, abra, bolo que fizemos e misturamos com sangue! — gritaram também.

— Não posso — disse o bolo —, pois estou quebrado e moído, e meu sangue está nos lábios das crianças adormecidas.

Então as bruxas correram pelo ar com grandes gritos e fugiram de volta para Slievenamon, proferindo estranhas maldições sobre o Espírito do Poço, que desejara sua ruína. Mas a mulher e a casa foram deixadas em paz, e um manto que uma das bruxas deixou para trás foi pendurado pela senhora como sinal da terrível contenda da noite; e esse manto estava em posse da mesma família, geração após geração, quinhentos anos depois.

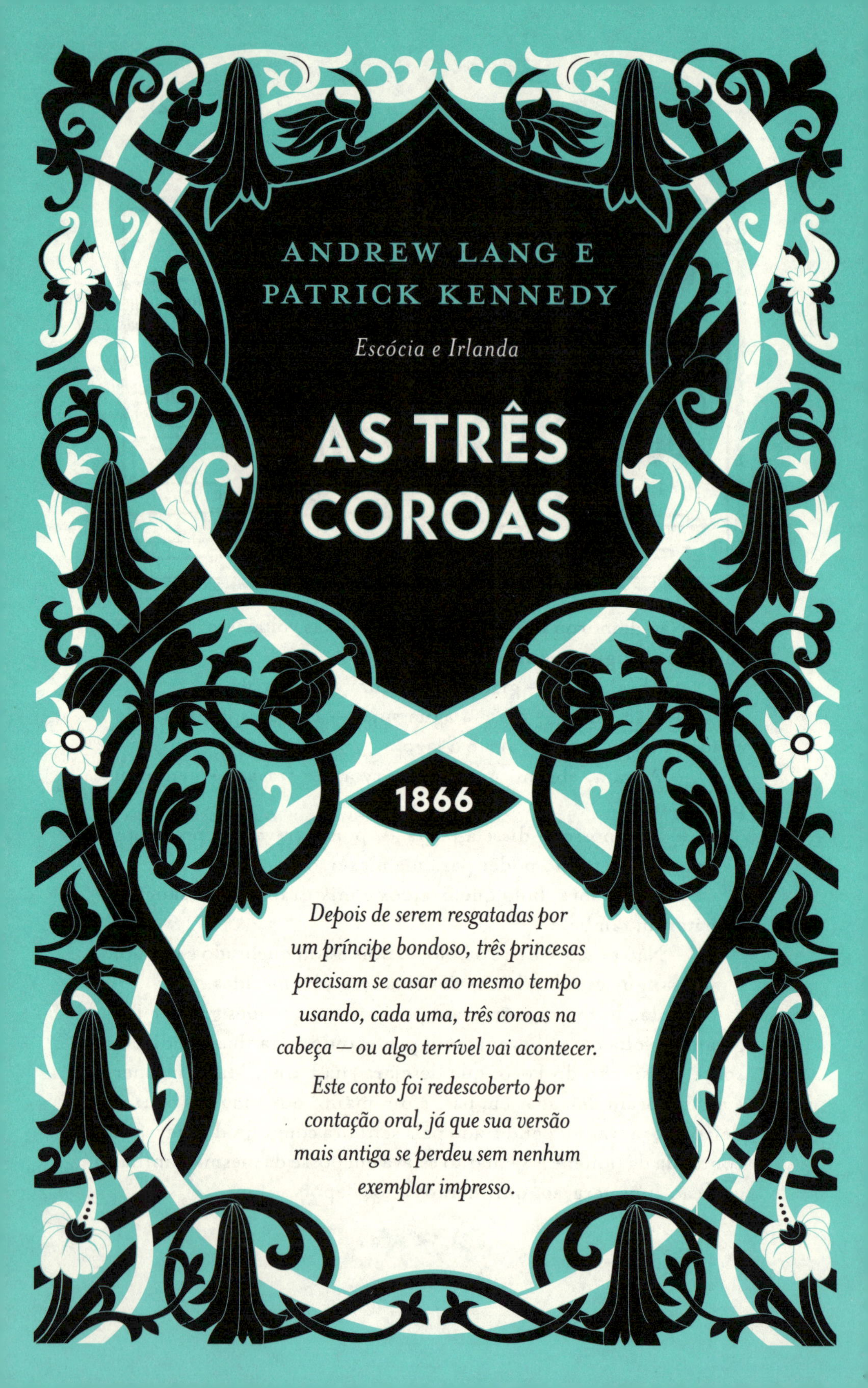
ANDREW LANG E
PATRICK KENNEDY
Escócia e Irlanda
AS TRÊS
COROAS
1866
Depois de serem resgatadas por
um príncipe bondoso, três princesas
precisam se casar ao mesmo tempo
usando, cada uma, três coroas na
cabeça — ou algo terrível vai acontecer.
Este conto foi redescoberto por
contação oral, já que sua versão
mais antiga se perdeu sem nenhum
exemplar impresso.

ra uma vez um rei que tinha três filhas. As duas mais velhas eram muito orgulhosas e brigavam muito, mas a mais jovem era tão boa quanto as outras eram más. Bem, três príncipes foram cortejá-las, e dois deles eram exatamente como as moças mais velhas, e um deles era tão adorável quanto a mais jovem. Um dia, todos desciam em direção a um lago que ficava no fim do gramado quando viram um mendigo. O rei não quis dar nada a ele, e as princesas mais velhas também não, nem seus namorados; mas a filha mais jovem e seu verdadeiro amor lhe deram algo, juntamente com palavras gentis, que foram o melhor de tudo.

Quando chegaram à beira do lago, encontraram o mais lindo barco que já tinham visto na vida; e a mais velha disse:

— Vou navegar nesse lindo barco.

E a do meio disse:

— Vou navegar nesse lindo barco.

E a mais jovem disse:

— Não vou navegar nesse lindo barco, pois temo que seja encantado.

Mas as outras a convenceram a entrar, e o pai delas estava quase entrando quando um homenzinho de apenas vinte centímetros de altura apareceu na proa e exigiu que o rei se afastasse. Bem, todos os homens levaram a mão às suas espadas; e, como se as espadas fossem de brinquedo, eles não as conseguiram empunhar, pois estavam sem força nenhuma nos braços. O tampinha soltou a corrente de prata que prendia o barco e empurrou. Depois de sorrir para os quatro homens, disse a eles:

— Despeçam-se de suas filhas e de suas noivas por ora. Você — disse ele apontando o mais jovem — não tema, pois vai rever sua princesa no momento certo, e vocês serão felizes, isso é certo. Pessoas más, ainda que rolassem nuas em cima do ouro, não seriam ricas. Adeus.

Eles partiram, e as moças estenderam as mãos, mas não conseguiram dizer nada.

Bem, eles não podiam atravessar o lago, assim como um gato não lambe as próprias orelhas, e os pobres homens não conseguiram se mexer para segui-las. Eles viram o tampinha tirar as três princesas do barco e descê-las dentro de um cesto por um poço, mas o rei e as princesas nunca tinham visto aquilo naquele ponto. Quando a última moça desapareceu de vista, os homens voltaram a ter força nos braços e nas pernas de novo. Eles correram ao redor do lago, e não pararam enquanto não chegaram ao poço e à manivela; e havia a corda enrolada no eixo, e o belo cesto branco pendurado nela.

— Deixe-me descer — disse o príncipe mais jovem. — Morro se for preciso para recuperá-las.

— Não — disse o namorado da segunda filha. — É minha vez.

E o terceiro disse:

— Sou o mais velho.

Então, eles abriram caminho para ele. O príncipe entrou no cesto e foi descido. Primeiro, eles o perderam de vista, em seguida, depois de descer cem nós da corda de seda, ela se esticou e a manivela parou de girar. Eles esperaram por duas horas, e então foram jantar, porque ninguém deu um puxão na corda.

Os guardas ficaram de prontidão até a manhã seguinte, e então o segundo príncipe desceu e, como se esperava, o mais jovem deles entrou no terceiro dia. Ele desceu por nós e mais nós da corda, cercado por uma escuridão que fazia parecer que estava dentro de uma panela grande com tampa. Por fim, ele viu um brilho distante, e em pouco tempo caiu no chão. Ele saiu do grande forno de calcinação e imaginem só! Havia uma mata e campos verdejantes, e um castelo em um gramado, e céu azul acima de tudo.

— Estou em Tír na nÓg[15] — disse ele. — Vamos ver que tipo de pessoas há no castelo. — Ele seguiu caminhando, atravessando

15 A Terra da Eterna Juventude é a mais popular dos Outros Mundos da mitologia irlandesa. Foi onde os Tuatha Dé Danann, ou sídhe, se fixaram depois de abandonar a superfície da Irlanda, e foi visitada por alguns dos maiores heróis irlandeses. Tír na nÓg é similar a outras terras míticas irlandesas.

HENRY J. FORD, 1910

campos e gramados, e não havia ninguém ali para mantê-lo fora ou deixá-lo entrar no castelo, mas a grande porta do corredor estava escancarada. Ele foi de um belo cômodo a outro ainda mais belo, e por fim, chegou ao mais belo de todos, com uma mesa no meio. E havia um belo jantar sobre ela! O príncipe estava com muita fome, mas era educado demais para comer sem ser convidado. Por isso, ele se sentou ao lado da lareira, e não demorou muito para ouvir passos, e o tampinha entrou de mãos dadas com a irmã mais nova. Bem, príncipe e princesa se abraçaram na hora, e o homenzinho disse:

— Por que você não está comendo?

— Eu acho, senhor — disse o príncipe —, que seria sinal de boa educação esperar ser convidado.

— Os outros príncipes não acharam a mesma coisa — disse ele. — Cada um deles comeu sem se preocupar, e apenas me disseram palavras rudes quando eu disse que não tinham sido convidados. Bem, acho que eles não estão com muita fome agora. Ali estão eles, mármore em vez de carne e osso — disse ele, apontando duas estátuas, uma em cada canto da sala. O príncipe ficou assustado,

mas sentiu medo de dizer alguma coisa, e o tampinha fez com que ele se sentasse para jantar entre ele e sua noiva; e ele estaria feliz como o dia é claro, não fossem os homens transformados em pedra no canto. Bem, aquele dia passou, e quando o dia seguinte chegou, o tampinha disse a ele:

— Agora, você vai ter que ir por ali — e apontou para o sol —, e vai encontrar a segunda princesa em um castelo do gigante esta noite, quando estiver bem cansado e faminto, e a princesa mais velha amanhã à noite; e pode trazê-las aqui com você. Não precisa pedir licença, e quando elas chegarem em casa, talvez olhem para as pessoas pobres como pessoas de carne e osso, assim como elas.

O príncipe se foi, e sim! Estava cansado e faminto quando chegou ao primeiro castelo, ao pôr do sol. Ah, como a segunda princesa ficou feliz ao vê-lo! E ela preparou um bom jantar para ele. Mas ela ouviu o gigante ao portão e escondeu o príncipe em um armário. Bem, quando ele entrou, cheirou e cheirou, e disse:

— Minha nossa! Sinto cheiro de carne fresca!

— Ah — disse a princesa —, é só o bezerro que matei hoje.

— Ai, ai — disse ele —, o jantar está pronto?

— Está — disse ela. E antes que ela se levantasse da mesa, ele comeu três quartos de um bezerro e tomou um jarro de vinho.

— Ainda sinto cheiro de carne fresca — disse ele, quando terminou de comer.

— Você está com sono, não é? Vá se deitar — disse ela.

— Quando você vai se casar comigo? — perguntou o gigante. — Está postergando há muito tempo.

— Na noite do dia de São Nunca – disse ela.

— Gostaria de saber quanto tempo falta até lá — disse ele, e adormeceu com a cabeça dentro do prato.

No dia seguinte, ele saiu depois do café da manhã, e ela mandou o príncipe ao castelo onde estava a irmã mais velha. A mesma coisa aconteceu lá; mas, quando o gigante estava roncando, a princesa acordou o príncipe, e eles selaram dois garanhões nos estábulos e foram ao campo montados neles. Mas os cascos dos cavalos bateram nas pedras do lado de fora do portão, e o gigante

despertou e os perseguiu. Ele vociferou e gritou, e quanto mais gritava, mais depressa os cavalos se afastavam, e quando o dia estava raiando, ele estava a apenas sessenta metros. Mas o príncipe não foi embora do castelo do tampinha sem oferecer algo de bom. Ele montou no garanhão, e prendeu no ombro uma faca afiada, e subiu por uma mata fechada com o gigante. Eles sentiram o vento que soprava à frente deles, e o vento que soprava atrás deles não os alcançou. Por fim, chegaram perto do castelo onde a outra irmã vivia; e ali estava ela, esperando por eles embaixo de um arbusto alto, montada em um belo cavalo.

Mas o gigante agora já estava à vista, vociferando como uma centena de leões, e o outro gigante apareceu em um momento, e a perseguição continuou. A cada dois pulos que os cavalos davam, os gigantes davam três, e por fim, estavam a apenas duzentos metros de distância. Então, o príncipe parou de novo, e lançou a segunda faca atrás de si. Desceu pelo campo até encontrar uma pedreira entre eles, de quatrocentos metros de profundidade, e o fundo cheio de água escura; e antes que os gigantes pudessem contorná-la, o príncipe e as princesas estavam dentro do reino do grande mágico, onde o arbusto alto e espinhoso se abria para todos que ele permitia que entrassem. As três irmãs ficaram felizes, até que as duas mais velhas viram seus namorados transformados em pedra. Mas, enquanto choravam por eles, o tampinha chegou e os tocou com sua varinha. Então, eles voltaram a se tornar pessoas de carne e osso e vida de novo, e eles se abraçaram e beijaram, e todos se sentaram para tomar o café da manhã, com o tampinha à cabeceira da mesa.

Quando o café da manhã terminou, ele os levou a outra sala, onde não havia nada além de montes de ouro, prata e diamantes, e também sedas e cetins; e sobre uma mesa havia três conjuntos de coroas: uma coroa dourada estava dentro de uma coroa de prata, que estava dentro de uma coroa de cobre. Ele pegou um conjunto de coroas e o entregou à princesa mais velha; e outro conjunto, deu à princesa do meio; e outro, deu à mais nova de todas. E disse:

— Agora, todos vocês podem ir ao fundo do poço, e não precisam fazer nada além de balançar o cesto, e as pessoas que

estiverem observando de cima os puxarão. Mas lembrem-se, moças, vocês precisam proteger suas coroas, e se casar com elas, todas no mesmo dia. Se vocês se casarem em dias separados, ou sem as coroas, uma maldição virá... lembrem-se do que estou dizendo.

Então, elas se despediram dele com muito respeito, e foram de braços dados até o fundo do poço. Havia um céu e um sol acima deles, e um grande muro, coberto com heras, à sua frente, e era tão alto que eles não conseguiam ver o topo; e havia um arco nesse muro, e o fundo do poço ficava dentro do arco. O casal mais jovem foi por último; e a princesa disse ao príncipe:

— Tenho certeza de que os dois príncipes não querem o seu bem. Mantenha as coroas sob sua capa, e se for obrigado a ficar por último, não entre no cesto, mas coloque uma pedra grande, ou qualquer coisa pesada dentro, para ver o que acontece.

Assim que eles entraram na caverna escura, eles colocaram a princesa mais velha primeiro, remexeram o cesto, e ela subiu. Então, o cesto voltou a descer, e a segunda princesa subiu, e depois, a mais jovem subiu; mas, primeiro, ela abraçou o príncipe e o beijou, e também chorou um pouco. Por fim, chegou a vez do príncipe mais jovem, e em vez de entrar no cesto, ele colocou uma pedra grande. Ele se encolheu em um lado e ficou ouvindo, e depois que o cesto subiu cerca de sessenta metros, o cesto desceu com a pedra como um trovão, e ela se despedaçou em muitos pedaços.

Bem, o pobre príncipe não podia fazer nada além de caminhar de volta ao castelo; e ao atravessá-lo e circundá-lo, comeu e bebeu do melhor, e conseguiu uma cama na qual dormir, e fez longas caminhadas por jardins e gramados, mas não conseguiu ver nada, nadinha, do tampinha. Antes de uma semana, ele ficou cansado, sentia muita saudade de seu verdadeiro amor; e no fim de um mês, não sabia o que fazer.

Certa manhã, ele entrou na sala de tesouros e viu uma bela caixa sobre a mesa que não se lembrava de ter visto antes. Ele a pegou e abriu, e tampinha andou sobre a mesa.

— Eu acho, príncipe — disse ele —, que você está se cansando do meu castelo.

— Ah! — disse o outro —, se eu tivesse minha princesa comigo, e pudesse ver você de vez em quando, meus dias nunca seriam ruins.

— Bem, você já está aqui há bastante tempo, e querem você lá em cima. Mantenha as coroas de sua noiva em segurança e, quando quiser minha ajuda, abra essa caixa. Agora, dê um passeio pelo jardim e volte quando se cansar.

O príncipe estava descendo um caminho de cascalho com sebes dos dois lados, e olhando para o chão, e pensando em algumas coisas. Por fim, ele olhou para a frente, e estava do lado de fora do portão de uma ferraria diante da qual ele passara antes, cerca de dois quilômetros do palácio de sua princesa prometida. As roupas que estava usando estavam muito puídas, mas ele mantinha as coroas em segurança por baixo de sua capa escura.

Então, o ferreiro saiu e disse:

— É uma pena que um homem forte e grande como você seja preguiçoso, com tanto trabalho a fazer. Você tem habilidade com martelo e pregos? Entre e ajude, e lhe darei casa e comida, e algumas moedas quando merecê-las.

— Não precisa dizer de novo — disse o príncipe. — Não há nada que eu queira mais do que me ocupar. — Então, ele pegou o martelo e bateu na barra incandescente que o ferreiro estava moldando para fazer um par de ferraduras.

Não fazia muito tempo que eles estavam trabalhando quando o alfaiate entrou, e ele se sentou e começou a falar.

— Vocês todos souberam que as duas princesas se recusaram a se casar enquanto a princesa mais jovem não estivesse pronta com as coroas e seu amor. Mas depois que a manivela se soltou por acidente quando eles estavam puxando seu noivo, não houve mais sinal de um poço, nem de corda, nem de manivela. Então, os príncipes que estavam namorando as moças mais velhas não deram paz a suas namoradas nem ao rei enquanto não conseguiram permissão para o casamento, que deveria ocorrer esta manhã. Eu desci por curiosidade, e para me deliciar com os lindos vestidos das duas noivas, e com as três coroas que elas usavam — dourada, prateada e acobreada,

DOWN WENT THE TWO BRIDEGROOMS

HENRY J. FORD, 1910

uma dentro da outra. A mais jovem estava ali perto, bem triste, e tudo estava pronto. Os dois noivos chegaram orgulhosos e ótimos, e estavam subindo até o altar quando as tábuas se abriram mais de um metro sob seus pés e eles caíram entre os homens mortos e os caixões nos buracos. Ah, os gritos das moças! E houve muita correria, pressa e pessoas espiando! Mas o recepcionista logo abriu a porta do alçapão e subiram os dois príncipes, com as belas roupas cobertas com teias de aranha e bolor. Então, o rei disse que eles deveriam adiar o casamento. 'Pois', disse ele, 'eu não vejo por que pensar nisso enquanto a mais nova não vier com as três coroas se casar juntamente com as outras. Darei minha filha mais nova como noiva de quem quer que traga três coroas para mim como as outras; e se essa pessoa não quiser se casar, alguma outra desejará, e eu farei isso por ela.'

— Gostaria de poder fazer isso — disse o ferreiro. — Mas eu estava observando as coroas quando as princesas chegaram em casa, e acho que não há um ferreiro na face da terra que possa imitá-las.

— Coração fraco nunca conquistou moça de valor — disse o príncipe. — Vá ao palácio e peça um quarto de meio quilo de ouro, um quarto de meio quilo de prata e um quarto de meio quilo de cobre. Pegue uma coroa como modelo, e minha cabeça como apoio, e eu direi o que é preciso.

— Está falando sério? — perguntou o ferreiro.

— Creio que sim — disse ele. — Vá! Você não tem o que perder.

Para resumir a história, o ferreiro conseguiu um quarto de meio quilo de ouro, e o quarto de meio quilo de prata e o quarto de meio quilo de cobre, e entregou tudo e um modelo de coroa ao príncipe. Ele fechou a entrada da forja à noite, e os vizinhos todos se reuniram no quintal e ouviram enquanto ele martelava, martelava e martelava, desde aquele momento até o amanhecer; e de vez em quando, ele lançava pela janela pedaços de ouro, prata e cobre; e os ociosos corriam para pegá-los, e xingavam uns aos outros, e torciam pela sorte do trabalhador.

Bem, quando o sol estava pensando em nascer, ele abriu a porta e tirou de lá as três coroas que pegou com seu amor verdadeiro, e foram ouvidos gritos e urros! O ferreiro pediu que ele o acompanhasse

ao palácio, mas ele se recusou; então, o ferreiro partiu, e a cidade toda com ele; e como o rei ficou feliz quando viu as coroas!

— Bem — disse ele ao ferreiro —, você é um homem casado. O que deve ser feito?

— Acredite, majestade, eu não fiz as coroas. Foi um cara grande que me ajudou ontem.

— Bem, filha, você se casará com o homem que fez essas coroas?

— Deixe-me vê-las antes, pai — disse ela, mas, quando examinou as coroas, ela as conhecia muito bem, e imaginou que tinha sido seu verdadeiro amor quem as enviara. — Eu vou me casar com o homem que mandou essas coroas — disse ela.

— Bem — disse o rei ao mais velho dos dois príncipes —, vá à forja do ferreiro, leve minhas melhores carruagens e traga o noivo para casa. — Ele não queria fazer isso, era muito orgulhoso, mas não podia se recusar.

Ao chegar à forja, ele viu o príncipe de pé à porta e fez um gesto para a carruagem.

— Você é o homem que fez essas coroas? — perguntou ele.

— Sim — disse o outro.

— Bem, então, talvez você queira se arrumar e entrar nesta carruagem. O rei quer vê-lo. Sinto pena da princesa.

O jovem príncipe entrou na carruagem, e enquanto eles seguiam, ele abriu a caixa e dali saiu o tampinha, que parou em sua coxa.

— Bem — disse ele —, o que está acontecendo agora?

— Senhor — disse o outro —, por favor, permita que eu volte à minha forja, e faça com que esta carruagem fique cheia de paralelepípedos. — Assim que ele pediu, aconteceu. O príncipe estava sentado em sua forja, e os cavalos não entenderam o que estava acontecendo com a carruagem.

Quando chegaram ao pátio do palácio, o próprio rei abriu a porta da carruagem, por respeito a seu novo genro. Assim que virou a maçaneta, uma chuva de pedras pequenas caiu em sua peruca grisalha e em seu casaco de seda, e ele caiu junto. Houve

medo generalizado e algumas risadas, e o rei, depois de limpar o sangue da testa, olhou bravo para o príncipe mais velho.

— Meu senhor — disse ele —, sinto muito por esse acidente, mas não tive culpa. Vi o jovem ferreiro entrar na carruagem e não paramos nem um minuto desde então.

— Você foi mal-educado com ele. Vá — disse o rei ao outro príncipe — e traga o jovem ferreiro aqui, e seja educado.

— Pode deixar — disse ele.

Mas algumas pessoas não conseguem ser boas nem tentando, e o novo mensageiro não foi mais educado do que o antigo, e quando o rei abriu a porta da carruagem pela segunda vez, tomou um banho de lama.

— Não adianta ir por esse caminho — disse ele. — A raposa nunca conseguiu um mensageiro melhor do que ela própria.

Então, ele trocou de roupa e se lavou, e partiu para a forja do príncipe e pediu que ele se sentasse consigo. O príncipe implorou para poder ir na outra carruagem e, quando eles estavam no meio do caminho, ele abriu a caixa.

— Senhor — disse ele —, eu gostaria de estar vestido apropriadamente agora.

— Você terá isso — disse o tampinha. — Agora, vou me despedir. Continue sendo bom e gentil como sempre foi; ame sua esposa, e é este o conselho que dou. — Então, o tampinha desapareceu; e quando a porta da carruagem foi aberta no pátio, o príncipe saiu muito bonito, e a primeira coisa que fez foi correr até sua noiva e abraçá-la.

Todos ficaram muito felizes, menos os outros dois príncipes. Não houve muito atraso nos casamentos, e todos foram celebrados no mesmo dia. Em seguida, os dois casais mais velhos foram para suas casas, mas o casal mais jovem ficou com o velho rei, e eles foram felizes como não foi nenhum outro casal que conhecemos das histórias.

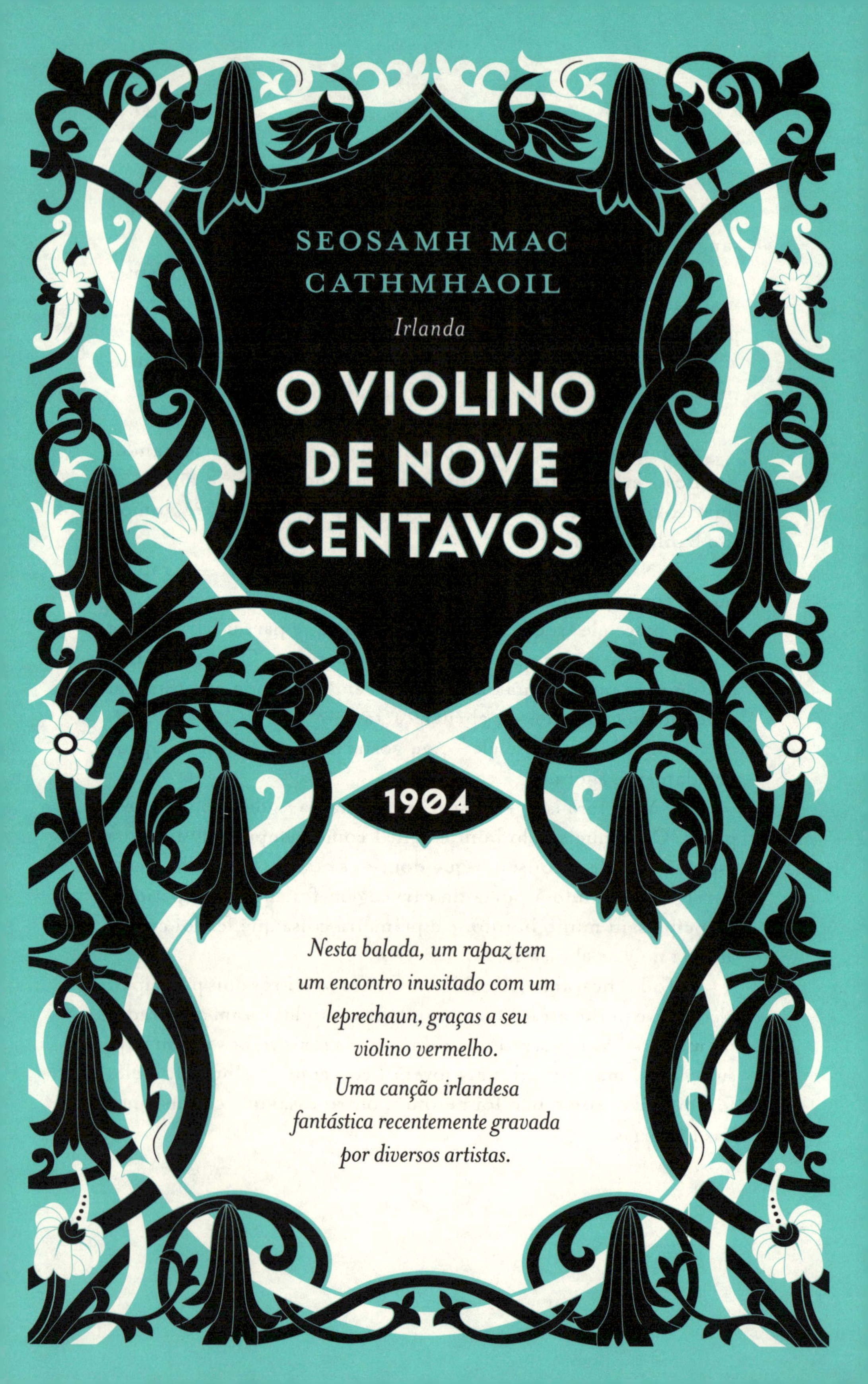
SEOSAMH MAC
CATHMHAOIL
Irlanda
O VIOLINO
DE NOVE
CENTAVOS
1904
Nesta balada, um rapaz tem
um encontro inusitado com um
leprechaun, graças a seu
violino vermelho.
Uma canção irlandesa
fantástica recentemente gravada
por diversos artistas.

eu pai e minha mãe eram irlandeses
E irlandês eu também sou;
Da Irlanda é o pequeno violino,
Que nove centavos me custou;
De manhã bem cedo me levanto
Para ver o dia raiar
Enquanto o pintarroxo entoa seu canto
Melodias me ponho a tocar!

Numa noite agradável de junho
Conheci um leprechaun[16],
Seu rosto e suas mãos eram magros,
Sua altura menos de um palmo.
Ele veio a mim por causa do violino.
E então, me falou:
"Meu pai e minha mãe eram irlandeses,
"E irlandês eu também sou!"

Ele pegou o pequeno violino vermelho,
E tão bela canção tocou,
Que toda Glaisé se pôs a sussurrar
E toda Lionan lamentou;
Ele disse: "Meu rapaz, você tem estrela,
"Queria eu ter o seu destino,
"Teve sorte em seu nascimento,
"E também com esse violino!"

Em seguida, me devolveu o violino,
E o arco também me entregou,
Então partiu alegre a saltitar,
E numa colina de Lear pulou.
Ele ou outro duende
Nunca tornei a encontrar,
Mas, às vezes, ainda ouço com o vento,
Um lamento a ecoar!

16 Leprechaun é uma figura folclórica irlandesa. [N. T.]

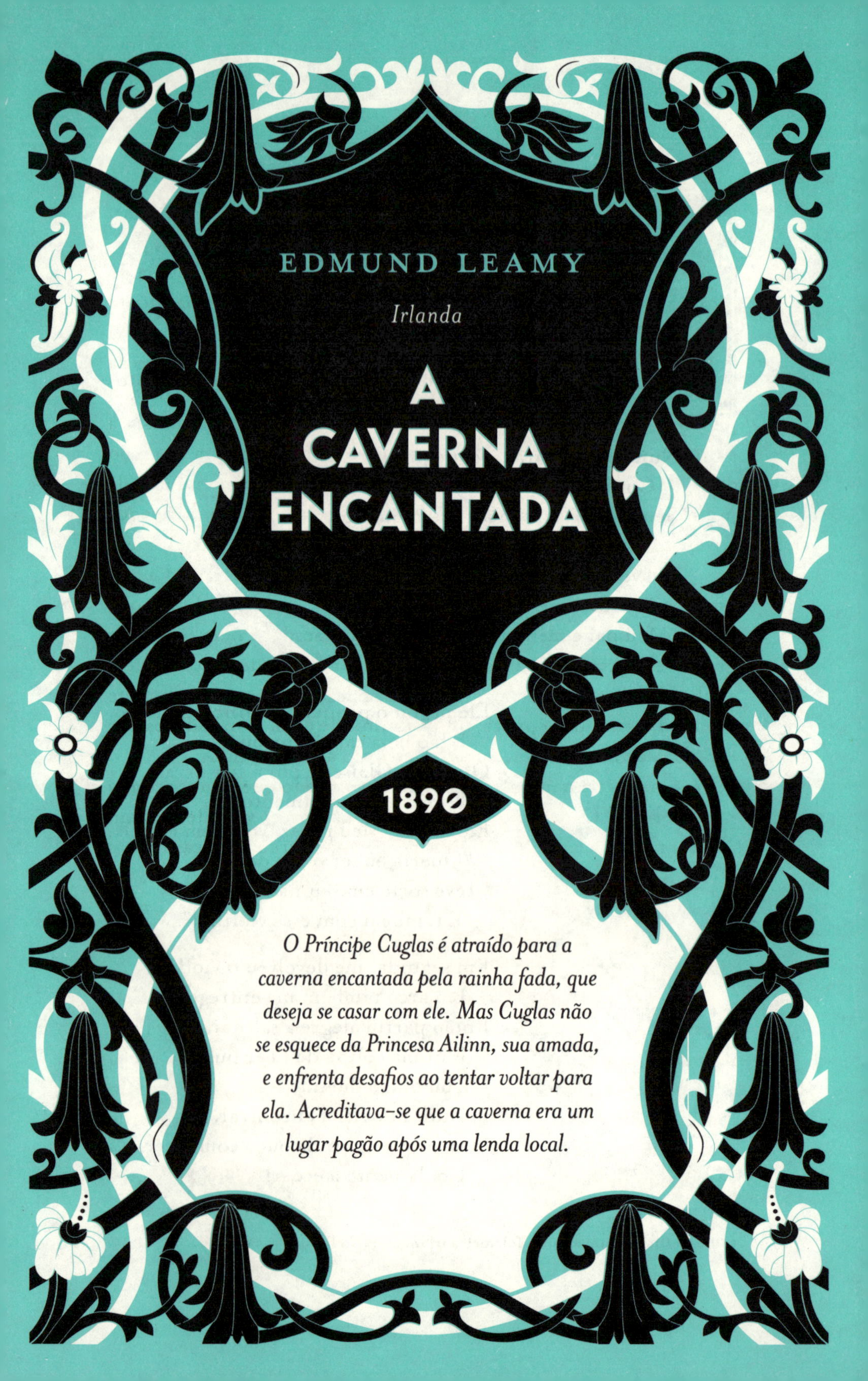
EDMUND LEAMY
Irlanda
A
CAVERNA
ENCANTADA
1890
O Príncipe Cuglas é atraído para a
caverna encantada pela rainha fada, que
deseja se casar com ele. Mas Cuglas não
se esquece da Princesa Ailinn, sua amada,
e enfrenta desafios ao tentar voltar para
ela. Acreditava-se que a caverna era um
lugar pagão após uma lenda local.

á muito, muito tempo, o Príncipe Cuglas, líder guerreiro do supremo rei de Erin, partiu de Tara para caçar. Enquanto ele saía do palácio, a leve névoa estava se dissipando do cume dos montes, e os raios de sol da manhã caíam diagonalmente no sorriso luminoso da Princesa Ailinn. Olhando na direção dela, o príncipe tirou seu chapéu de caça ornamentado e com plumas, e a princesa respondeu ao seu cumprimento acenando com sua mão delicada, que era alva como uma rosa selvagem na mata no mês de junho, e apoiando-se na janela do quarto, ela observou o caçador até ele ser encoberto pelos galhos verdes em movimento da mata.

A Princesa Ailinn estava caída de amores por Cuglas, e Cuglas estava caído de amor pela Princesa Ailinn, e ele acreditava que não havia manhã de verão tão clara nem tão doce nem tão linda quanto ela. A imagem relanceada que ele acabara de capturar dela encheu seu coração de alegria, e quase o fez se esquecer totalmente da caçada, mas, de repente, os uivos altos de cães, respondidos por centenas de ecos das cavernas, chegaram a seus ouvidos.

Os cães tinham assustado um cervo rajado que saiu correndo pela floresta. O príncipe, esporando seu corcel valente, seguiu atrás, em disparada. Pela floresta, o cervo correu, por caminhos secretos e verdejantes, e por vales floridos, e então para fora da floresta, subindo os montes e longas extensões de charneca, e cruzando riachos caudalosos, às vezes à vista dos cães, às vezes fora da vista, mas sempre à frente deles.

A perseguição continuou durante todo o dia, e, por fim, quando o sol já se punha, os cães estavam perto do cervo ofegante, e o príncipe acreditou estar perto de pegar sua presa, mas o cervo de repente desapareceu, entrando em uma caverna. Os cães iam logo atrás dele, e o príncipe se esforçou para tomar as rédeas de seu cavalo, mas o animal impetuoso o desobedeceu, e logo estava galopando pelo chão da caverna na escuridão total. Cuglas conseguia ouvir, à sua frente, os uivos dos cães cada vez mais fracos, conforme a distância entre eles aumentava. De repente, os uivos

cessaram de vez, e o único som que o príncipe escutou foi o barulho dos cascos do cavalo na caverna. Mais uma vez, ele tentou retomar as rédeas, mas elas se quebraram em suas mãos, e naquele instante o príncipe sentiu que o cavalo tinha mergulhado em um golfo, e estava afundando cada vez mais, como uma pedra lançada do topo de um penhasco para dentro do mar. Por fim, o cavalo tocou novamente o solo, e o príncipe estava quase fora de sua sela, mas conseguiu recuperar seu assento. E assim, escuridão adentro, o cavalo galopou, e quando alcançou a luz, os olhos do príncipe ficaram, por algum tempo, incapazes de vê-lo. Mas quando se habituou à claridade, viu que ele galopava por uma planície verdejante, e à distância, notou os cães correndo em direção a uma mata pouco visível no calor. O príncipe seguiu galopando e, quando se aproximou da mata, viu, seguindo em sua direção, uma enorme figura usando uma capa marrom brilhante presa com um broche brilhante de bronze parecido com uma lança, segurando uma varinha branca em uma das mãos, e uma espada de uma só lâmina, com um cabo feito de dentes de cavalo marinho na outra, e o príncipe soube, pela vestimenta dele, pela varinha e pela espada, que era um mensageiro real. Quando o mensageiro se aproximou dele, o cavalo do príncipe parou sozinho.

— Bem-vindo, Cuglas — disse o mensageiro —, fui enviado pela Princesa Crede para recebê-lo e levá-lo até ela, onde há muito o senhor é esperado.

— Não sei como isso pode ser verdade — disse Cuglas.

— Como isso aconteceu, eu explicarei conforme avançarmos — disse o mensageiro. — A Princesa Crede é a Rainha da Ilha Flutuante. Um dia, quando ela estava visitando seus parentes, que moram em um dos agradáveis montes perto de Tara, ela viu o senhor com o rei, os príncipes e os nobres de Erin caçando. E ao vê-lo, ela sentiu muito carinho, e por desejar levá-lo à sua corte, ela enviou uma de suas ninfas, na forma de um cervo, para atraí-lo para a caverna, que é a entrada para esta terra.

— Eu me sinto profundamente honrado pela preferência demonstrada a mim pela princesa — disse Cuglas —, mas não vou me

S. FAZOIN, 1906

demorar em sua corte; pois em Erin está Lady Ailinn, a mais adorável de todas as moças que dão graça ao palácio real, e diante da princesa e dos líderes de Erin, ela foi prometida como minha noiva.

— Sobre isso, eu nada sei — disse o mensageiro —, mas um cavalheiro real, como você, não pode, eu sei, se recusar a ir comigo para a corte da Princesa Crede.

Quando o mensageiro disse isso, o príncipe e ele estavam à beira da mata, e eles entraram em um caminho cheio de lodo que se ampliava conforme avançavam até ficar tão amplo quanto uma das grandes estradas de Erin. Antes que estivessem muito longe, o príncipe escutou o bater dos sinos de prata à distância, e quase no mesmo momento ele viu se aproximar uma tropa de guerreiros com cavalos pretos como carvão. Todos os guerreiros usavam capacetes prateados e brilhantes, e capas de seda azul. E no peito dos cavalos havia semicírculos de prata, dos quais pendiam sininhos de prata, tilintando música conforme os cavalos se moviam. Quando o príncipe se aproximou dos cavaleiros, todos abaixaram suas lanças e dividiram-se em duas fileiras, de forma que o príncipe e o mensageiro passaram entre os dois grupos, e os guerreiros, em formação de novo, seguiram logo atrás do príncipe.

Por fim, eles passaram pela mata e se viram em uma planície verde, tomada de flores, e não tinham ido muito longe quando o príncipe viu, seguindo em sua direção, cem guerreiros em cavalos brancos como a neve, e no peito dos cavalos havia semicírculos dourados, dos quais pendiam pequenos sininhos dourados. Os guerreiros usavam capacetes dourados, e o cabo de suas lanças brilhantes era de ouro, e usavam sandálias douradas, e mantos de seda amarela cobriam seus ombros. E quando o príncipe se aproximou deles, eles abaixaram as lanças, e então viraram a cabeça dos cavalos para o outro lado e marcharam à frente dele. E não demorou muito para que, mais alto do que o som agradável dos sinos, o príncipe ouvisse os acordes ritmados da música, e viu seguir na direção dele uma banda de harpistas vestidos com roupas verdes e douradas, e quando os harpistas cumprimentaram o príncipe, marcharam na frente da cavalgada, tocando o tempo todo, e não

demorou muito para que eles chegassem a um riacho que corria como um laço azul ao redor da base de um monte verde, no topo do qual havia um palácio reluzente; o riacho era atravessado por uma ponte dourada, tão estreita que os cavaleiros tinham que passar de dois em dois. O mensageiro pediu para o príncipe parar e permitir que todos os guerreiros passassem antes dele; e a cavalgada desceu o monte, com a luz do sol reluzindo no capacete e na lança, e quando chegou ao palácio, os cavaleiros encheram o lugar.

Quando, por fim, o príncipe e mensageiro atravessaram a ponte e começaram a subir o monte, o príncipe pensou ter sentido o chão se mover sob eles, e ao olhar para trás, não viu sinal da ponte dourada, e o riacho azul já tinha se tornado tão amplo quanto um rio, e se tornava mais amplo a cada segundo.

— Você está na Ilha Flutuante agora — disse o arauto —, e à sua frente está o palácio da Princesa Crede.

Naquele momento, a rainha saiu pela porta do palácio, e o príncipe ficou tão encantado com sua beleza que, não fosse a pulseira dourada que ele usava no braço direito, sob a manga de sua túnica de seda, poderia ter se esquecido da Princesa Ailinn. Essa pulseira foi feita pelos duendes que moravam no coração das Montanhas Escandinavas, e tinha sido enviada com outros presentes caros pelo Rei da Escandinávia ao Rei de Erin, e ele a deu de presente à princesa, e o poder da pulseira era que, independentemente de quem a usasse, não poderia se esquecer da pessoa que lhe dera, e nenhum feitiço seria capaz de tirá-la do braço do presenteado; mas se quem a usasse, ainda que por um momento, gostasse de alguém mais do que gostava da pessoa que havia lhe dado a pulseira, naquele mesmo momento, a pulseira cairia do braço e nunca mais poderia ser fechada. E quando a princesa prometeu sua mão em casamento ao Príncipe Cuglas, ela fechara a pulseira no braço dele.

A rainha não sabia sobre a pulseira, e esperava que antes que o príncipe se demorasse na Ilha Flutuante, ele se esquecesse totalmente da princesa.

CORINNE TURNER, 1911

— Bem-vindo, Cuglas — disse a rainha, enquanto estendia a mão, e Cuglas, depois de agradecer pelas boas-vindas, entrou com ela no palácio.

— Você deve estar cansado depois da longa viagem — disse a rainha. — Minha criada o levará a seus aposentos, onde um banho com as águas cristalinas do lago foi preparado, e depois do banho, os criados o levarão ao salão de festa, onde o banquete será servido.

No banquete, o príncipe estava sentado ao lado da rainha, e ela conversou com ele a respeito de todos os prazeres que esperavam por ele na terra mágica, onde dor, doença, pesar e velhice são desconhecidos, e onde cada hora que passa é mais leve do que a anterior. E quando o banquete terminou, a rainha abriu o baile dançando com o príncipe, e só quando a lua estava bem alta, acima da Ilha Flutuante, o príncipe se retirou para descansar.

Ele estava tão cansado depois de sua viagem e das danças que caiu em um sono profundo. Quando acordou na manhã seguinte, o sol brilhava, e ele ouviu, fora do palácio, o bater de sinos e os latidos dos cães, e seu coração foi tocado pelas lembranças dos muitos dias agradáveis nos quais ele tinha liderado as caçadas nas planícies e pela mata de Tara.

Ele olhou para fora pela janela, e viu todos os guerreiros montados em seus cavalos e prontos para partir, e à frente estava a rainha fada. Naquele momento, os criados se aproximaram para dizer que a rainha gostaria de saber se ele se juntaria a eles. O príncipe encontrou seu cavalo pronto, com sela e rédeas, e eles passaram o dia caçando na floresta que se estendia por milhas atrás do palácio, e a noite, em banquetes e bailes.

Quando o príncipe acordou na manhã seguinte, foi levado à presença da rainha pelos criados. O príncipe encontrou a rainha no gramado do lado de fora do palácio cercada por sua corte.

— Vamos ao lago hoje, Cuglas — disse a rainha, e segurando no braço dele, ela o levou pela beira da água, com todos os súditos logo atrás.

Quando ela estava perto da água, balançou a mão, e em um segundo, mil barcos, brilhando como vidro, se viraram no lago

em direção à margem. A rainha e Cuglas entraram em um deles e, quando estavam acomodados, dois harpistas mágicos se posicionaram na proa. Todos os outros barcos logo foram tomados por fadas, e então a rainha balançou a mão de novo, e um véu de seda roxa pairou acima do barco, com véus de seda de diversas cores sobre os outros, e o barco real se afastou da costa seguido por todos os outros, e em todos os barcos havia um harpista com uma harpa dourada. Quando a rainha balançou a varinha pela terceira vez, os harpistas tocaram os acordes trêmulos, e ao som da deliciosa música os barcos navegaram pelo lago banhado de sol. E assim seguiram até chegarem à boca de um rio calmo descendo entre as margens tomadas de árvores. Rio acima, perto da margem e sob as árvores frondosas, eles navegaram, e quando chegaram a uma curva no rio, da qual o lago não mais podia ser visto, eles atracaram, e a rainha e Cuglas, e todo o grupo, saíram dos barcos e andaram por baixo das árvores até chegarem a uma clareira musgosa.

Então, a rainha acenou com a varinha, e almofadas de seda foram espalhadas sob as árvores, e ela e Cuglas se sentaram longe dos outros, e cortesãos assumiram seus lugares na ordem certa.

E a rainha movimentou a varinha de novo, e o vento balançou as árvores acima deles, e a fruta mais deliciosa que já existira caiu em suas mãos; e quando o banquete terminou, eles dançaram nas clareiras ao som das harpas, e quando se cansaram de dançar, foram para os barcos, e a lua se erguia mais alta do que as árvores e eles partiram pelo lago, e não demorou para que chegassem à margem próxima do palácio mágico.

E então, entre as caçadas na floresta, o navegar no lago e as danças nos gramados e no salão, os dias se passavam, mas durante todo o tempo o príncipe pensava na Princesa Ailinn, e numa noite de luar, quando ele estava deitado, mas desperto, pensando nela, uma sombra repentinamente apareceu no chão.

O príncipe olhou na direção da janela, e viu nada menos do que uma mulherzinha batendo no vidro com uma adaga dourada.

O príncipe se levantou de onde estava e abriu a janela, e a mulherzinha flutuou na luz da lua para dentro do quarto e se sentou no chão.

—Você está pensando na Princesa Ailinn—disse a mulherzinha.

— Nunca penso em outra pessoa — disse o príncipe.

— Eu sei disso — disse a mulherzinha —, e é por causa do amor que sentem um pelo outro, e porque a mãe dela foi minha amiga no passado, que vim aqui tentar ajudá-los. Mas não temos muito tempo para conversar, a noite corre. Na margem lá embaixo, um barco espera por você. Entre e ele o levará para o continente, e quando chegar lá, verá à sua frente um caminho que o levará aos campos verdes de Erin e às planícies de Tara. Sei que você terá que enfrentar perigos. Não sei que tipo de perigos; mas, independentemente de qual seja, não puxe sua espada antes de chegar ao continente, pois, se fizer isso, talvez nunca chegue lá, e o barco voltará para a Ilha Flutuante. Agora, vá e que a sorte o acompanhe. —Ao dizer isso, a mulherzinha subiu nos raios de luar e desapareceu.

O príncipe saiu do palácio e desceu para o lago, e ali, à sua frente, viu um barco reluzente; entrou nele, e o barco seguiu sob a luz. Por fim, ele viu o continente, e pôde identificar um caminho longo além da margem. A visão encheu seu coração de alegria, mas, de repente, o luar branco como o leite desapareceu, e ao olhar para o céu, ele viu a lua se tornar rubra, e as águas do lago, que brilhavam prateadas um segundo antes, assumiram um tom vermelho-sangue, e um vento surgiu revoltando as águas, e ele foi jogado de um lado a outro dentro do barquinho. Enquanto Cuglas ainda tentava entender a mudança, ouviu um barulho estranho, anormal, à sua frente, e um monstro assustador, erguendo as garras acima da água, um segundo depois, estava ao lado do barco e segurou o braço esquerdo do príncipe, rasgando a carne até o osso. Enlouquecido pela dor, o príncipe empunhou a espada e cortou as garras do monstro, que desapareceu dentro do lago e, com isso, a cor da água mudou, e o luar prateado voltou a surgir no céu, mas o barco não mais avançava para o continente, e sim voltava depressa em direção à Ilha Flutuante, enquanto da ilha surgia uma

frota de barcos mágicos para encontrá-lo, liderada pela chalupa da rainha fada. A rainha cumprimentou o príncipe como se não soubesse de sua tentativa de fuga, e ao som das harpas, a frota retornou ao palácio.

O dia seguinte passou e a noite veio. Mais uma vez, o príncipe estava deitado, pensando na Princesa Ailinn, e de novo viu a sombra no chão e escutou a batida na janela.

Quando ele abriu, a mulherzinha entrou.

— Você fracassou ontem à noite — disse ela —, mas vim te dar outra chance. Amanhã, a rainha deve partir para visitar seus parentes, que vivem em um monte verde perto da planície de Tara; ela não pode levá-lo consigo, pois, se seus pés tocarem a grama verde que cresce nos campos frutíferos de Erin, ela nunca conseguiria levá-lo de volta. Assim, quando souber que ela saiu do palácio, vá logo ao salão e olhe atrás do trono, e verá um alçapão. Abra a tampa e desça os degraus que encontrar. Não posso dizer para onde eles levam. Os perigos que podem estar à sua frente, não sei; mas sei que, se você aceitar o que vier, independentemente do que seja, de qualquer pessoa que encontrar no caminho, pode não chegar à terra de Erin.

E depois de dizer isso, a mulherzinha, erguendo-se do chão, flutuou janela afora.

O príncipe voltou para a cama, e na manhã seguinte, ao saber que a rainha tinha deixado o palácio, correu para o salão. Descobriu o alçapão e desceu os degraus, e se viu em um vale escuro e ermo. Montanhas altas, escuras como a noite, se estendiam dos dois lados, e rochas enormes pareciam prestes a tombar nele a cada passo. Em meio a nuvens dispersas, uma lua grande emitia uma luz clara e intermitente, que ia e vinha conforme as nuvens, levadas por um vento uivante, sobrevoavam o vale.

Cuglas, sem se deixar assustar, seguiu com coragem até as nuvens cobrirem totalmente a lua que se esforçava para se manter aparente, e ao tomar o vale, cobriu-o como uma tampa, deixando Cuglas na escuridão completa. No mesmo momento, o vento uivante passou, e todos os sons se foram junto. A escuridão e o

DESCONHECIDO, 1890

silêncio mortal causaram um arrepio no coração de Cuglas. Ele manteve a mão perto dos olhos, mas nenhum som chegou a ele, que reposicionou a espada dentro da bainha, mas não ouviu resposta. Seu coração ficou cada vez mais frio, quando, de repente, a nuvem logo acima dele se espalhou por diversos lugares, e um raio cortou o vale, e o trovão ressoou pelas montanhas em eco. À luz do raio, Cuglas viu centenas de formas fantasmagóricas partindo em sua direção, murmurando conforme se aproximavam, e gritos cada vez mais próximos e tão terríveis que o silêncio da morte seria mais tolerável. Cuglas se virou para fugir, mas eles o cercaram e pressionaram as mãos meladas em seu rosto.

Com um grito de horror, ele empunhou a espada e a movimentou ao redor dele, e naquele momento as formas desapareceram, o trovão se calou e a nuvem negra passou, e o sol brilhou forte como em um dia de verão, e então Cuglas soube que as formas que tinha visto eram aquelas dos selvagens do vale.

Com coragem renovada, ele passou pelo vale, e depois de três ou quatro caminhos sinuosos chegou a um deserto. Assim que pisou no deserto, escutou uma batida atrás dele mais alta do que o trovão. Olhou ao redor e viu que as faces da montanha pela qual tinha acabado de passar tinham caído no vale, e o haviam enchido tanto que ele não conseguia mais dizer onde o vale estava.

O sol castigava o deserto, e a areia estava quase tão escaldante quanto brasas; e conforme Cuglas seguia adiante, seu corpo se tornou seco, a língua grudou no céu da boca, e quando a sede estava no ápice, uma fonte de água cristalina surgiu na planície quente a poucos passos; mas, quando ele se aproximou muito e estendeu as mãos secas para esfriá-las na água, a fonte desapareceu tão repentinamente quanto tinha aparecido. Com muita dor, e quase engasgando de calor e sede, ele seguiu em frente, e mais uma vez a fonte apareceu adiante e mudou de lugar, quase a seu alcance. Afinal ele chegou ao fim do deserto, e viu um monte verde à frente em um caminho que ele vencia; mas ao alcançar a beira do monte, ali, sentado em seu caminho, estava uma linda fada estendendo para ele um copo de cristal, de cuja borda fluía água clara e cristalina.

Sem conseguir resistir à tentação, o príncipe segurou a taça fria e brilhante para beber água. Quando fez isso, matou sua sede, mas a fada, o monte verde e o deserto quente desapareceram, e ele estava de pé na floresta atrás do palácio da rainha fada.

Naquela noite, a rainha voltou, e no banquete, ela conversou alegremente com o príncipe, como se não soubesse de sua tentativa de deixar a Ilha Flutuante, e o príncipe conversou tão alegremente quanto pôde com ela, apesar de, em seu peito, guardar tristeza ao se lembrar de que, se ao menos tivesse conseguido recusar o copo de cristal, naquele momento estaria no salão do banquete real de Tara, sentado ao lado da Princesa Ailinn.

E ele achou que o banquete nunca terminaria; mas finalmente terminou, e o príncipe voltou para seus aposentos. Naquela noite, antes de dormir, ele manteve os olhos fixos na janela; mas as horas se passaram e não havia sinal de ninguém. Por fim, quando ele já não tinha esperança de vê-la, ele escutou uma batida na janela, então se levantou e a abriu, e a mulherzinha entrou.

— Você fracassou de novo hoje — disse ela —, fracassou bem no momento em que estava prestes a pisar nos montes verdes de Erin. Posso te dar só mais uma chance. Será a última. A rainha sairá para caçar de manhã. Participe da caçada, e quando estiver separado do resto do grupo na mata, prenda as rédeas no pescoço de seu cavalo e ele o levará à beira do lago. Em seguida, lance esta adaga dourada no lago na direção do continente, e uma ponte dourada surgirá, sobre a qual você pode passar em segurança para os campos de Erin; mas tome cuidado e não empunhe sua espada, pois se fizer isso, seu cavalo o levará de volta à Ilha Flutuante, e você terá que permanecer aqui para sempre. — Em seguida, entregando a adaga ao príncipe e dizendo adeus, a mulherzinha desapareceu.

Na manhã seguinte, a rainha e o príncipe, juntamente à toda a corte, foram caçar, e um cervo branco disparou à frente deles, e o grupo real partiu logo atrás. O cavalo do príncipe correu mais do que os outros, e em pouco tempo chegou à beira do lago.

Então, o príncipe lançou a adaga na água, e uma ponte dourada surgiu até o continente, e o cavalo galopou por ela, e quando o príncipe já tinha atravessado mais da metade, viu, correndo em sua direção, um guerreiro carregando um capacete de prata, levando no braço esquerdo um escudo de prata, segurando na mão direita uma espada reluzente. Ao se aproximar, ele bateu no escudo com a espada e desafiou o príncipe à batalha. A espada do príncipe quase pulou da bainha àquele som e, como um verdadeiro cavaleiro de Tara, ele partiu para cima do inimigo. E erguendo a espada acima da cabeça, com um golpe, ele acertou o capacete prateado, e o guerreiro desconhecido caiu do cavalo e aterrissou na ponte dourada. O príncipe, feliz com sua conquista, virou o cavalo para passar pelo guerreiro caído, mas o cavalo se recusou a se mexer, e a ponte se quebrou em dois quase a seus pés, e a parte dela entre ele e o continente desapareceu dentro do lago, levando consigo o cavalo e o corpo do guerreiro. Antes que o príncipe conseguisse se recuperar da surpresa, o cavalo se virou e galopou de volta, e ao chegar à terra, correu em meio à floresta, e o príncipe não conseguiu dominá-lo antes de chegar à entrada do palácio.

Durante toda aquela noite, o príncipe ficou acordado na cama com os olhos fixos na janela, mas nenhuma sombra se lançou ao chão, ele não ouviu nenhuma batida na janela e, com o coração pesado, ele se uniu ao grupo de caça pela manhã. Os dias foram se passando e seu coração ficava cada vez mais triste, e ele deixou de sentir prazer nas alegrias e prazeres da terra mágica. Quando tudo no palácio ficava calmo, ele passava pela floresta, sempre pensando na Princesa Ailinn, torcendo muito para que a mulherzinha aparecesse para ele de novo, mas por fim ele começou a ficar desesperado pensando que nunca mais a veria. Certa noite, por acaso, ele foi tão longe que se viu à beira do lago, no exato ponto do qual a ponte dourada tinha surgido cobrindo as águas, e ao observá-lo com esperança, viu um barco aparecer e se aproximar depressa da margem, e quem mais poderia estar dentro dele a não ser a mulherzinha?

— Ah, Cuglas, Cuglas — disse ela. — Eu lhe dei três chances, e você fracassou em todas.

— Eu deveria ter aguentado a dor causada pela garra do monstro — disse Cuglas. — Deveria ter aguentado a sede no deserto e recusado o copo de cristal da mão da fada; mas nunca conseguiria olhar para os nobres e líderes de Erin se tivesse me recusado a enfrentar o desafio à batalha na ponte dourada.

— E você não seria um verdadeiro guerreiro de Erin, não seria digno da moça que o ama, a formosa Princesa Ailinn, se tivesse fugido — disse a mulherzinha —, mas por causa de tudo isso, você nunca voltará aos belos montes de Erin. Mas anime-se, Cuglas, pois há caminhos verdes, trilhas na floresta e caramanchões confortáveis na terra mágica. Por mais solitários que sejam, eu sei, pelos seus olhos — disse ela, e então sorriu um sorriso tão mágico quanto o tremor da superfície do rio quando o verão chega. — Mas talvez você não os considere solitários para sempre.

— Você acha que me esquecerei de Ailinn pela rainha fada — disse Cuglas, suspirando.

— Não acho nada disso — disse ela.

— Então, o que quer dizer? — perguntou o príncipe.

— Quero dizer o que estou dizendo — disse a mulherzinha. — Mas não posso ficar parada aqui a noite toda falando com você; e, de fato, você deve ir dormir. Por isso, agora, boa noite. Não tenho mais nada a dizer, exceto que, talvez, se você estiver aqui esta semana nesse mesmo horário, quando a lua estiver sobre as águas, você verá... Mas não importa o que verá, eu preciso ir embora — disse ela.

E antes que o príncipe pudesse dizer outra palavra, o barco partiu da margem, e ele ficou sozinho. Voltou ao palácio e adormeceu naquela noite, e sonhou com a Princesa Ailinn.

Quanto à princesa, ela percorria o palácio de Tara, pálida, e os olhos, que antes eram tão brilhantes que seriam capazes de acabar com a escuridão, como faz uma estrela, perderam quase todo o lustro, e as sanguessugas do rei não puderam fazer nada por ela e, por fim, eles perderam toda a esperança, e o rei e a rainha de Erin, assim como as moças da corte, ficaram à beira de seu leito noite e dia esperando por seu suspiro final.

Finalmente, um dia, quando o sol brilhava forte na terra de Tara, e sua luz, suavizada pelas cortinas, adentrava o aposento da enferma, os observadores reais notaram uma linda mudança no rosto da princesa; o florescer do amor e da juventude tomava seu rosto, e de seus olhos brilhava a mais antiga, suave e linda luz, e eles então começaram a torcer para que ela se recuperasse para eles, quando, de repente, o quarto ficou na escuridão como se a noite tivesse tomado o céu e encoberto o sol.

Então, eles escutaram o som de música mágica, e na cama onde a princesa estava deitada, viram um feixe de luz dourada, mas apenas por um momento; mais uma vez, depois disso, viu-se a perfeita escuridão, e a música mágica desapareceu. Depois, da mesma forma repentina como chegara, a escuridão desapareceu, e a luz fraca do sol voltou a entrar no quarto, pousando na cama; mas a cama estava vazia, e os observadores reais, trocando olhares, disseram, sussurrando:

— As fadas levaram a Princesa Ailinn embora para a terra mágica.

Bem, naquele mesmo dia, o príncipe caminhou sozinho pela floresta, contando as horas até o dia desaparecer no céu e a lua aparecer alta, e, por fim, quando brilhava bem acima das águas, ele desceu à beira do lago e olhou por cima da superfície brilhante, observando para encontrar a visão prometida pela mulherzinha. Mas ele não conseguiu ver nada, e estava prestes a se virar quando ouviu o som baixo de música mágica. Ouviu com atenção, e o som se aproximava e ficava mais claro, e à distância, como gotas de água reluzindo na superfície do lago, ele viu uma frota de barcos mágicos, e pensou ser a rainha fada navegando ao luar. E era a rainha fada, e logo ele conseguiu reconhecer a embarcação real guiando as outras, e quando se aproximou da margem, viu a mulherzinha sentada na proa entre os pequenos harpistas, e na popa estava a rainha fada, e ao lado dela, a dona de seu coração, a Princesa Ailinn. Em um segundo, o barco estava atracado, e a princesa estava nos braços dele. E ele a beijou muitas vezes.

— E você não vai me dar um beijo? — perguntou a mulherzinha, batendo na mão dele com a pequena adaga dourada.

— Tenho mais de um — disse Cuglas, ao pegar a fadinha nos braços.

— Ah, fora, Cuglas — disse a rainha.

— Ah, a princesa não está com ciúme — disse a mulherzinha. — Está, Ailinn?

— De fato, não estou — disse Ailinn.

— E não deve sentir ciúme — disse a rainha fada —, pois nenhuma moça tem um cavaleiro tão leal quanto Cuglas. Eu o amei e amo muito. Eu o atraí aqui na esperança de que, nas alegrias da terra mágica, ele pudesse esquecê-la. Foi tudo em vão. Sei que agora existe uma coisa que nenhum poder mágico acima ou abaixo das estrelas, ou dentro da água, poderia vencer, e é o amor. E aqui, juntos para sempre, você e Cuglas viverão, onde a velhice nunca os alcançará, e onde a dor, o pesar ou a doença são desconhecidos.

E Cuglas nunca mais voltou aos montes mágicos de Erin, e muito tempo se passou desde a manhã em que ele seguiu os cães para dentro da caverna fatal, mas essa história foi lembrada ao redor das fogueiras e, às vezes, ainda hoje, o pastorzinho que cuida do gado nos pastos ouve o uivo estridente de cães, e o segue até chegar a uma caverna escura e, com o mesmo medo, ele ouve o som se tornando mais e mais fraco, ouve o bater de cascos no chão de pedra, e até hoje a caverna leva o nome do príncipe que ali entrou e nunca saiu.

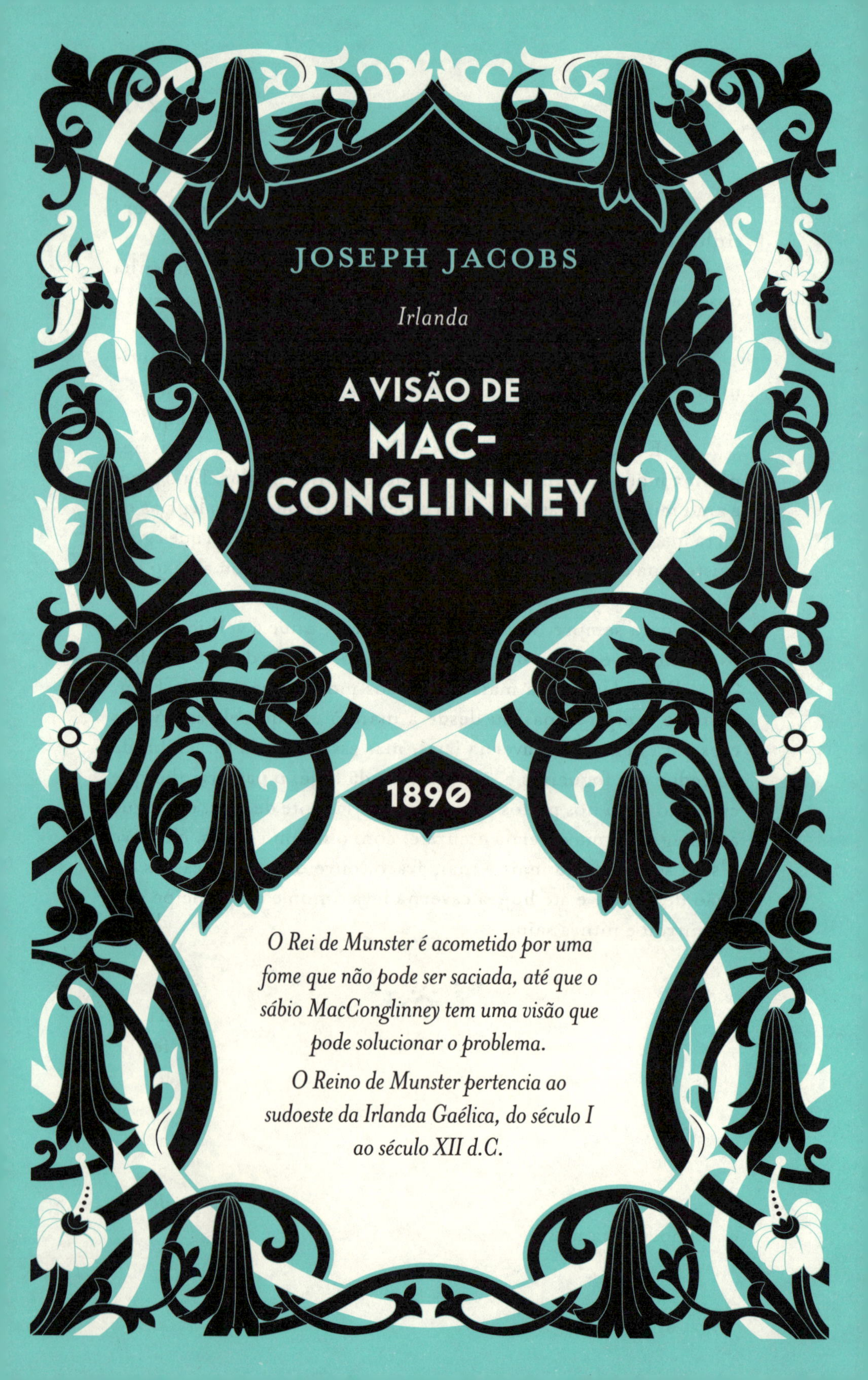
JOSEPH JACOBS
Irlanda
A VISÃO DE MAC-CONGLINNEY
1890
O Rei de Munster é acometido por uma fome que não pode ser saciada, até que o sábio MacConglinney tem uma visão que pode solucionar o problema.
O Reino de Munster pertencia ao sudoeste da Irlanda Gaélica, do século I ao século XII d.C.

athal, Rei de Munster, era um bom rei e um grande guerreiro. Mas veio a habitar dentro dele uma besta maligna e desgovernada, que o afligiu com uma fome que não cessava e não podia ser satisfeita, de modo que ele devorava um porco, uma vaca, um bezerro, três vintenas de bolos de puro trigo e um tonel de cerveja nova no desjejum, e, no seu grande banquete, o que ele comia ia além da conta e do cálculo. Ficou assim por três semestres, e durante esse período foi a ruína de Munster, e é provável que tivesse arruinado toda a Irlanda se assim ficasse por mais meio ano.

Ora, vivia em Armagh um sábio jovem e célebre, e seu nome era Anier MacConglinney. Ele ouviu falar da estranha doença do rei Cathal e da abundância de comida e bebida, carnes brancas, cerveja e hidromel que sempre devia haver na corte do rei. Para lá, então, decidiu ir, tentar a sorte e ver que auxílio poderia prestar ao rei.

Ele se levantou cedo, enfiou a camisa dentro da calça e se envolveu nas dobras de sua capa branca. Com a mão direita, pegou seu cajado nodoso e bem-equilibrado e, dando a volta em torno da casa pelo lado direito, despediu-se dos tutores e partiu.

Viajou por toda a Irlanda até chegar à casa de Pichan. E lá ficou, contando histórias e divertindo a todos. Mas Pichan disse:

— Por maior que seja teu júbilo, filho do saber, a mim não alegra.

— E por quê? — perguntou MacConglinney.

— Não sabes, ó sábio, que Cathal virá aqui esta noite com toda a sua hoste? E se a grande hoste é inoportuna, a primeira refeição do rei é ainda mais inoportuna; e, por mais inoportuna que seja a primeira, a mais inoportuna de todas é o grande banquete. Três coisas são necessárias para esta última: trinta arrobas de aveia, trinta de maçãs silvestres e trinta de bolos de trigo.

— Que recompensa você me daria se eu o protegesse do rei desta hora até a mesma hora de amanhã?

— Uma ovelha branca de cada curral entre Cam e Cork.

— Aceito o trato — disse MacConglinney.

Cathal, o rei, veio com seus acompanhantes e uma hoste de cavaleiros de Munster. Mas Cathal mal deixou que lhe soltassem a tira do sapato antes de começar a usar as duas mãos para forrar a boca com as maçãs à sua volta. Pichan e todos os homens de Munster o observavam com tristeza e sofrimento. Então se levantou MacConglinney, apressado e impaciente, e pegou uma pedra que era usada para afiar as espadas; ele a enfiou na boca e começou a trincar os dentes contra a pedra.

— O que te atormenta, filho do saber? — perguntou Cathal.

— Lamento vê-lo comendo sozinho — disse o sábio.

Então o rei ficou envergonhado e atirou as maçãs para ele, e dizem que, havia três metades de ano, ele não realizava tal ato de humanidade.

— Conceda-me mais um obséquio — pediu MacConglinney.

— Concedo-o, por minha fé — respondeu o rei.

— Jejue comigo a noite toda — disse o sábio.

E, por mais doloroso que fosse para o rei, ele o fez, pois dera sua palavra régia, e nenhum rei de Munster poderia transgredi-la.

De manhã, MacConglinney pediu toicinho curado e suculento, carne macia curada em salmoura, favos de mel e sal inglês num belo prato polido de prata branca. Um fogo ele acendeu com lenha de carvalho, sem fumaça, sem fumos, sem faíscas. E, enfiando espetos nos pedaços de carne, tratou de assá-los. Então, gritou:

— Cordas e cabos aqui.

Cordas e cabos foram entregues a ele, e também o mais forte dos guerreiros. E agarraram o rei e o amarraram com segurança e o fizeram jejuar usando nós, ganchos e grampos. Estando o rei preso desse modo, MacConglinney sentou-se diante dele e, tirando a faca do cinto, trinchou a porção de carne que estava nos espetos, e cada pedaço ele mergulhou no mel e, passando-o diante da boca do rei, colocou-o na sua.

Quando o rei viu que não ia ganhar nada, e estava jejuando havia vinte e quatro horas, berrou, urrou e exigiu a morte do sábio. Mas não foi obedecido.

— Escute, Rei de Munster — disse MacConglinney —, uma visão me surgiu ontem à noite e vou narrá-la a você.

Ele então começou a contar a visão, e, conforme relatava, passava um pedaço após o outro diante da boca de Cathal, direto para a sua.

"Um lago de leite fresco avistei
No meio de uma bela planície,
Nele uma casa mui bem montada,
Com teto coberto de manteiga.
Vistosos pudins recém-assados,
Tais eram as traves dessa casa,
Os batentes da porta eram de creme,
As bases de glorioso toicinho.
As cercas eram feitas de queijo,
Salsichas formavam suas vigas.
Era mesmo uma casa de riquezas,
Com grande estoque de boa comida."

"Tal foi a visão que contemplei, e uma voz soou nos meus ouvidos. 'Vá-se embora já, MacConglinney, pois você não tem em si o poder de comer.' 'O que devo fazer?', disse eu, pois aquilo me deixara ávido. Então a voz me mandou ir ao eremitério do Doutor Mago, e lá eu deveria encontrar apetite por todos os tipos de boa comida, doce ou salgada, aceitáveis para o corpo.

"Lá no porto do lago, diante de mim, vi um pequeno e suculento *coracle*[17] de carne; seus bancos eram de coalho; a proa, de banha; a popa, de manteiga; os remos eram fatias de carne de

17 Barco antigo, pequeno e arredondado, com armação de vime ou ripas de madeira coberta de couro, usado em partes das Ilhas Britânicas. [N. T.]

veado. Então remei por toda a extensão do Lago de Leite Fresco, através de mares de sopa, passando por estuários de carne, por sobre ondas tumultuosas de leitelho, por poças perpétuas de banha salgada, ilhas de queijo, promontórios de queijo curado velho, até chegar à terra firme entre o Monte Manteiga e o Lago de Leite, na terra de O'Come-Cedo, em frente ao eremitério do Doutor Mago.

"Maravilhoso, de fato, era o eremitério. Ao redor dele havia setecentas vintenas de estacas lisas de toicinho curado e, em vez de espinhos no alto de cada estaca, banha suculenta. Havia um portão feito de creme, e nele uma tranca de salsicha. E vi o porteiro, Moço Toicinho, filho de Morangas, filho de Pau de Sebo, com suas sandálias macias de toicinho curado, as calças de carne cozida em volta das canelas, a túnica de carne curada em salmoura, o cinto de pele de salmão em torno dele, o capuz de mingau por cima, o corcel de toicinho embaixo, com suas quatro patas de creme, os quatro cascos de pão de aveia, as orelhas de coalho, os dois olhos de mel na cabeça; na mão, um chicote cujos cordões eram vinte mais quatro pudins muito brancos, e cada gota suculenta que caía de cada um desses pudins serviria de refeição para um homem comum.

"Ao entrar, contemplei o Doutor Mago, com suas duas luvas de bife de alcatra nas mãos, pondo ordem na casa, que estava toda envolta em tripas, do teto ao piso.

"Entrei na cozinha e lá vi o filho do Doutor Mago, com seu anzol de banha na mão, e a linha era feita de medula, e ele estava pescando num lago de soro de leite. Ora ele pescava uma porção de presunto, ora um filé de carne curada em salmoura. E, enquanto pescava, caiu e se afogou.

"Quando atravessei a soleira e entrei na casa, vi uma cama de manteiga branca e pura, onde me sentei, mas afundei nela até a ponta dos meus cabelos. Muito trabalho tiveram os oito homens mais fortes da casa para me tirar de lá pelo alto da cabeça.

"Então fui levado ao Doutor Mago. 'O que te aflige?', disse ele.

"'Meu desejo seria que todas as muitas viandas do mundo estivessem diante de mim, para que eu pudesse comer até satisfazer

minha avidez. Mas, ai de mim! Grande é meu infortúnio, pois não posso obter nada disso.'

"'Por minha fé', disse o Doutor, 'a doença é atroz. Mas levarás para casa um remédio para curar tua doença, e a partir de então estarás curado para sempre.'

"'O que é?', perguntei.

"'Quando voltares para casa hoje à noite, aquece-te diante de um fogo ardente e vermelho de lenha de carvalho, aceso numa lareira seca, para que suas brasas te aqueçam, as labaredas não te queimem e a fumaça não te toque. E faz para ti três vezes nove bocados, e cada bocado do tamanho de um ovo de galinha selvagem, e em cada bocado oito tipos de grãos, trigo e cevada, aveia e centeio, e também oito condimentos, e para cada condimento oito molhos. E, quando tiveres preparado tua comida, toma uma gota de bebida, uma gota minúscula, só a quantidade que vinte homens beberiam, e que seja de coalhada, de leite amarelo e borbulhante, de leite que gorgoleje ao descer garganta abaixo.

"'E quando tiveres feito isso, qualquer que seja a tua doença, ela será removida. Agora, vai', disse ele, 'em nome do queijo, e que o toicinho suculento e macio te proteja, que o creme de leite amarelado te proteja, que o caldeirão cheio de sopa te proteja.'"

Ora, enquanto MacConglinney contava sua visão, com o prazer do relato e a narração dessas muitas viandas agradáveis, e o doce sabor das carnes assadas com mel nos espetos, a besta desgovernada que habitava dentro do rei se expôs até estar lambendo os beiços fora da cabeça.

Então MacConglinney inclinou a mão com os dois espetos de comida e levou-os aos lábios do rei, que queria engoli-los com madeira, comida e tudo. Assim, ele os afastou de Cathal à distância de um braço, e a besta desgovernada saltou da garganta do rei para o espeto. MacConglinney jogou o espeto nas brasas e tombou o caldeirão da casa real por cima dele. A casa foi esvaziada, de modo que não restasse nem o valor de uma perna de besouro, e quatro grandes fogueiras foram acesas aqui e ali dentro dela. Quando a

JOHN D. BATTEN, 1902

casa se tornou uma torre de chamas vermelhas e um enorme clarão, a besta desgovernada saltou para a cumeeira do telhado do palácio, e dali desapareceu, e nunca mais foi mais vista.

Quanto ao rei, uma cama estava preparada para ele com uma colcha felpuda, e músicos e cantores o distraíram do meio-dia até o crepúsculo. E, quando ele acordou, foi isto que concedeu ao sábio: uma vaca de cada fazenda e uma ovelha de cada casa em Munster. Além disso, enquanto vivesse, ele deveria trinchar a comida do rei e sentar-se ao seu lado direito.

E assim Cathal, Rei de Munster, foi curado de sua voracidade, e MacConglinney foi reverenciado.

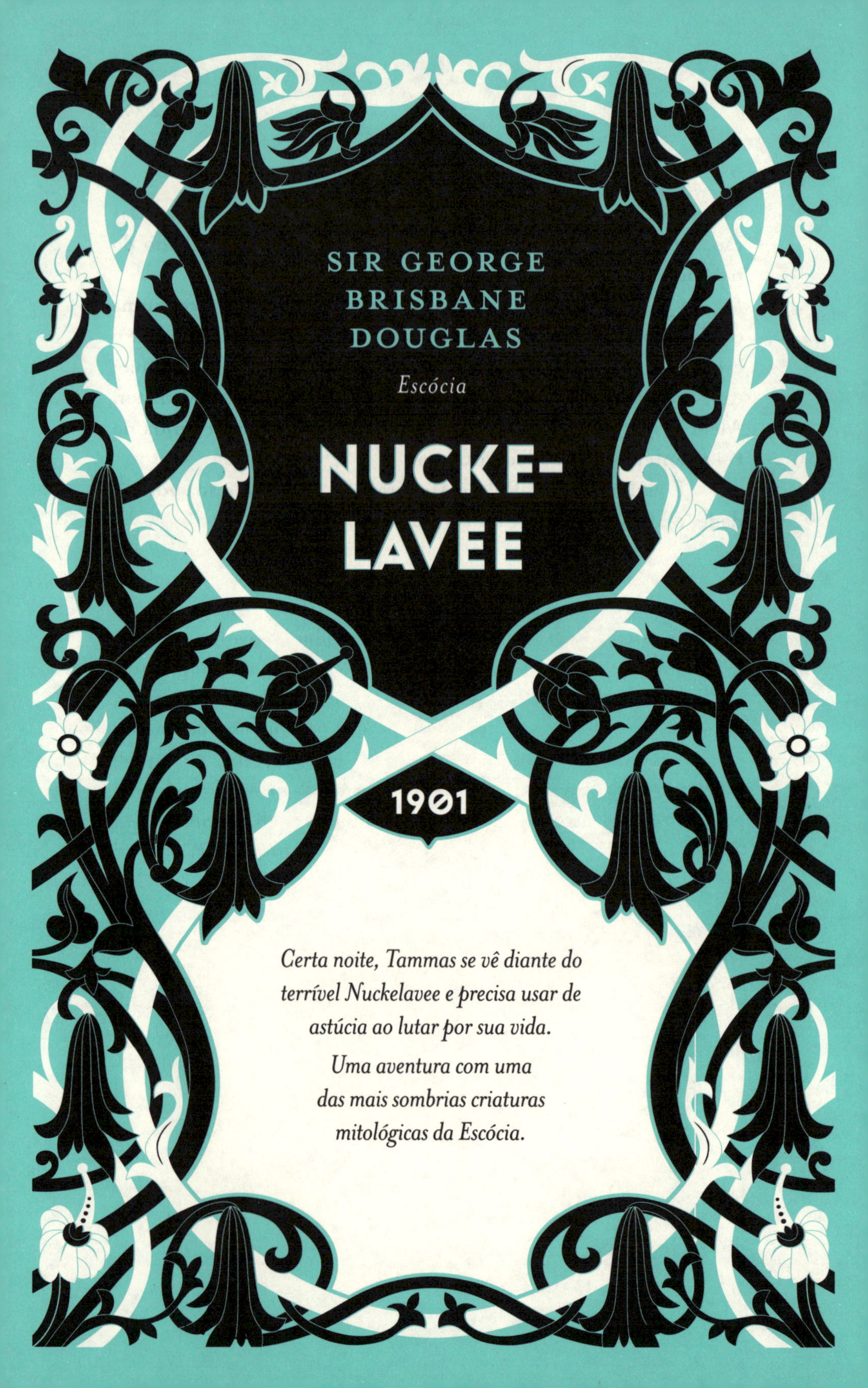
SIR GEORGE
BRISBANE
DOUGLAS
Escócia
NUCKE-
LAVEE
1901
Certa noite, Tammas se vê diante do
terrível Nuckelavee e precisa usar de
astúcia ao lutar por sua vida.
Uma aventura com uma
das mais sombrias criaturas
mitológicas da Escócia.

uckelavee era um monstro da mais pura malignidade, nunca disposto a parar de fazer mal para os homens. Era um demônio encarnado. Sua casa era o mar; e não importa quais fossem seus meios de locomoção nesse elemento, quando em terra, montava um cavalo de aspecto tão terrível quanto ele próprio. Havia quem pensasse que cavalo e cavaleiro eram, na verdade, um só, e que essa era a forma do monstro. A cabeça de Nuckelavee era como a de um homem, só que dez vezes maior, e sua boca se projetava como a de um porco, mas incrivelmente larga. Não havia um pelo sequer no corpo do monstro, simplesmente porque ele não tinha pele.

Se as plantações eram destruídas por inundação ou por praga, se os rebanhos caíam dos penhascos à beira do mar, ou se uma epidemia se espalhava furiosamente entre os homens ou animais, tudo era atribuído a Nuckelavee. Seu hálito era venenoso, caindo como geada sobre as plantas e como uma doença fatal sobre a vida animal. Ele também era culpado por secas de longa duração; por alguma razão desconhecida, tinha sérias objeções a água fresca, e nunca se soube que ele tivesse visitado a terra durante o período de chuvas.

Conheci um senhor de idade famoso por ter encontrado Nuckelavee uma vez e ter escapado por pouco das garras do monstro. Esse homem era muito reticente sobre o assunto. Entretanto, depois de muito implorar e de bastante persuasão, a narrativa a seguir foi extraída dele:

Tammas, como seu homônimo Tam o'Shanter, saiu certa noite. Embora não houvesse luar, o céu estava bem iluminado pelas estrelas. A estrada que Tammas seguia ficava perto do mar e, quando ele chegou a um trecho limitado de um lado pelo oceano e, do outro, por um profundo lago de água fresca, viu algo enorme à frente, se movendo em sua direção. O que ele podia fazer? Tinha certeza de que não era uma coisa terrena que vinha até ele. Não podia escapar para nenhum dos dois lados, e ouvira dizer que virar as costas para algo demoníaco era a posição mais perigosa de todas; então Tammie disse a si mesmo:

— Que o Senhor olhe por mim e me proteja, pois saí sem nenhuma má intenção esta noite!

Tammie sempre foi considerado grosseiro e imprudente. Então, decidiu que o menor dos males era enfrentar o inimigo. Caminhou à frente, resoluto, embora devagar. Para seu horror, logo descobriu que a criatura horripilante que se aproximava dele era nada mais nada menos que o temido Nuckelavee. A parte inferior desse monstro terrível, como Tammie testemunhou, era um enorme cavalo com barbatanas sobre as patas, a boca tão grande quanto a de uma baleia, de onde saía um hálito que parecia o vapor de uma caldeira. Ele tinha só um olho, que era vermelho como fogo. Sobre ele, mais parecendo brotar de seu dorso, havia um homem enorme, sem pernas, e com braços que chegavam quase até o chão. Sua cabeça era tão grande quanto um *clue of simmons*[18], e essa cabeça gigantesca ficava rolando de um ombro ao outro, como se estivesse prestes a cair. Mas o que Tammie achou mais horrível foi que o monstro não tinha pele; essa total ausência de pele contribuía muito para a aparência horripilante do corpo nu da criatura — toda a sua superfície exibindo apenas a carne viva, vermelha, na qual Tammie viu sangue, preto como o piche, correndo por veias amarelas, e grandes tendões brancos, grossos como dentes de cavalos, se contorcendo, esticando e contraindo à medida que o monstro se mexia. Pouco a pouco, Tammie entrou num estado de terror mortal, os cabelos em pé, uma sensação gélida, como se houvesse uma camada de gelo entre seu couro cabeludo e seu crânio, e o suor frio brotando de cada poro. Mas ele sabia que fugir era inútil e decidiu que, se tinha que morrer, preferia ver quem ia matá-lo a morrer de costas para o inimigo. Em meio ao seu terror, Tammie se lembrou do que tinha ouvido sobre Nuckelavee não gostar de água fresca e, então, foi para o lado da estrada mais perto do lago. Chegou o momento terrível em que a parte inferior da cabeça do monstro estava ao lado de Tammie. A boca da criatura se abriu como um poço sem fundo. Tammie sentiu no rosto seu hálito quente como fogo: os longos braços estavam estendidos para

18 Um novelo de cordas de palha, geralmente com cerca de um metro de diâmetro [N. T.]

agarrar o pobre homem. Para evitar, se possível, as garras do monstro, Tammie desviou para o mais perto que pôde do lago; ao fazer isso, um dos seus pés entrou na água, espirrando um pouco na perna dianteira do monstro, por isso o cavalo bufou alto como um trovão e pulou, assustado, para o outro lado da estrada, e Tammie sentiu o vento das garras de Nuckelavee enquanto escapava por pouco de ser pego pela criatura. Tammie viu sua oportunidade e correu com toda sua energia; e precisava mesmo correr, porque Nuckelavee tinha voltado e galopava atrás dele, urrando com um som que parecia o rugido furioso do mar. Diante de Tammie, havia um riacho, através do qual o excesso de água do lago seguia seu curso para o oceano, e ele soube que, se conseguisse ao menos atravessar a água corrente, estaria a salvo; então deu tudo de si. Quando chegou à margem, os longos braços tentaram pegá-lo mais uma vez. Tammie acelerou desesperadamente e chegou ao outro lado, deixando sua boina nas garras do monstro. Nuckelavee soltou um grito selvagem, de fúria e frustração, enquanto Tammie caía, inconsciente, na margem segura do riacho.

JAMES TORRANCE, 1901

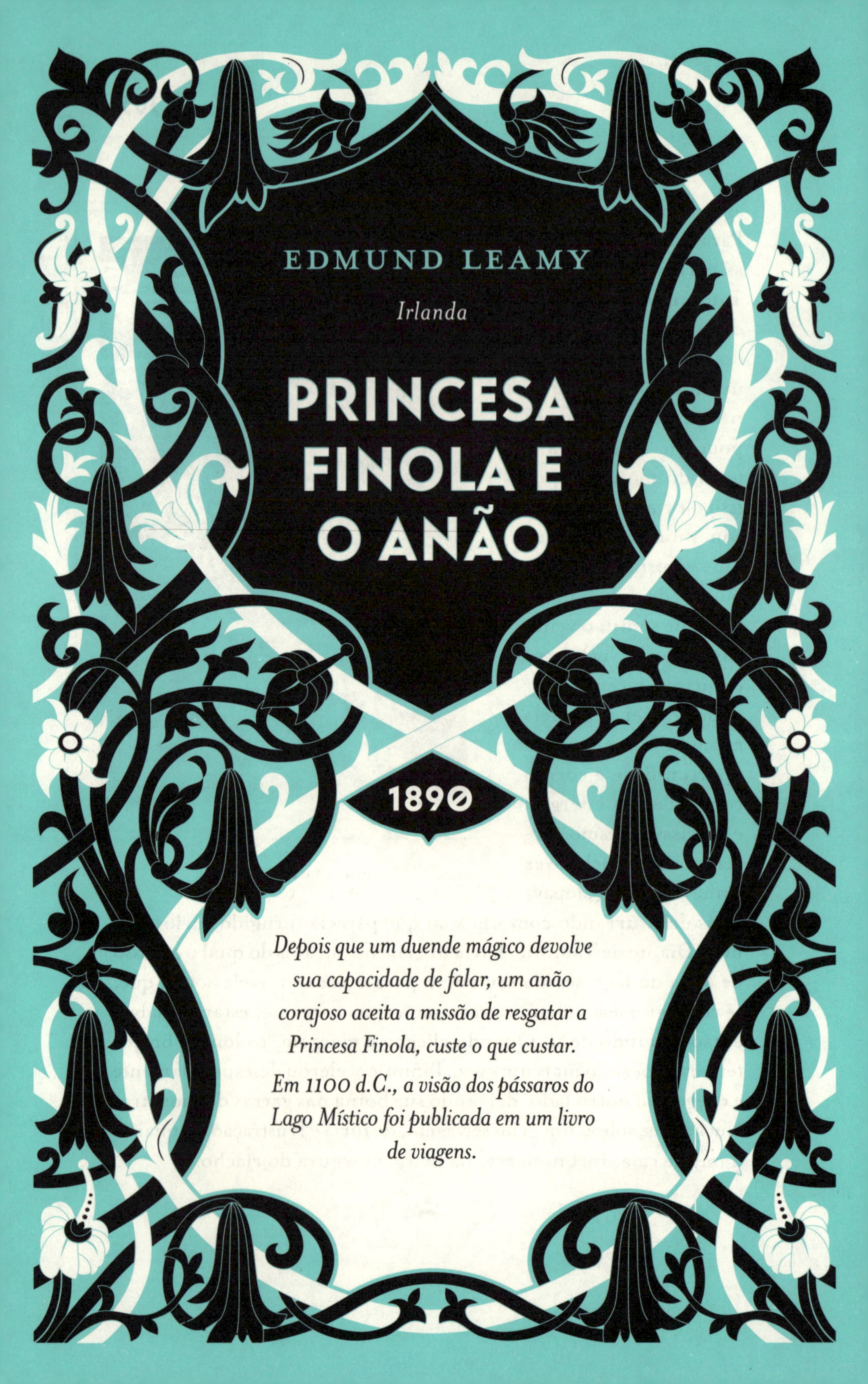
EDMUND LEAMY
Irlanda
PRINCESA FINOLA E O ANÃO
1890
Depois que um duende mágico devolve sua capacidade de falar, um anão corajoso aceita a missão de resgatar a Princesa Finola, custe o que custar.
Em 1100 d.C., a visão dos pássaros do Lago Místico foi publicada em um livro de viagens.

á muito, muito tempo, em uma choupana no meio de uma charneca descampada e isolada, viviam uma senhora e uma menina. A senhora era enrugada, amargurada e ignorante. A menina era doce e jovem como um botão de rosa, com uma voz tão musical quanto o sussurro de um riacho na mata nos dias quentes de verão. A choupana, feita de galhos entrelaçados, tinha a forma de uma colmeia.

No centro da choupana, uma fogueira era mantida acesa dia e noite durante todo o ano, apesar de nunca ser tocada nem cuidada por um ser humano. Nos dias e noites frios de inverno, oferecia luz e calor que deixavam a casinha confortável e aquecida, mas, nas noites e dias de verão, irradiava só luz. Com a cabeceira virada para a parede da casinha e os pés na direção da fogueira, havia dois sofás-camas — um de madeira maciça, no qual dormia a senhora; e o outro era de Finola. Era de carvalho polido, parecia um espelho, e ali havia flores entalhadas e aves de todos os tipos, que brilhavam e reluziam à luz da fogueira. Aquele sofá era digno de uma princesa, e Finola era uma princesa, apesar de não saber.

Fora da casa, a charneca descampada e isolada se estendia por quilômetros de todos os lados, mas, em direção ao leste, havia uma cadeia de montanhas que pareciam, aos olhos de Finola, azuis durante o dia, mas que ganhavam cem cores que se transformavam conforme o sol se punha. Não se via casas, árvores, flores, nenhum sinal de um ser vivo. Da manhã à noite, nem zumbido de abelha, nem canto de pássaro, nem voz de pessoas, nenhum som chegava ao ouvido de Finola. Quando a tempestade se aproximava, as ondas grandes quebravam na costa além das montanhas, e o vento uivava nos vales; mas quando soprava na charneca, perdia a voz, e passava silenciosa como a morte. No começo, o silêncio assustou Finola, mas ela se acostumou com

ele depois de um tempo, e sempre o interrompia falando sozinha e cantando.

A única outra pessoa que Finola via além da senhora era um anão mudo que, montado em um cavalo capenga, ia uma vez por mês à casinha, levando consigo um saco de milho para a senhora e para Finola. Apesar de ele não conseguir falar com ela, Finola sempre ficava feliz ao ver o anão e seu velho cavalo, e tinha o costume de dar a eles um bolo feito com suas mãos alvas. Quanto ao anão, ele teria morrido pela princesinha, pois estava muito apaixonado por ela, e, com muita frequência, sentia o coração pesado e triste quando pensava nela perdendo a vida na charneca solitária.

Aconteceu de, certo dia, ele chegar, e ela não sair para cumprimentá-lo como sempre fazia. Ele fez sinais para a senhora, mas ela pegou um pau e o acertou com ele, bateu em seu cavalo e fez com que ele fosse embora; mas quando estava partindo, ele viu de relance Finola à porta da choupana e notou que ela chorava. Aquela imagem o deixou tão triste que ele não conseguiu pensar em mais nada além do rosto triste que ele sempre vira tão alegre, e ele permitiu que o velho cavalo seguisse em frente sem se importar com a direção. De repente, ele escutou uma voz dizendo:

— Está na hora de você ir.

O anão olhou e, bem à frente, à base do monte verdejante, havia um homenzinho com metade de sua altura, vestindo um casaco verde com botões metálicos, um capuz e borlas vermelhas.

— Está na hora de você ir — disse ele pela segunda vez —, mas é bem-vindo, de qualquer modo. Desça do cavalo e entre comigo, para que eu possa tocar seus lábios com a varinha da fala e possamos caminhar juntos.

O anão desceu do cavalo e seguiu o homenzinho por um buraco na encosta de um monte verdejante. O buraco era tão pequeno que ele teve que ficar de quatro para atravessá-lo, e quando conseguiu ficar de pé, estava da mesma altura que o duende mágico. Depois de três ou quatro passos, eles se viram

S. FAZOIN, 1906

em uma sala esplêndida, clara como o dia. Diamantes brilhavam no teto como as estrelas reluzem no céu noturno quando não há nuvens. O telhado era apoiado por pilares dourados, e entre os pilares havia lâmpadas prateadas, mas a luz delas era ofuscada pela dos diamantes. No meio da sala havia uma mesa, sobre a qual havia dois pratos dourados e duas facas e garfos de prata, além de um sino de metal, grande como uma avelã, e ao lado da mesa havia duas cadeirinhas cobertas com seda e cetim azuis.

— Puxe uma cadeira — disse o duende — e vou pedir a varinha da fala.

O anão se sentou, e o duende tocou a sineta de latão, e um homenzinho bem pequeno entrou, pequeno mesmo, menor do que a sua mão.

— Traga a varinha da fala — disse o duende, e o homenzinho se curvou três vezes e saiu de costas, e um minuto depois voltou, trazendo uma varinha preta com uma frutinha na ponta e, ao entregá-la ao duende, fez uma reverência três vezes e saiu de costas, como tinha feito antes.

O duende movimentou a haste três vezes sobre o anão e o acertou uma vez no ombro direito e uma vez no esquerdo, e tocou seus lábios com a frutinha vermelha, dizendo:

— Fale!

O anão falou e ficou tão feliz ao ouvir o som da própria voz que dançou pela sala.

— Quem é você, afinal? — disse ele ao duende.

— Quem é você? — disse o duende. — Mas venha, antes de conversarmos, vamos comer, pois tenho certeza de que você está faminto.

Eles se sentaram à mesa, e o duende tocou a sineta de metal duas vezes, e o homenzinho entrou trazendo dois caracóis cozidos com suas conchas, e quando eles já tinham comido os caracóis, ele trouxe arganaz, e depois de comerem o arganaz, ele trouxe duas cambaxirras, e depois de comerem as cambaxirras, ele trouxe duas cascas de nozes cheias de vinho, e eles ficaram

muito felizes, e o duende cantou "Colleen dhas", e o anão cantou "The little blackbird of the glen".

— Você já ouviu "Foggy Dew[19]"? — perguntou o duende.

— Não — disse o anão.

— Bem, então vou cantar; mas precisamos tomar mais um pouco de vinho.

E o vinho foi levado, e ele cantou "Foggy Dew", e o anão disse ser a música mais linda que ele já tinha ouvido e que a voz do duende era capaz de atrair as aves dos arbustos.

— Você me perguntou quem sou? — perguntou o duende.

— Perguntei — disse o anão.

— E eu perguntei quem você é?

— Perguntou — disse o anão.

— E quem você é, então?

— Bem, para dizer a verdade, não sei — disse o anão, e corou como uma rosa.

— Bem, me diga o que sabe sobre si.

— Não me lembro de nada — disse o anão —, antes do dia em que me vi ao lado de uma multidão de todos os tipos de pessoas indo à feira do Liffey. Tivemos que passar pelo palácio do rei no caminho, e, enquanto passávamos, o rei pediu que um grupo de malabaristas fosse até lá e mostrasse seus truques para ele. Segui os malabaristas para observar, e quando a peça terminou, o rei me chamou, me perguntou quem eu era e de onde eu tinha vindo. Na época, eu era mudo e não consegui responder; mas mesmo que eu conseguisse falar, não poderia dizer o que ele queria saber, pois não me lembro nada de mim mesmo antes daquele dia. O rei perguntou aos malabaristas, mas eles não sabiam nada sobre mim, e ninguém sabia de nada, e então, o rei disse que me daria trabalho; e o único trabalho que tenho que

19 Uma das diversas baladas irlandesas. Sua primeira aparição foi em *The Ancient Music of Ireland* (1840), de Edward Bunting. [N. E.]

fazer é ir, uma vez por mês, com um saco de milho, até a choupana na charneca isolada.

— E ali, você se apaixonou pela princesinha — disse o duende, piscando para o anão.

O pobre anão corou duas vezes mais do que antes.

— Não precisa corar — disse o duende —, está tudo bem. Agora, diga, com sinceridade, você ama a princesa e o que faria para libertá-la do feitiço de encantamento que toma conta dela?

— Eu daria minha vida.

— Bem, nesse caso, ouça. A Princesa Finola foi banida para a charneca isolada pelo rei, seu senhor. Ele matou o pai dela, que era o rei por direito, e teria matado Finola, mas uma velha feiticeira disse que, se ele a matasse, ele próprio morreria no mesmo dia, e ela o aconselhou a mandá-la para a charneca isolada e disse que faria um feitiço para a charneca, e que, enquanto o feitiço não fosse quebrado, Finola não poderia sair da charneca. E a feiticeira também prometeu que mandaria uma senhora para cuidar da princesa dia e noite, para que nada de ruim pudesse acontecer com ela; mas disse ao rei que ele próprio deveria escolher um mensageiro para levar comida à choupana, e que deveria ficar atento a quem nunca tinha visto nem ouvido falar da princesa, em quem ele pudesse confiar que nunca contaria a ninguém nada sobre ela; e foi por isso que ele escolheu você.

— Já que você sabe tanto, pode me dizer quem sou e de onde vim?

— Você vai saber disso em breve. Eu devolvi sua fala. Depende apenas de você recuperar sua memória de quem e do que você era antes do dia em que começou a trabalhar para o rei. Mas está mesmo disposto a tentar quebrar o feitiço de encanto e libertar a princesa?

— Estou — disse o anão.

— Custe o que custar?

— Sim, mesmo que custe minha vida. Mas, me diga, como o feitiço pode ser quebrado?

— Ah, é bem fácil quebrar o feitiço se você tiver as armas — disse o duende.

— E quais são e onde estão? — perguntou o anão.

— A lança de cabo reluzente e a lâmina azul-escura e o escudo de prata. Estão no lado mais afastado do Lago Místico na Ilha dos Mares Ocidentais. Estão ali à espera do homem que seja corajoso o suficiente para encontrá-los. Se você for o homem que os trará de volta à charneca solitária, só terá que bater no escudo três vezes com o cabo e três vezes com a lâmina da lança, e o silêncio na charneca será quebrado para sempre, o feitiço de encantamento será removido e a princesa será libertada.

— Vou partir de uma vez – disse o anão, levantando-se da cadeira.

— E custe o que custar. Você aceita pagar o preço?

— Aceito.

— Bem, então, monte no cavalo, direcione-o e ele vai levar você à costa em frente à Ilha do Lago Místico. Você precisa seguir montado nele para atravessar para a ilha, e passar pelos corcéis-d'água que nadam em torno da ilha dia e noite para guardá-la; mas o mal virá se você tentar atravessar sem pagar o preço, pois, se assim fizer, os irados corcéis-d'água estraçalharão você e seu cavalo. E quando chegar ao Lago Místico, você deve esperar até as águas estarem tintas como o vinho, e então passar com seu cavalo, e, do outro lado, encontrará a lança e o escudo; mas o mal virá se você tentar atravessar o lago antes de pagar o preço, pois, se assim fizer, os corvos-marinhos negros dos Mares do Oeste arrancarão a carne de seus ossos.

— Qual é o preço?

— Você saberá no tempo certo — disse o duende —, mas agora vá, e que a boa-sorte lhe acompanhe.

O anão agradeceu ao duende e disse adeus! Então, envolveu o pescoço do cavalo com as rédeas e começou a subir o monte, que parecia aumentar e aumentar conforme ele subia, e o anão logo viu que o que ele pensava ser um monte era uma grande

montanha. Depois de viajar durante todo o dia, subindo cerros íngremes e caminhos tomados de urzes, ele chegou ao topo quando o sol se punha no mar, e viu bem longe, lá embaixo nas águas, a ilha do Lago Místico.

Ele começou a descer para a costa, mas, muito antes de chegar, o sol havia se posto, e a escuridão, que nem uma estrela iluminava, caiu sobre o mar. O velho cavalo, desgastado pela longa e árdua viagem, deitou-se, e o anão estava tão cansado que rolou de barriga para cima e adormeceu ao lado do animal.

Ele acordou ao amanhecer e viu que estava quase à beira d'água. Olhou para o mar e viu a ilha, mas não conseguia ver os corcéis-d'água, e começou a temer a possibilidade de ter tomado um rumo errado na noite, e que aquela ilha à sua frente não fosse a certa. Mas, enquanto pensava isso, escutou bufadas intensas e iradas e, passando depressa da ilha para a costa, ele viu os corcéis nadando e saltitando. Às vezes, a cabeça e a crina ficavam visíveis, e às vezes, empinando-se, eles erguiam metade do corpo para fora da água e, dando coices, lançavam espirros ao céu. Conforme se aproximavam, suas bufadas se tornavam mais terríveis, e das narinas saía a respiração em nuvens de vapor.

O anão estremeceu com o que viu e ouviu, e seu velho cavalo, tremendo inteiro, resmungou condoído, como se sentisse dor. Vieram os corcéis, até quase chegarem à costa, e então empinaram, parecendo prestes a partir a galope. O anão assustado se virou para partir e, ao fazer isso, ouviu o soar de uma harpa dourada, e bem à sua frente não viu ninguém menos do que o duendezinho dos montes, segurando uma harpa com uma das mãos e dedilhando as cordas com a outra.

— Está pronto para pagar o preço? — perguntou ele, assentindo alegremente para o anão.

Ao fazer a pergunta, os corcéis-d'água que escutavam, fungaram mais furiosamente do que nunca.

— Está pronto para pagar o preço? — perguntou o duende uma segunda vez.

A água espirrada, lançada na costa pelos corcéis irados, encharcou o anão, e isso fez com que ele estremecesse até os ossos, e ele ficou tão aterrorizado que não pôde responder.

— Pela terceira e última vez, está pronto para pagar o preço? — perguntou o duende ao colocar a harpa nas costas e se virar para partir.

Quando o anão o viu partir, ele pensou na princesinha na charneca isolada, e sua coragem voltou, e ele respondeu bravamente:

— Sim, estou pronto.

Os corcéis-d'água, ao ouvirem sua resposta, e bufando, irados, chegaram à costa com passos pesados.

— Voltem para suas ondas! — gritou o pequeno harpista; e conforme ele corria os dedos pela lira, os corcéis assustados recuaram e entraram na água.

— Qual é o preço? — perguntou o anão.

— Seu olho direito. — E antes que o anão pudesse dizer algo, o duende arrancou o olho com o dedo e o enfiou no bolso.

O anão sofreu uma dor horrorosa; mas resolveu suportá-la pelo bem da princesinha. Então, o duende se sentou em uma rocha à beira do mar e, depois de tocar algumas notas, começou a tocar "Strains of Slumber".

O som se espalhou sobre as águas, e os corcéis, tão ferozes um momento antes, ficaram totalmente parados. Eles não se mexiam mais e flutuavam acima da maré como espuma sendo soprada.

— Agora — disse o duende enquanto levava o cavalo do anão para a beira da água.

O anão fez o cavalo entrar na água e, quando chegou a um ponto fundo, o velho cavalo partiu correndo em direção à ilha. Os corcéis d'água, adormecidos, flutuaram sem reagir para perto dele e, em pouco tempo, ele chegou à ilha em segurança, e relinchou feliz quando as patas tocaram a terra firme.

O anão seguiu galopando até chegar a um percurso equestre, e, ao segui-lo, ele passou por estradas sinuosas, emolduradas por tojo dourado que deixava o ar fragrante, e o levaram ao Lago Místico. Ali, o cavalo parou no momento em que quis, e o coração do anão bateu depressa quando ele olhou para o lago, que, cercado pelos montes, parecia, na atmosfera sem vento e ensolarada —

"Imóvel como a morte,
e brilhante como a vida pode ser."

Depois de observar por muito tempo, ele apeou e se deitou tranquilo na grama agradável. Horas e mais horas se passaram, mas não houve mudança na superfície das águas, e, quando a noite veio, o sono fechou as pálpebras do anão.

O pio da cotovia o despertou no início da manhã e, sobressaltando-se, ele olhou para o lago, mas as águas estavam claras como no dia anterior.

Perto do meio-dia, ele viu o que pensou ser uma nuvem escura atravessando o céu do leste ao oeste. Parecia ficar maior conforme se aproximava cada vez mais, e quando estava bem acima do lago, ele viu que se tratava de um pássaro enorme, cuja sombra das asas esticadas escurecia as águas do lago; e o anão soube que se tratava de um dos Corvos-marinhos dos Mares Ocidentais. Conforme a ave descia lentamente, ele viu que levava, em uma das garras, um galho de uma árvore maior do que um carvalho adulto, tomado por galhos de frutinhas vermelhas maduras.

Ele parou a alguma distância do anão e, depois de descansar por um tempo, começou a comer as frutinhas e a jogar os caroços no lago, e onde um caroço caía, uma mancha vermelha intensa aparecia na água. Quando olhou com mais atenção para o pássaro, o anão viu que ele tinha todos os sinais da velhice, e não conseguia deixar de imaginar como ele conseguia carregar uma árvore tão pesada.

Mais tarde naquele dia, dois outros pássaros, tão grandes quanto o primeiro, mas mais jovens, vieram do oeste e pousaram ao lado dele. Também comeram as frutinhas e jogaram os caroços no lago, e a água logo ficou tão vermelha como o vinho.

Depois de comerem todas, os pássaros mais novos começaram a arrancar as penas desgastadas do velho pássaro e a alisar sua plumagem. Assim que completaram a tarefa, ele saiu do monte, voou acima do lago e mergulhou nas águas. Um momento depois, subiu à superfície, e lançou-se ao ar com um grito alegre, e partiu para o oeste com todo o vigor da juventude renovada, seguido pelos outros pássaros.

Depois de se afastarem tanto a ponto de parecerem estrelinhas no céu, o anão montou em seu cavalo e desceu em direção ao lago.

Estava quase à margem e teria mergulhado um minuto depois quando ouviu um grito estridente no ar, e antes que tivesse tempo de olhar para cima, os três pássaros estavam sobrevoando o lago.

O anão recuou, assustado.

Os pássaros sobrevoaram sua cabeça e então, mergulhando, voaram perto da água, cobrindo-a com suas asas, grasnando com intensidade.

Em seguida, subindo muito alto, eles dobraram as asas e mergulharam de cabeça no lago, como três rochas, perturbando sua superfície e espalhando a água rubra nos montes.

O anão se lembrou do que o duende havia dito a ele, que, se tentasse nadar no lago sem pagar o preço, os três Corvos dos Mares Ocidentais arrancariam a carne de seus ossos. Ele não soube o que fazer e estava prestes a se virar, quando ouviu o som da harpa dourada mais uma vez, e o duendezinho dos montes parou à sua frente.

— Um fracote nunca conquistou a bela donzela — disse o pequeno harpista. — Está pronto para pagar o preço? A lança e o escudo estão na barranca do outro lado, e a Princesa Finola está chorando agora mesmo na charneca isolada.

Ao ouvir o nome de Finola, o coração do anão se fortaleceu.

— Sim — disse ele. — Estou pronto... ganhar ou morrer. Qual é o preço?

— Seu olho esquerdo — disse o duende. E assim que disse isso, arrancou o olhou e o enfiou no bolso.

O pobre anão cego quase desmaiou de dor.

— É seu último teste — disse o duende —, e agora faça o que eu mandar. Torça a crina de seu cavalo com a mão direita, e vou levá-lo à água. Mergulhe, não tema. Eu devolvi sua fala. Quando chegar à barranca do outro lado, você vai recuperar sua memória e vai saber quem e o que é.

Então, o duende levou o cavalo à margem do lago.

— Entre agora e a boa-sorte o acompanhará — disse ele.

O anão incitou o cavalo a seguir. Entrou no lago e desceu até suas patas pousarem na terra do fundo. Então, começou a subir e, quando chegou perto da superfície da água, o anão pensou ter visto uma luz intensa, e quando saiu da água, viu o sol intenso brilhando e os montes verdejantes à sua frente, e gritou de alegria com sua visão recuperada.

Mas ele viu mais. Em vez de estar montado no cavalo velho com que havia entrado no lago, estava em cima de um nobre corcel, e enquanto o corcel nadava para a barranca, o anão sentiu que algo nele mudava e sentiu o corpo revigorado.

Quando o corcel chegou à barranca, galopou monte acima, e, chegando ao topo, havia um escudo prateado, brilhante como o sol, repousado em uma lança fincada no chão.

O anão apeou e, correndo em direção ao escudo, viu a si mesmo como se fosse um espelho.

Ele não era mais um anão, mas um belo cavaleiro. Naquele momento, sua memória voltou, e ele soube que era Conal, um dos Cavaleiros do Galho Vermelho, e se lembrou de que o feitiço de mudez e deformidade tinha sido lançado nele pela Bruxa do Palácio das Árvores Despertas.

Posicionando o escudo no braço esquerdo, ele arrancou a lança do chão e subiu no cavalo. Com o coração leve, ele nadou

DESCONHECIDO, 1890

CORINNE TURNER, 1911

de volta, e não viu em nenhum momento os Corvos dos Mares Ocidentais, mas três cisnes brancos que o sobrevoavam o seguiram até a barranca. Quando ele chegou lá, apeou e foi até a costa.

Então, pôs as rédeas no pescoço do cavalo e, mais rápido do que o vento, o belo cavalo seguiu galopando, e não demorou muito para que ele chegasse à charneca encantada. Nos pontos onde as patas do cavalo batiam no chão, grama e flores surgiam, e grandes árvores com galhos frondosos apareciam de todos os lados.

Por fim, o cavaleiro chegou à casinha. Três vezes ele bateu no escudo com o cabo e três vezes, com a lâmina da lança. Na última vez, a casinha desapareceu e à sua frente surgiu a princesinha.

O cavaleiro a pegou nos braços e a beijou; em seguida, ele a colocou no cavalo e, montando diante dela, virou em direção ao norte, para o palácio dos Cavaleiros do Galho Vermelho, e eles partiram sob as árvores frondosas, passando por todas de onde os pássaro cantavam, pois o feitiço de silêncio sobre a charneca isolada estava desfeito para sempre.

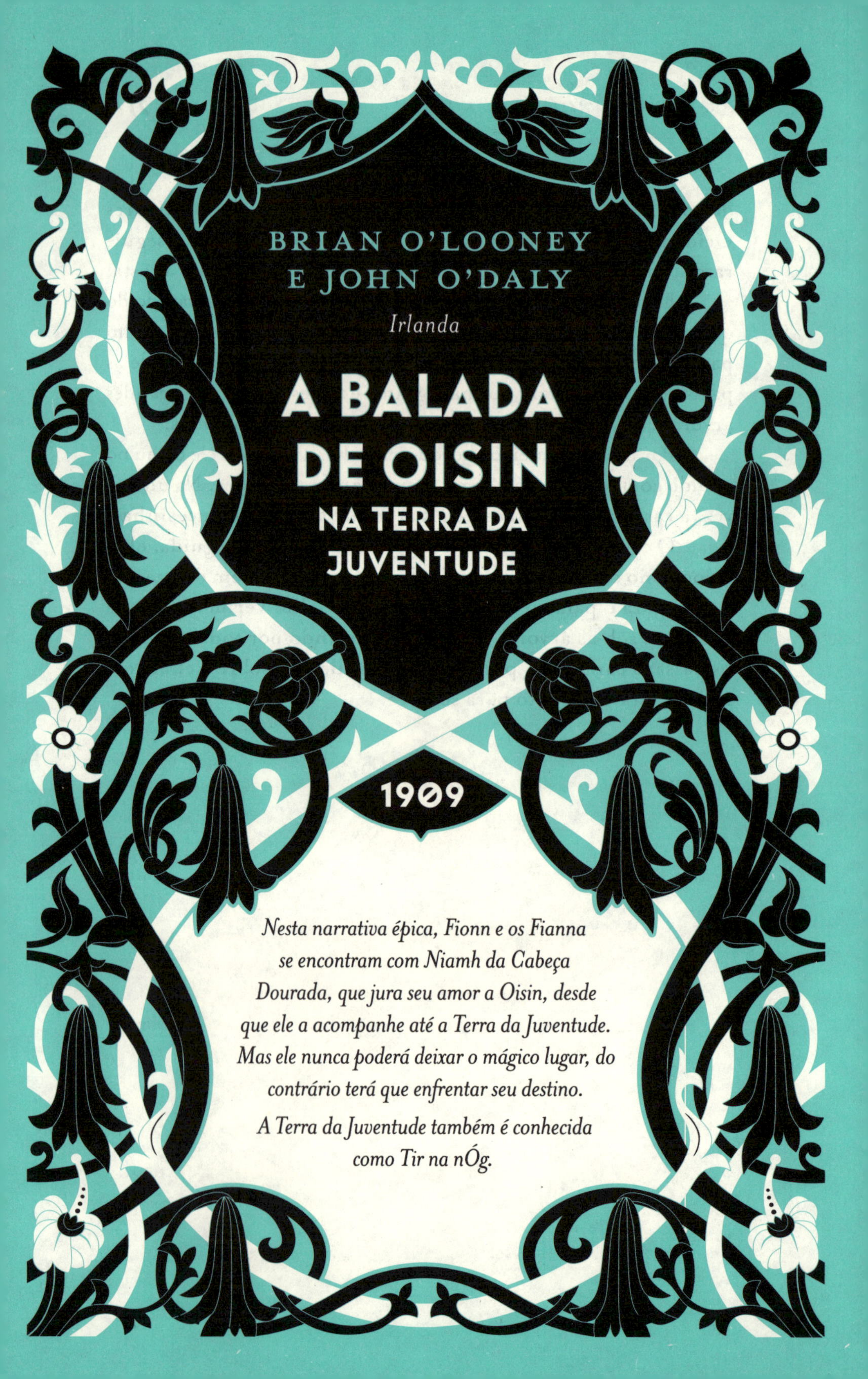
BRIAN O'LOONEY
E JOHN O'DALY
Irlanda
A BALADA
DE OISIN
NA TERRA DA
JUVENTUDE
1909
Nesta narrativa épica, Fionn e os Fianna
se encontram com Niamh da Cabeça
Dourada, que jura seu amor a Oisin, desde
que ele a acompanhe até a Terra da Juventude.
Mas ele nunca poderá deixar o mágico lugar, do
contrário terá que enfrentar seu destino.
A Terra da Juventude também é conhecida
como Tir na nÓg.

m dia, nós, os Fianna, estávamos todos reunidos — o generoso Fionn e todos nós que vivíamos; estávamos caçando em uma manhã nublada perto das margens do lago Lein, onde, por entre árvores perfumadas pelas mais doces flores e o tempo todo cercados pelo canto suave dos pássaros, incitamos como presa o cervo sem chifres mais ágil saltitante. Nossos sabujos e coletores foram logo atrás, em plena perseguição.

Não demorou muito para vermos, a oeste, uma amazona errante avançando em nossa direção — era uma jovem donzela da mais bela aparência, sobre um esbelto cavalo branco muito veloz. Todos interrompemos a perseguição ao ver a forma majestosa da jovem; foi uma surpresa para Fionn e os Fianna, que nunca tinham visto uma mulher de igual beleza. Havia uma coroa real em sua cabeça, e um manto marrom de preciosa seda, coberto de estrelas de ouro vermelho, que cobria os sapatos até a grama. Um anel de ouro pendia de cada cacho de seus cabelos dourados; seus olhos eram azuis, claros e límpidos, como uma gota de orvalho na grama. Suas bochechas eram mais vermelhas que a rosa, o rosto mais claro que o cisne sobre as águas, e o sabor dos lábios de bálsamo era mais doce que o mel misturado ao vinho tinto. Um manto amplo, comprido e macio cobria o cavalo branco; havia uma sela bonita de ouro vermelho, e sua mão direita segurava um arreio com uma ponta de ouro. Debaixo dele, havia quatro ferraduras, bem moldadas, de ouro amarelo da mais pura qualidade; uma grinalda de prata enfeitava a parte de trás de sua cabeça, e não havia no mundo um corcel melhor.

Ela chegou à presença de Fionn e falou com a voz doce e gentil:

— Ó rei dos Fianna, longa e distante é minha jornada agora.

— Quem é você, ó jovem princesa!, de tão deslumbrantes beleza, forma e semblante? Conte-nos a origem da sua história, o seu próprio nome e o seu país.

— Niamh da Cabeça Dourada é meu nome, ó sábio Fionn das multidões. Ganhei a estima das mulheres além deste mundo; sou a honrada filha do Rei da Juventude.

— Conte-nos, ó amável princesa, o que a levou a atravessar o mar… foi seu consorte que a abandonou ou qual é a aflição que a traz aqui?

— Não foi meu marido que me abandonou; e ainda não tive conhecimento de homem algum, ó rei dos Fianna da mais alta reputação; mas carinho e amor devotei a seu filho.

— Qual dos meus filhos é esse, ó filha florescente, a quem você deu amor ou mesmo carinho? Não esconda nada de nós e conte-nos sua história, ó mulher.

— Eu lhe direi isso, ó Fionn! Seu nobre filho dos braços bem-formados, Oisin, de espírito elevado e mãos poderosas, é o campeão de quem estou falando.

— E qual foi a razão pela qual você deu amor, ó linda filha dos cabelos brilhantes, a meu próprio filho acima de todos os altos senhores sob o sol?

— Não foi sem motivo, ó rei dos Fianna! Eu vim de longe por ele… mas ouvi relatos de suas proezas, de sua bondade e de sua aparência.

"Muitos filhos de reis e de chefes supremos me deram afeto e amor eterno; nunca dei consentimento a nenhum deles, até entregar meu amor ao nobre Oisin."

— Juro por minha vida, ó Patrick, embora não seja uma história vergonhosa para mim, não havia uma parte do meu corpo que não estivesse apaixonada pela linda filha dos cabelos brilhantes.

Eu, Oisin, peguei a mão dela na minha e disse no tom mais doce:

— Dou minhas verdadeiras e gentis boas-vindas a ti, ó jovem princesa, a este país! Tu és a forma mais bela e mais brilhante, és tu que desejo como esposa, tu és a minha escolha acima das mulheres do mundo, ó estrela suave do mais adorável semblante!

— Compromisso a que nenhum verdadeiro herói se oporia, ó generoso Oisin, deixo em suas mãos vir agora comigo em meu corcel até chegarmos à Terra da Juventude. É o país mais aprazível que já se viu, de maior reputação sob o sol, árvores carregadas de frutos, flores e folhagem crescendo no topo dos galhos. Abundante, há mel e vinho e tudo o que os olhos já contemplaram; não virá declínio sobre você com o passar do tempo; não experimentará morte ou decadência. Terá banquetes, diversão e bebidas; ouvirá músicas melodiosas das cordas da harpa; receberá prata e ouro; também terá muitas joias. Você receberá o diadema real do Rei da Juventude, que ele nunca deu a ninguém sob o sol; isso o protegerá noite e dia, em batalhas, rebeliões e conflitos violentos. Terá uma armadura de cota de malha apropriada para proteção e uma espada de ouro, apta a golpes, da qual ninguém jamais escapou vivo depois de ver seu fio. Terá tudo isso que lhe prometi e também prazeres que não posso mencionar; terá beleza, força e poder, e eu mesma serei sua esposa.

— Não ouvirás uma recusa de mim — falei —, ó encantadora rainha dos cachos dourados! Tu és a minha escolha sobre as mulheres do mundo, e irei de boa vontade à Terra da Juventude.

Viajamos juntos no dorso do cavalo. Diante de mim ia a virgem; ela disse:

— Oisin, vamos ficar em silêncio até chegarmos à foz do grande mar.

Então incitou o corcel a acelerar; quando chegamos à costa, ele se sacudiu para então avançar e relinchou três vezes.

Quando Fionn e os Fianna viram o corcel viajando rapidamente, enfrentando a grande maré, eles soltaram três gritos de luto e pesar.

— Ó Oisin! — disse Fionn, devagar e cheio de tristeza. — Pobre de mim porque está me deixando. Não tenho a menor esperança de que volte a mim vitorioso.

Sua forma e beleza mudaram, e as lágrimas rolaram, até que molharam seu peito e seu rosto brilhante, e ele disse:

GEORGE DENHAM, 1909

— Minha angústia é você, ó Oisin, me deixar!

Ó Patrick, é uma história melancólica a nossa separação naquele lugar, a separação de um pai e seu próprio filho — é triste, fraco e delicado contá-la! Beijei meu pai, doce e gentilmente, e o mesmo carinho recebi dele. Dei adeus a todos os Fianna, e as lágrimas rolaram pelo meu rosto. Demos as costas para a terra e nos voltamos diretamente para o oeste; o mar se estendia liso à nossa frente e se enchia de ondas atrás de nós. Vimos maravilhas em nossas viagens, cidades, cortes e castelos, mansões e fortalezas brancas como cal, casas de verão e palácios brilhantes. Também vimos, ao nosso lado, uma jovem corça sem chifres saltando agilmente e um cachorro branco de orelhas vermelhas a incitando com coragem na perseguição. Vimos também, sem ficção, uma jovem donzela em um corcel marrom, uma maçã dourada na mão direita, cavalgando no topo das ondas. Vimos atrás dela um jovem cavaleiro em um corcel branco, sob um manto de cetim roxo e vermelho, e uma espada de ouro na mão direita.

— Quem são aqueles dois que eu vejo, ó princesa gentil? Diga-me o significado daquela mulher de semblante bonito e do cavaleiro atraente no corcel branco.

— Não dê atenção ao que verá, ó gentil Oisin, nem ao que já viu; não há nada até chegarmos à terra do Rei da Juventude.

Vimos de longe um palácio ensolarado de fachada bonita; sua forma e aparência eram as mais belas do mundo.

— Que incrível mansão real, e também a melhor que os olhos já viram, é para lá que estamos viajando, ou quem é o chefe daquele lugar?

— A filha do rei da "Terra da Vida" é a rainha, mas aquela fortaleza lhe foi tomada por Fomhor Builleach, de Dromloghach, com armas e ações violentas. Ela impôs a ele a promessa de nunca tomá-la por esposa até que ela conseguisse um campeão ou um verdadeiro herói para duelar com ele.

— Sucesso e bênçãos a ti, ó Niamh da Cabeça Dourada. Nunca ouvi música melhor do que a voz suave de tua doce boca; que tristeza uma mulher na condição dela. Visitarei-a agora na fortaleza,

e pode ser que, sobre nós, recaia o destino de que eu derrote esse grande herói, em feitos que me são habituais.

Fomos então para a fortaleza. A jovem rainha veio a nós. Era tão esplendorosa quanto o sol, e nos deu cem boas-vindas.

A rainha de incrível beleza usava roupas de seda amarela. Sua pele branca como giz era como o cisne nas águas, e suas bochechas eram da cor da rosa. Seus cabelos eram de um tom dourado, seus olhos azuis eram claros e nítidos; os lábios de mel da cor das bagas e as sobrancelhas finas tinham a forma mais adorável.

Então nos sentamos, cada um em uma cadeira de ouro. Foi-nos servida abundância de comida e chifres cheios de bebida. Quando comemos uma quantidade suficiente de comida e bebemos muito vinho doce, falamos à jovem e gentil princesa, e assim ela nos disse:

— Ouçam-me um instante.

Ela nos contou sua história, e as lágrimas escorreram por suas bochechas. Ela disse:

— Não posso retornar ao meu próprio país enquanto o grande gigante estiver vivo.

— Cale-se, jovem princesa! Esqueça sua dor e não lamente, e eu lhe dou minha palavra de que o gigante cairá morto ao meu lado!

— Não há nesta era, sob o sol, nenhum campeão de maior reputação para duelar com o valente gigante de golpes fortes.

— Eu lhe digo, ó gentil rainha, não tenho medo de que ele venha ao meu encontro. A menos que ele caia ao meu lado, pela força dos meus braços, cairei eu mesmo em sua defesa.

Não demorou muito até vermos se aproximando o poderoso gigante, que era deveras repulsivo. Estava coberto de peles de cervo, com uma barra de ferro na mão. Ele não nos cumprimentou nem se curvou, mas olhou para o semblante da jovem donzela, anunciou a batalha e o grande duelo, e fui encontrá-lo. Durante três noites e três dias, mantivemos a grande disputa; embora ele fosse poderoso, o gigante valente, eu o decapitei sem demora.

Quando as duas jovens donzelas viram o grande gigante deitado imóvel, fraco e derrotado, proferiram três gritos de alegria, com grande jactância e felicidade.

GEORGE DENHAM, 1909

Fomos então para a fortaleza, e eu estava machucado, fraco e impotente, perdendo sangue em abundância pelas feridas. A filha do "Rei dos Vivos" fez tudo o que realmente podia para me dar alívio. Pôs bálsamos e unguentos em minhas feridas, e fiquei bem por causa dela.

Nós consumimos nosso banquete com prazer e ficamos felizes. Na fortaleza, foram preparadas para nós camas quentes como os ninhos dos primeiros pássaros. Enterramos o grande homem em uma cova profunda, larga e ampla. Ergui sua bandeira e monumento e escrevi seu nome em Ogham Craobh.

No dia seguinte, ao amanhecer, acordamos do sono.

— É hora de irmos — disse a filha do rei — sem demora para nossa própria terra.

Nós nos preparamos sem demora e nos despedimos da virgem. Estávamos muito tristes por ela, e não menos triste por nós estava a jovem refulgente.

Viramos as costas para a fortaleza, pusemos nosso cavalo a toda velocidade, e o corcel branco era mais rápido que o vento de março no topo da montanha. Logo o céu escureceu e o vento surgiu em todos os pontos, o grande mar se agitou fortemente e não se podia mais ver o sol. Olhamos por um tempo as nuvens e as estrelas, que estavam sombrias. A tempestade diminuiu e o vento também, e Phœbus iluminou nossas cabeças.

Vimos ao nosso lado um campo muito agradável, sob plena floração, e planícies bonitas, suaves e claras, e uma fortaleza real de beleza inigualável. Não era uma cor que os olhos já tivessem contemplado — um tom rico de azul, verde e branco, ou roxo, vermelho e amarelo —, mas era a cor dessa mansão real que estou descrevendo. Do outro lado da fortaleza, havia casas e palácios de verão, brilhantes, todos feitos de pedras preciosas, pelas mãos de homens hábeis e grandes artistas.

Em pouco tempo, vimos vindo da fortaleza para nos encontrar uma centena e meia de campeões da maior agilidade, melhor aparência, grande fama e mais alta reputação.

— Que terra bonita é esta, ó filha gentil dos cachos dourados? Do melhor aspecto que o olho já viu; é a Terra da Juventude?

— É sim, de fato, ó generoso Oisin! Eu não lhe disse uma mentira sequer a respeito dela; não há nada que lhe prometi que não seja manifestado para sempre.

Depois veio a nós uma centena de damas de beleza requintada, roupas íntimas de seda cheias de ouro, dando-me as boas-vindas a seu próprio país. Vimos novamente se aproximando uma multidão de anfitriões alegres e brilhantes, e um rei nobre, grande e poderoso, de graça, forma e semblante incomparáveis. Usava uma camisa amarela de cetim sedoso e um traje dourado brilhante por cima; na cabeça, uma coroa de ouro cintilante. Atrás dele vinha a jovem rainha da mais alta reputação e cinquenta virgens doces e amáveis, da mais bela forma, em sua companhia. Quando todos chegaram a um determinado ponto, o Rei da Juventude falou com cortesia:

— Este é Oisin, filho de Fionn, o gentil consorte de Niamh da Cabeça Dourada!

Ele me pegou pela mão e disse em voz alta à audiência do povo:

— Ó corajoso Oisin! Ó filho do rei! Cem mil boas-vindas a você! Neste país no qual você entra, não ocultarei de você as novidades, na verdade, longa e durável é a sua vida, e você será sempre jovem. Não há um deleite que o coração tenha desejado que não esteja a sua espera nesta terra. Ó Oisin! acredite em mim, pois sou o rei da Terra da Juventude! Esta é a gentil rainha e minha própria filha, Niamh da Cabeça Dourada, que atravessou o mar calmo para que você fosse seu consorte para sempre.

Agradeci ao rei e me curvei diante da gentil rainha; não nos demoramos lá e prosseguimos logo, até chegarmos à mansão real do Rei da Juventude. Chegaram os nobres da bela fortaleza, homens e mulheres, para nos encontrar; houve festa e banquete por dez noites e dez dias seguidos.

Eu me casei com Niamh da Cabeça Dourada, ó Patrick de Roma dos bastões brancos! Foi assim que fui para a Terra da Juventude, o que é para mim lastimável e doloroso de contar. Tive,

com Niamh da Cabeça Dourada, filhos de beleza inigualável, da melhor forma e semblante, dois jovens meninos e uma filha gentil. Passei um longo tempo, trezentos anos e mais, até pensar que seria minha vontade ver Fionn e os Fianna vivos. Pedi consentimento ao rei e a minha esposa, Niamh da Cabeça Dourada, para voltar a Erin para ver Fionn e seu grande povo.

— Você terá minha permissão para partir — disse a filha gentil —, embora seja triste ouvir isso dos seus lábios, pois você não voltará mais com vida à minha terra, ó vitorioso Oisin!

— O que tememos, ó gloriosa rainha? Enquanto o corcel branco estiver a meu serviço, ele me ensinará o caminho com facilidade e voltará a salvo para ti.

— Lembra-te, ó Oisin! do que estou dizendo. Se puseres os pés em terra, não voltarás nunca mais a esta bela terra em que eu mesma estou. Digo novamente sem engano, se desceres do cavalo branco, nunca mais voltarás à Terra da Juventude, ó dourado Oisin dos braços de combate! Digo-te pela terceira vez que, se desceres do corcel, serás um homem velho, enrugado e cego, não poderás fazer nenhuma atividade, correr, pular nem ter prazer. É uma aflição para mim, ó amado Oisin, que tu vás à verdejante Erin. Não é agora como era antes; e nunca verás Fionn das multidões. Agora não há em toda Erin nada além de um pai de ordens e hordas de santos. Ó amado Oisin, aqui está meu beijo; tu nunca voltarás à Terra da Juventude!

Olhei para o rosto dela com compaixão, e rios de lágrimas escorreram dos meus olhos. Ó Patrick! Tu terias tido pena dela arrancando os cabelos da cabeça dourada. Ela me deu instruções rigorosas para ir e voltar sem tocar na terra e me disse, em virtude de seu poder, que, se eu as violasse, nunca voltaria a salvo. Jurei a ela, sem mentir, que cumpriria cada instrução que ela me deu. Subi no dorso do corcel branco e me despedi do povo da fortaleza. Beijei minha gentil consorte e fiquei triste por me separar dela; meus dois filhos e minha filha caíram em luto, derramando lágrimas. Eu me preparei para viajar e dei as costas para a Terra da

Juventude. O cavalo correu depressa debaixo de mim, como fizera comigo e com Niamh da Cabeça Dourada.

Quando de minha chegada, então, ao país, olhei atentamente em todas as direções. Pensei, de fato, que não encontraria notícias de Fionn. Não demorou muito, nem foi enfadonho, até eu ver, vinda do oeste em minha direção uma grande tropa de homens e mulheres montados, e eles vieram à minha presença. Eles me saudaram gentil e educadamente, e a surpresa tomou conta de todos ao ver a maior parte da minha pessoa, minha forma, minha aparência e meu semblante. Eu mesmo perguntei a eles se sabiam se Fionn estava vivo, ou qualquer um dos Fianna, ou que tragédia os levara?

— Ouvimos falar de Fionn, de sua força, agilidade e coragem, que nunca houve um homem igual a ele em pessoa, caráter e aparência. Há muitos livros escritos pelos doces e melodiosos sábios dos galeses que, na verdade, somos incapazes de listar para você, acerca dos feitos de Fionn e dos Fianna. Ouvimos dizer que Fionn tinha um filho da mais incrível beleza e forma; que uma jovem donzela veio atrás dele e que ele partiu com ela para a Terra da Juventude.

Quando ouvi o anúncio de que Fionn não vivia mais, nem qualquer um dos Fianna, fui tomado pelo cansaço e por uma grande tristeza e fiquei melancólico por eles! Não parei em meu caminho, rápido e sem demora, até que olhei direto para Almhuin de grandes feitos em Leinster. Grande foi minha surpresa por não ter visto a corte de Fionn das multidões; na verdade, não havia em seu lugar nada além de ervas-daninhas e urtigas. Ai de mim, ó Patrick! Ah, minha dor! Foi uma viagem muito infeliz para mim, sem as notícias de Fionn ou dos Fianna; isso me fez viver na dor. Depois que deixei Almhuin de Leinster, não havia uma residência onde os Fianna tinham estado, mas procurei minuciosamente, sem demora. Ao passar pelo Vale dos Melros, vi uma grande assembleia ali, mais de trezentos homens no vale à minha frente. Um dos membros da assembleia falou, em voz alta:

— Venha em nosso socorro, ó campeão real, e nos liberte da dificuldade!

Então me aproximei, e o grupo tinha uma grande bandeira de mármore; o peso da bandeira caía sobre eles e não conseguiam sustentá-lo! Aqueles que estavam sob a bandeira estavam sendo oprimidos, fracos; sob o peso da grande carga, muitos deles perderam os sentidos. Um dos intendentes falou:

— Ó jovem herói principesco, alivie imediatamente meu povo, ou nenhum deles ficará vivo!

É vergonhoso que isso deva ser contado e que, pelo número de homens que havia, a força da multidão não fosse capaz de levantar a bandeira com grande poder. Se Oscur, filho de Oisin, vivesse, ele ergueria aquela bandeira com a mão direita; e com um gesto a arremessaria por sobre a multidão. Não é meu costume falar mentiras.

Deitei-me sobre meu peito direito e peguei a bandeira na mão; com a força e a atividade dos braços, joguei-a longe de onde estava! Com a força da própria bandeira muito grande, a sela dourada quebrou sobre o cavalo branco; de repente, caí com a sola dos dois pés no chão. Assim que caí, o corcel branco tomou um grande susto. Ele seguiu seu caminho, e fiquei ali em desgraça, fraco e débil. Perdi a visão dos meus olhos, minha forma, meu semblante e meu vigor; eu era um homem velho, pobre e cego, sem força, entendimento ou estima. Patrick! Eis a minha história, como me ocorreu, sem mentiras, a minha partida e as minhas aventuras, com certeza, e o meu retorno da Terra da Juventude.

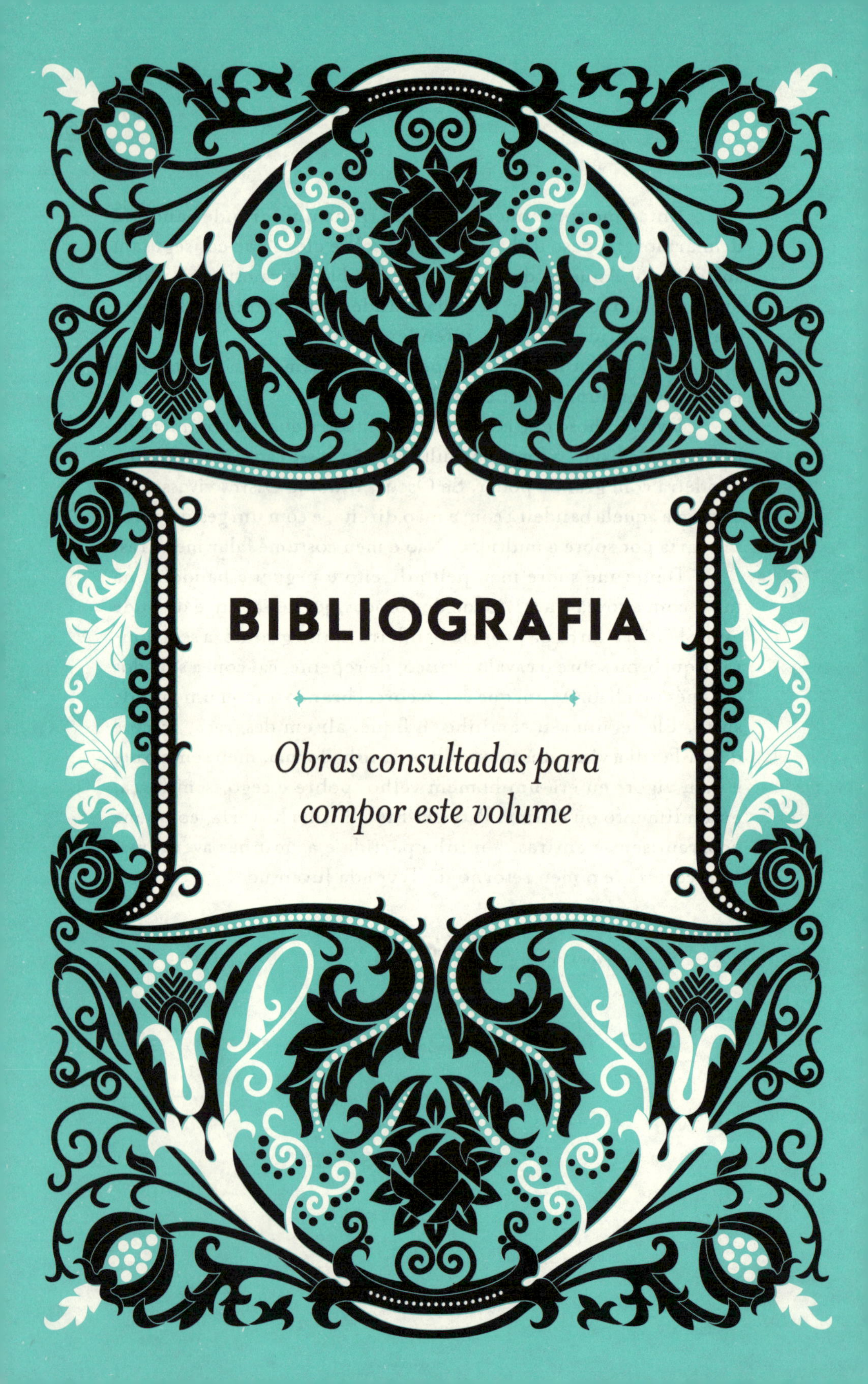

BIBLIOGRAFIA

Obras consultadas para compor este volume

Abaixo temos a lista de contos presentes nesta edição incluindo seus títulos em português, título original do conto, título da obra, autor, data da edição, tradutor e preparador. As ilustrações presentes em *Os melhores contos de fadas Celtas* foram obtidas de diversas edições.

A HISTÓRIA DE DEIRDRE *The Story of Deirdre* *Celtic Folk and Fairy Tales* Joseph Jacobs 1891 Rachel Agavino Milena Vargas

FILHOS DE LIR *The Fate of the Children of Lir* *More Celtic fairy tales* Joseph Jacobs 1895 Ariane Muniz Karine Ribeiro

O LOBO-CINZENTO *The Gray Wolf* *Works of fancy and imagination vol. X* George MacDonald 1871 Camila Fernandes Regiane Winarski

O REI DO DESERTO NEGRO *The King of the Black Desert* *The Irish Fairy Book* Douglas Hyde 1909 Camila Fernandes Regiane Winarski

LIS AMARELA *Yellow Lilly* *Stories to read or tell from fairy tales and folklore* Laure Claire Foucher 1917 Camila Fernandes Regiane Winarski

TAM LIN *Tam Lin* *The English and Scottish Popular Ballads* Francis James Child 1898 Rachel Agavino Regiane Winarski

A FLORESTA DE DOOROS *The Fairy Tree of Dooros* *Irish fairy tales* Edmund Leamy 1906 Carolina Caires Coelho Milena Vargas

O CAÇADOR DE FOCAS E O SEREIANO *The Seal Catcher and the Merman* *The Scottish fairy book* Elizabeth W. Grierson 1910 Camila Fernandes Regiane Winarski

A DONZELA DO MAR *The Sea Maiden* *Celtic Folk and Fairy Tales* Joseph Jacobs 1891 Camila Fernandes Milena Vargas

O GIGANTE EGOÍSTA *The Selfish Giant* *The happy prince and other fairy tales* Oscar Wilde 1888 Camila Fernandes Milena Vargas

A TOSA DA LÃ ENCANTADA *The Shearing of the Fairy Fleeces* *In the Celtic past* Anna MacManus (com pseudônimo Ethna Carbery) 1904 Camila Fernandes Regiane Winarski

O DRAGÃO RELUTANTE *The Reluctant Dragon* *Dream Days* Kenneth Grehame 1898 Cláudia Mello Belhassof Milena Vargas

O GATINHO BRANCO *The Little White Cat* *Irish fairy tales* Edmund Leamy 1906 Rachel Agavino Regiane Winarski

A DAMA DA FONTE *The Lady of the Fountain* *The lilac fairy book* Andrew Lang 1910 Carolina Caires Coelho Regiane Winarski

O CAVALO PRETO *The Black Horse* *More Celtic fairy tales* Joseph Jacobs 1895 Camila Fernandes Milena Vargas

OS ANIMAIS GRATOS *The Grateful Beasts* *The Irish Fairy Book* Patrick Kennedy 1909 Rachel Agavino Milena Vargas

AS MULHERES CHIFRUDAS *The Horned Women* *Ancient legends, mystic charms, and superstitions of Ireland* Lady Wilde 1909 Camila Fernandes Milena Vargas

AS TRÊS COROAS *The Three Crowns* *The Irish Fairy Book* Patrick Kennedy 1909 Carolina Caires Coelho Milena Vargas

O VIOLINO DE NOVE CENTAVOS *The Ninepenny Fidil* *The Irish Fairy Book* Seosamh Mac Cathmhaoil (Joseph Campbell) 1909 Rachel Agavino Regiane Winarski

A CAVERNA ENCANTADA *The Enchanted Cave* *Irish fairy tales* Edmund Leamy 1906 Carolina Caires Coelho Milena Vargas

A VISÃO DE MACCONGLINNEY *The vision of MacConglinney* *More Celtic fairy tales* Joseph Jacobs 1895 Camila Fernandes Milena Vargas

NUCKELAVEE *Nuckelavee* *Scottish fairy and folk tales* George Brisbane Douglas 1900 Rachel Agavino Milena Vargas

PRINCESA FINOLA E O ANÃO *Princess Finola and the Dwarf* *Irish fairy tales* Edmund Leamy 1906 Carolina Caires Coelho Regiane Winarski

A BALADA DE OISIN NA TERRA DA JUVENTUDE *Lay of Oisin on the Land of Youth* *The Irish Fairy Book* Bryan O'Looney (sic) 1909 Rachel Agavino Regiane Winarski

---

A PRINCESA LEVE foi uma noveleta exclusiva da primeira edição.
Para adquirir em formato digital, visite:
www.amazon.com.br/dp/B08PSSNXXL

Este livro foi publicado através de financiamento coletivo e contou com o apoio de mais de 3300 apaixonados pela cultura celta. O conjunto da obra é o resultado de uma série de surpresas positivas durante a pesquisa para sua concepção, e da união de profissionais com um único objetivo: o de resgatar um passado encantador e distante de nossas tradições, mas extremamente importante para a fantasia atual.

Nossos sinceros, profundos e carinhosos agradecimentos pela confiança e parceria nesta campanha!

Esperamos que esta edição faça jus aos sonhos que seus autores, ilustradores e editores um dia tiveram sobre suas obras. Para nós, a realidade superou os sonhos. Muito obrigada!

DA MESMA COLEÇÃO:

Contos de Fadas em suas Versões Originais
Os Melhores Contos de Fadas Nórdicos
Os Melhores Contos de Fadas Asiáticos
Os Melhores Contos de Fadas Eslavos
Os Melhores Contos de Fadas Sombrios